機動戦士ガンダムSEED DESTINY《シード デスティニー》

GUNDAM SEED

1

怒れる瞳

MOBILE SUIT GUNDAM SEED DESTINY

ART GALLERY

illustrated by
TOMOFUMI OGASAWARA

ZGMF-X56S/α FORCE IMPULSE GUNDAM

ZGMF-1000/A1 GUNNER ZAKU WARRIOR

ZGMF-1001/M BLAZE ZAKU PHANTOM

機動戦士ガンダムSEED《シード》 DESTINY《デスティニー》①

怒れる瞳

原作/矢立 肇・富野由悠季
著/後藤リウ

角川文庫 13700

MOBILE SUIT GUNDAM SEED DESTINY ①

CONTENTS

PROLOGUE 21

PHASE 01 27

PHASE 02 136

PHASE 03 188

PHASE 04 281

PHASE 05 379

EPILOGUE 449

あとがき 456

MAIN CHARACTERS

ミネルバのクルー

レイ・ザ・バレル
ザフトのエリートパイロット。常に冷静な判断力を持ち、シンたちのリーダー役を務める。

シン・アスカ
元オーブ国民の少年。先の大戦で家族を失った後、プラントに渡りザフトに入隊する。

メイリン・ホーク
ミネルバの艦橋でMS通信管制を担当する少女で、ルナマリア・ホークの妹。

ルナマリア・ホーク
少女でありながら、ザクウォーリアを駆るザフトのエリートパイロット。

アーサー・トライン
ミネルバの副長。時に型破りな決断をするタリアの下で、苦労をする青年。

タリア・グラディス
ザフトの新造艦ミネルバの艦長。決断力、胆力共に優れ、クルーの信頼を集める女性。

Zodiac Alliance of Freedom Treaty

チェン・ジェン・イー
マリク、バートらと同じく、ミネルバのブリッジ要員。火器管制を担当する。

マリク・ヤードバーズ
ミネルバの操舵手。冷静な判断力による彼の操艦技術が、戦場で艦の被弾を防ぐ。

マッド・エイブス
MS技術スタッフ陣のリーダー。頑固で職人気質な男だが、艦長からの信頼は篤い。

バート・ハイム
ミネルバのブリッジにおいて主に索敵やレーダーを担当する。

ヨウラン・ケント
ヴィーノ同様、ミネルバのMS技術スタッフを務める少年。やや斜に構えた性格を持つ。

ヴィーノ・デュプレ
シンの友人で、ミネルバのMS技術スタッフを務める少年。ややお調子者のきらいがある。

MAIN CHARACTERS

Zodiac Alliance of Freedom Treaty

ザフト

イザーク・ジュール
ジュール隊隊長。前大戦でも活躍をしたエースパイロット。信義に篤い青年。

ギルバート・デュランダル
プラント最高評議会議長。ナチュラルとの融和政策を推進する穏健派の政治家。

サトー
パトリック・ザラを信奉し続け、ナチュラルの排斥を謳うテロリスト。

ディアッカ・エルスマン
ジュール隊所属の腕利きパイロット。前大戦からの戦友であるイザークを補佐する。

パトリック・ザラ
前最高評議会議長。大戦中に強硬政策を推進したが、戦時中に死亡した。アスランの父。

ニコル・アマルフィ
アスラン、イザークらと同期のエースパイロット。前大戦中に戦死している。

地球連合軍

ステラ・ルーシェ
〝ファントムペイン〟所属のパイロット。普段は茫洋としているが恐るべき戦闘力を持つ。

ネオ・ロアノーク
地球連合軍大佐。特殊部隊〝ファントムペイン〟の指揮を執る仮面の男。

アウル・ニーダ
〝ファントムペイン〟所属のパイロット。スティングら同様、優れた戦闘力を持つ。

スティング・オークレー
〝ファントムペイン〟所属のパイロット。ナチュラルとは思えぬ戦闘能力を持つ少年。

ロード・ジブリール
ブルーコスモスの新盟主。コーディネイターの殲滅を標榜し暗躍する理想主義者。

イアン・リー
地球連合軍少佐。〝ファントムペイン〟の母艦ガーティ・ルーの艦長。

MAIN CHARACTERS

United Crests of Orb

オーブ連合首長国

カガリ・ユラ・アスハ
現オーブ連合首長国代表首長を務める少女。戦争の気配漂う世界を憂いて奔走している。

アスラン・ザラ
元ザフト軍人。前大戦後、オーブに亡命し、カガリのボディガードをしている。

ユウナ・ロマ・セイラン
ウナトの息子でセイラン家の跡取り。カガリとは親同士が決めた婚約者である。

ウナト・エマ・セイラン
オーブ五大首長のひとつセイラン家の家長。宰相としてオーブ政府を牛耳る。

United Crests of Orb

オーブ連合首長国

ラクス・クライン
前大戦の終結に力を尽くしたプラントの歌姫。現在はキラと共にオーブで隠棲している。

キラ・ヤマト
アスランの親友でカガリの弟。前大戦で活躍した伝説的パイロットだが、現在は隠棲中。

アンドリュー・バルトフェルド
前大戦では〝砂漠の虎〟と恐れられた元ザフト軍人。現在は、オーブに亡命している。

マリュー・ラミアス
元地球連合軍軍人。前大戦後、オーブに亡命。マリア・ベルネスを名のり技術者となっている。

マユ・アスカ
シンの妹。前大戦中、連合軍のオーブ侵攻作戦によって両親とともに死亡している。

マルキオ導師
ナチュラル、コーディネイタの双方から信奉されている導師。キラたちを保護する。

MECHANICS

Zodiac Alliance of Freedom Treaty

ZGMF-X56S
インパルスガンダム

ザフトが開発したセカンドステージシリーズの一機。三種類の武装シルエットを換装することで、様々な局面に対応できる汎用性の高い機体。シン・アスカの乗機。

全高：17.76m　重量：63.54 t

インパルス標準装備
機関砲MMI-GAU25A 20ミリCIWS
M71-AAKフォールディングレイザー対装甲ナイフ
MA-BAR72高エネルギービームライフル
MMI-RG59V機動防盾

●フォースシルエット装備時
MA-M941ヴァジュラビームサーベル

●ソードシルエット装備時
MMI-710エクスカリバーレーザー対艦刀×2
RQM60フラッシュエッジビームブーメラン

●ブラストシルエット装備時
M2000Fケルベロス高エネルギー長射程ビーム砲
MMI-M16XE2デリュージー超高初速レール砲
GMF39四連装ミサイルランチャー
AGM141ファイヤーフライ誘導ミサイル
MA-M80デファイアントビームジャベリン

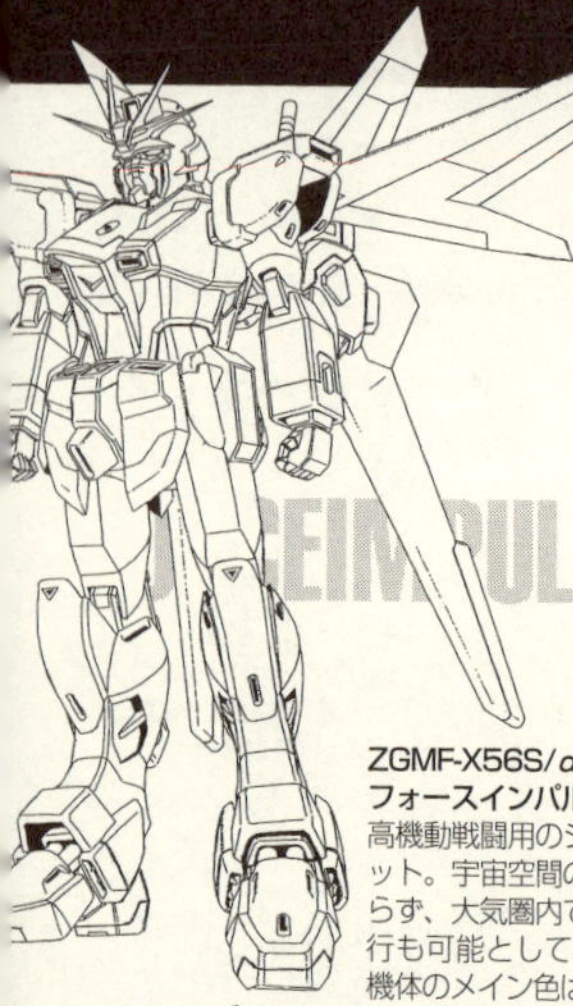

ZGMF-X56S/α
フォースインパルス
高機動戦闘用のシルエット。宇宙空間のみならず、大気圏内での飛行も可能としている。機体のメイン色は青。

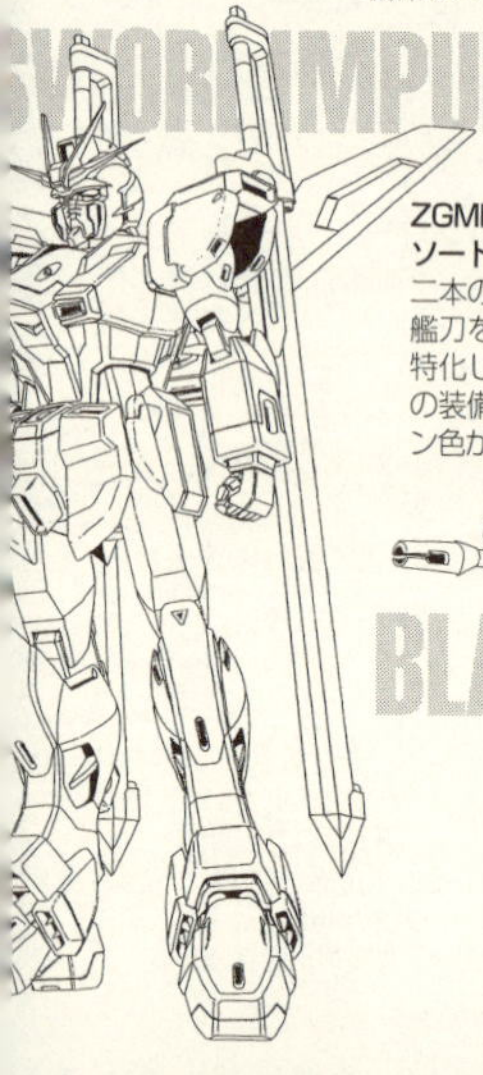

ZGMF-X56S/β
ソードインパルス
二本の巨大なレーザー対艦刀を装備し、近接戦に特化したシルエット。この装備時には機体のメイン色が赤くなる。

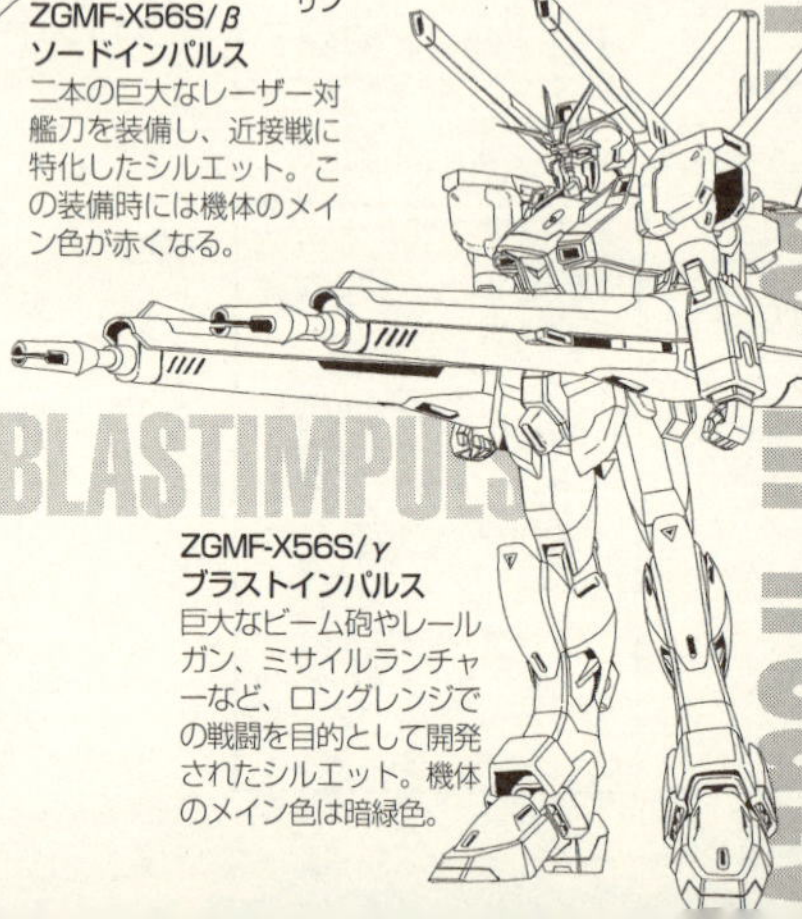

ZGMF-X56S/γ
ブラストインパルス
巨大なビーム砲やレールガン、ミサイルランチャーなど、ロングレンジでの戦闘を目的として開発されたシルエット。機体のメイン色は暗緑色。

Zodiac Alliance of Freedom Treaty

CORESPLENDOR

YFX-M56
コアスプレンダー

インパルスのコクピットに変形可能な小型戦闘機。
全長：5.67m 重量：3.02ｔ
武装
MMI-GAU19 20ミリ機関砲
QF908航空ミサイルランチャー
AGM33レディバード誘導ミサイル

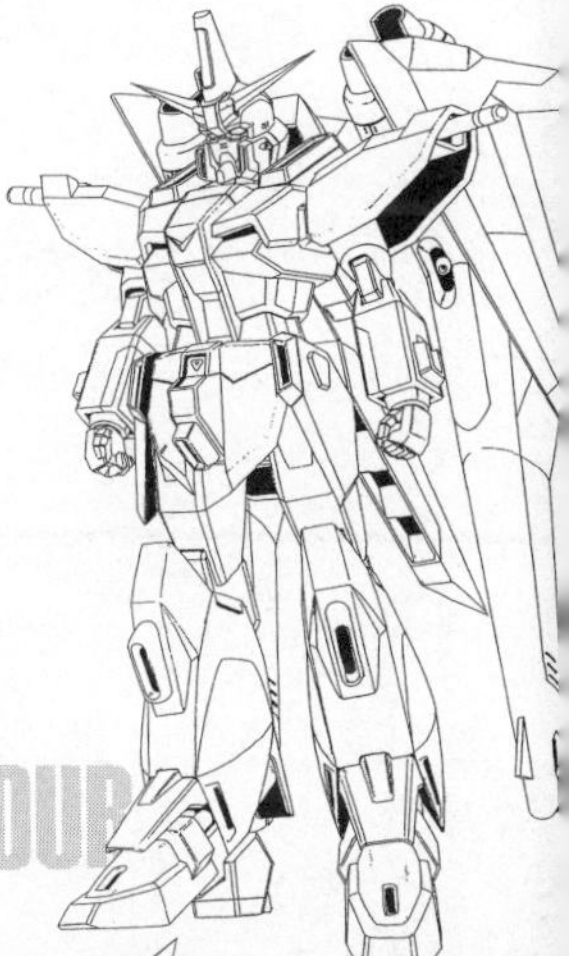

ZGMF-X23S
セイバー

ザフトが開発したセカンドステージシリーズの一機で、ＭＡへの変形機構を有する可変ＭＳ。
全高：18.61m　重量：77.13ｔ
武装
機関砲MMI-GAU25A20ミリCIWS
M106アムフォルタスプラズマ収束ビーム砲
MA-7Bスーパーフォルティスビーム砲
MMI-GAU2ピクウス76ミリ機関砲
MA-M941ヴァジュラビームサーベル
MA-BAR70高エネルギービームライフル
MMI-RD11空力防盾

SAVIOUR

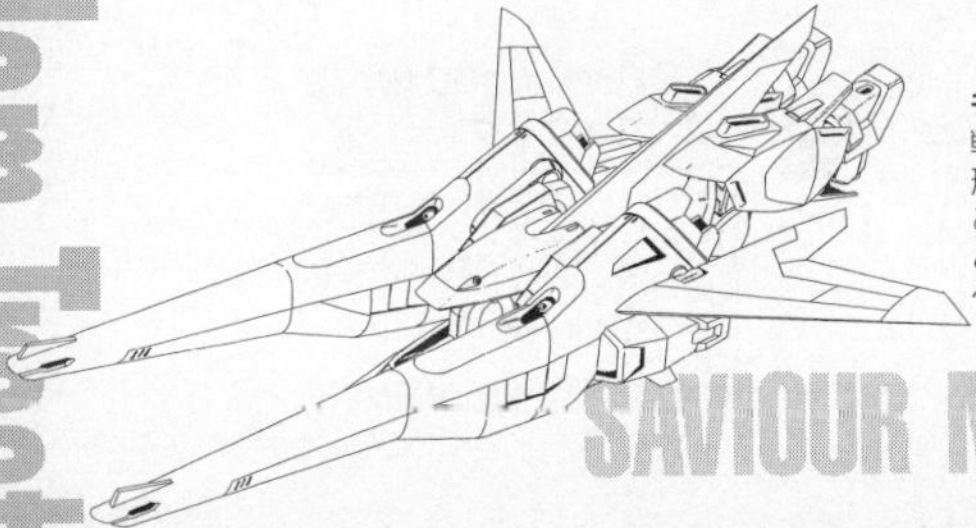

モビルアーマー形
戦闘機型のＭＡへ
形ができるセイバ
この形態に移行す
とで、高速かつ遠
への移動を可能と

SAVIOUR MA

ZGMF-1000
ザクウォーリア

ザフトが次期主力ＭＳとして開発した〝ニューミレニアム〟シリーズのひとつ。背面のバックパックを換装することで高い汎用性を持つ。
標準装備
全高：17.19m　重量：73.09ｔ
MMI-M633ビーム突撃銃
MA-M8ビームトマホーク
ZR20E高性能炸裂弾
ZR27Iテルミット焼夷弾
ZR30F通常榴散弾
ZR11Q閃光弾
ZR13Q発煙弾

ZAKUWARRIOR

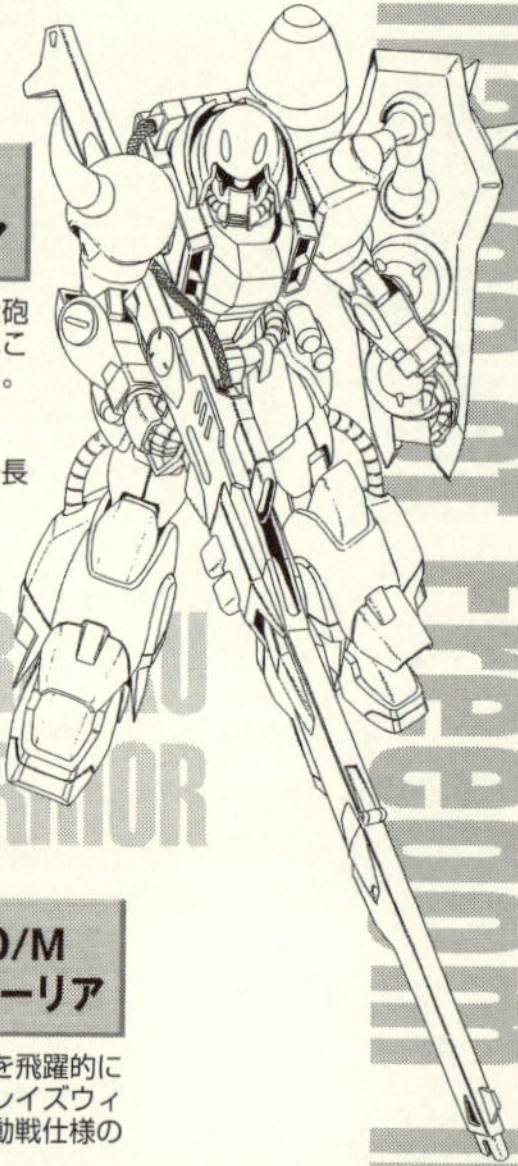

ZGMF-1000/A1
ガナーザクウォーリア

強力な長射程ビーム砲を装備した砲戦仕様機。ルナマリア・ホークはこのタイプを好んで乗機としている。
全高：20.5m　重量：91.11ｔ
武装
M1500オルトロス高エネルギー長射程ビーム砲

GUNNERZAKU WARRIOR

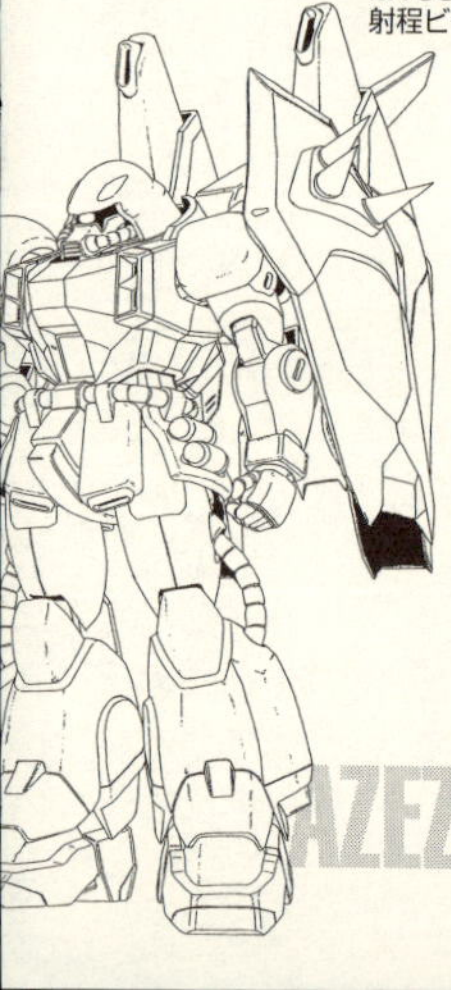

ZGMF-1000/M
ブレイズザクウォーリア

ザクウォーリアに機動性を飛躍的に高めるバックパック〝ブレイズウィザード〟を装備した高機動戦仕様の形態。
全高：20.4m　重量：89.59ｔ
武装
AGM138ファイヤビー誘導ミサイル

BLAZEZAKUWARRIOR

Zodiac Alliance of Freedom Treaty

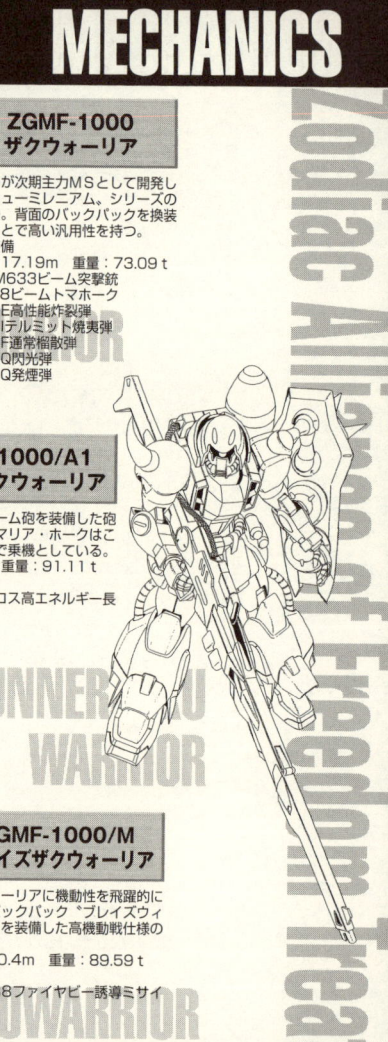

Zodiac Alliance of Freedom Treaty

ZGMF-1001/M
ブレイズザクファントム

ザクウォーリアの上位機で主に指揮官機として運用されるザクファントムに〝ブレイズウィザード〟を装備したタイプ。パイロットの個性によってカラーリングされることも多く、多種さまざまな機体が存在する。レイ・ザ・バレルの専用機は白い彩色が施されている。
全高：20.4m　重量：91.2t
武装
AGM138ファイヤビー誘導ミサイル

BLAZEZAKU
PHANTOM

ZGMF-1001/K
スラッシュザクファント

ザクファントムに近接戦用のバッ
パック〝スラッシュウィザード〟
装備した形態。両肩のビームガト
ングや大型のビームアックスなど
力な武装を有する。イザーク・ジ
ールの乗機でもあり、彼の機体に
ルーのカラーリングが施されて
る。
全高：19.1m　重量：88.1t
武装
MMI-M826ハイドラガトリンク
ーム砲
MA-MRファルクスG7ビームア
クス

SLASHZAKU
PHANTOM

ミネルバ

ザフトが開発した最新鋭艦。ザフト艦艇の中でも最高速の航行速度を誇る。インパルスをはじめとするセカンドステージシリーズの運用艦として設計されており、戦闘中にあってもMSに高速でエネルギーを補給できるデュートリオンビーム発信機を搭載している。艦長はタリア・グラディス。
全長：350m
武装
陽電子砲：QZX-1タンホイザー
主砲：XM47トリスタン
42センチ副砲：M10イゾルデ
対空ガトリング砲：40ミリCIWS
宇宙用ミサイル：ナイトハルト
地上用ミサイル：パルジファル
迎撃ミサイル：ディスパール
魚雷：ウォルフラムM25

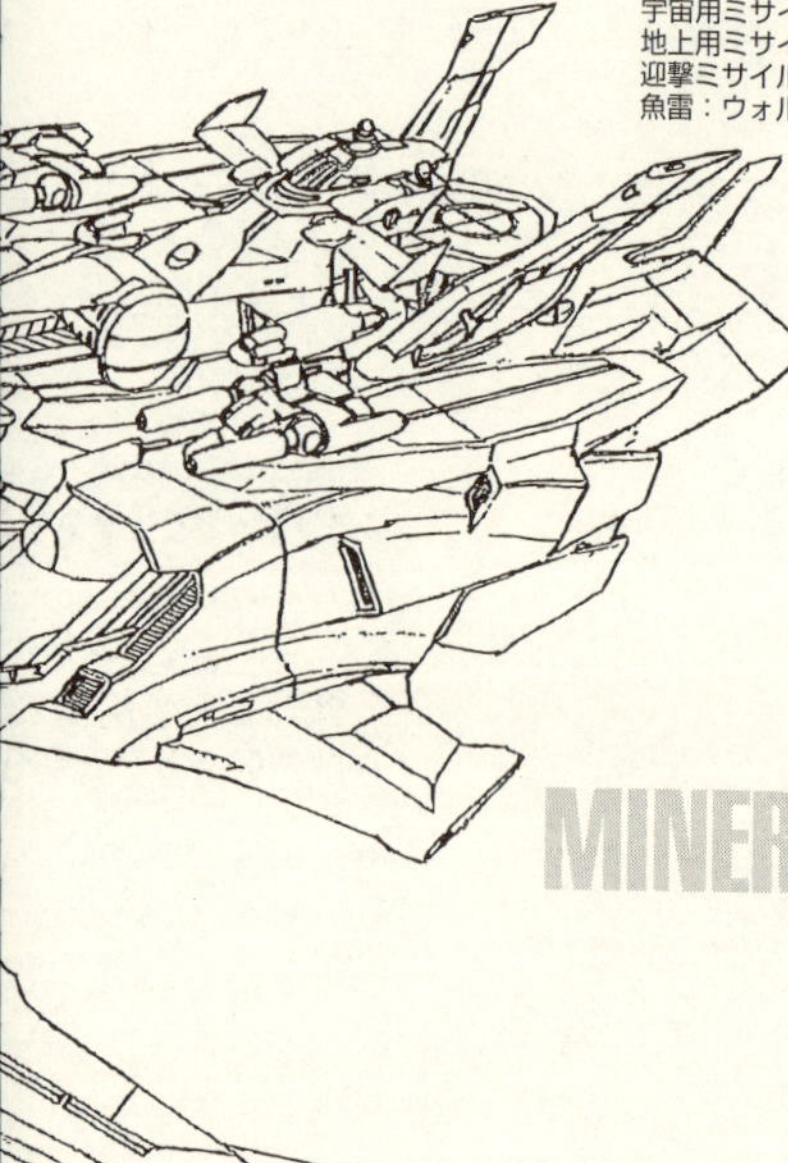

MINERVA

Zodiac Alliance of Freedom Treaty

ZGMF-601R
ゲイツR

ザフトの現主力MS。しかし、ザクの配備が進みつつある現在、旧式感は否めない。前大戦末期にロールアウトした機体にマイナーチューンが施されたのが現行機種であり、主な改修点として腰部にあったアンカーがレールガンに換装されている。
全高：20.24m　重量：77.3t
武装
MMI-GAU2ピクウス76ミリ近接防御機関砲
MMI-M20SポルクスⅨレールガン
MA-M21Gビームライフル
MA-MV05複合防盾

GuAIZ R

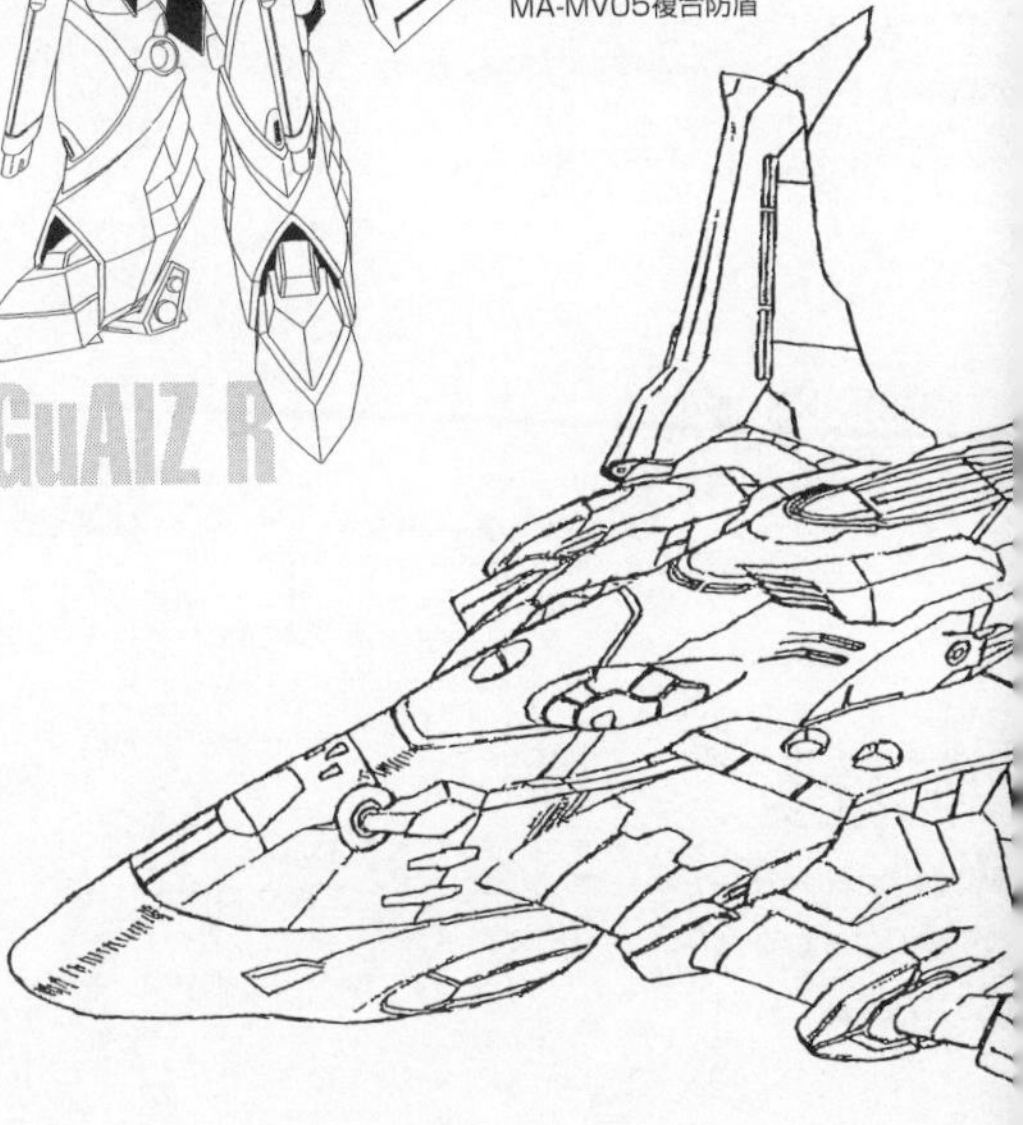

MECHANICS

ビルアーマー形態
イバー同様、X20系
開発ナンバーを持つカ
スは、高機動型MAへ
変形機構を有する。

ZGMF-X24S
カオス

ザフトが開発したセカンドステージシリーズの一機で強力な火器を多数装備した強襲用MS。スティング・オークレーの乗機。
全高：17.43m　重量：91.61t
武装
MMI-GAU1717 12.5ミリCIWS
MMI-GAU25A 20ミリCIWS
MGX-2235Bカリドゥス改複相ビーム砲
MA-XM434ビームクロウ
MA-BAR721高エネルギービームライフル
MA-M941ヴァジュラビームサーベル
MMI-RG30巡航機動防盾
MMI-GAU2ピクウス76ミリ機関砲
EQFU-5X機動兵装ポッド
MA-81Rビーム突撃砲
AGM141ファイヤーフライ誘導ミサイル

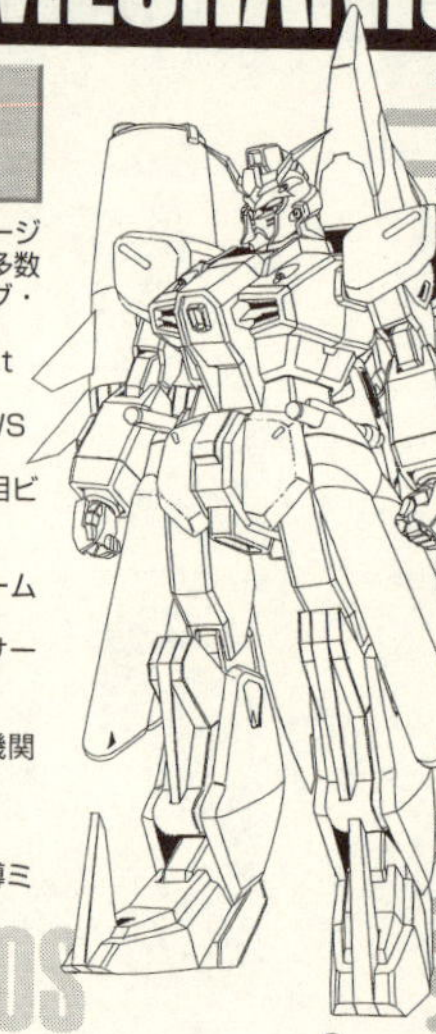

CHAOS

ZGMF-X88S
ガイア

フトのセカンドステージシリーズ
Sの一機で、地上局地戦用に開発
れたMS。ステラ・ルーシェの乗
高：17.8m　重量：69.85t
装
MI-GAU1717 12.5ミリCIWS
MI-GAU25A 20ミリCIWS
A-81Rビーム突撃砲
R-Q17Xグリフォン2ビームブレ
ド
A-M941ヴァジュラビームサー
ル
A-BAR71XE高エネルギービー
ライフル
MI-RS1機動防盾

モビルアーマー形態
MAへの可変機構も有するガイアは、かつてのザフト地上用MSバクゥを彷彿とさせる四足獣型MAに変形する。

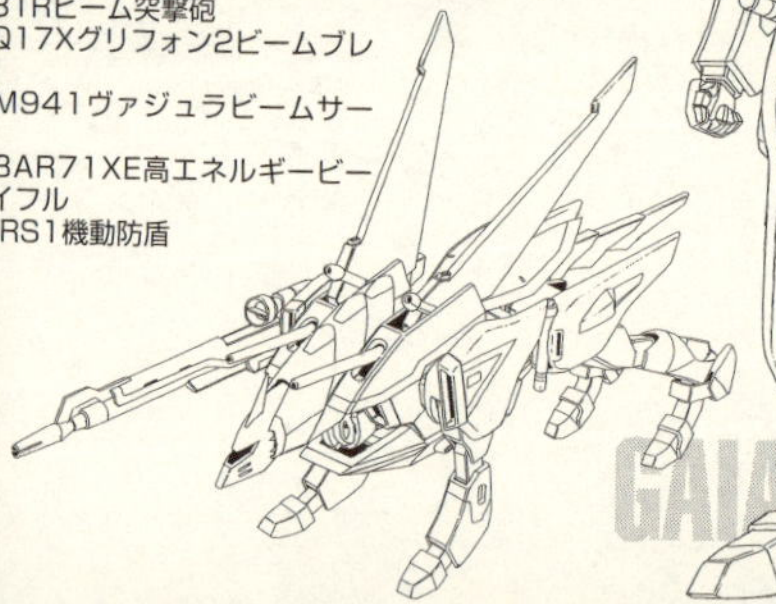

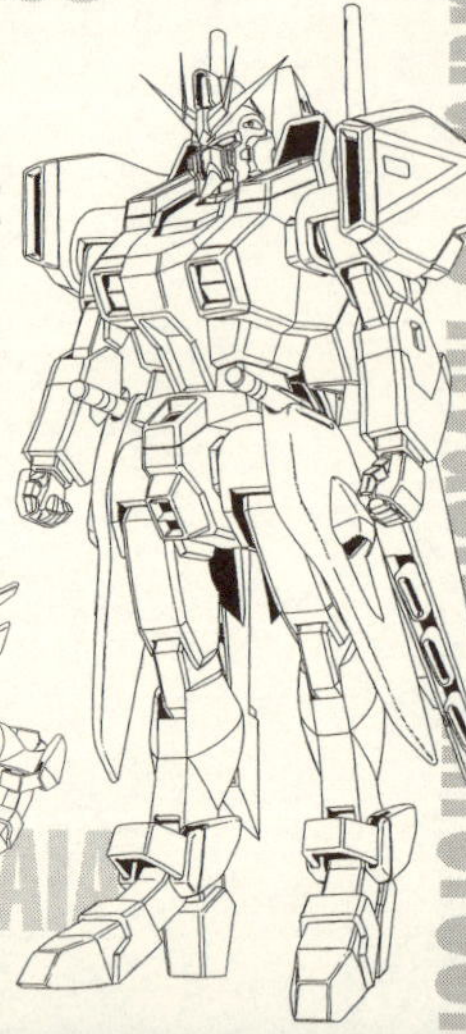

GAIA

Militancy & Neutralize Invasion Enforcer

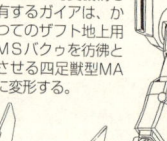

ZGMF-X31S アビス

ザフトのセカンドステージシリーズMSの一機で、水中での活動も想定して開発されたMS。アウル・ニーダの乗機。

全高：17.84m　重量：92.39ｔ

武装

MMI-GAU1717 12.5ミリCIWS
MMI-GAU25A 20ミリCIWS
MGX-2235カリドゥス複相ビーム砲
M107バラエーナ改 2連装ビーム砲
M68連装砲
MA-X223E 3連装ビーム砲
MMI-TT101Mk9高速誘導魚雷
MX-RQB516ビームランス

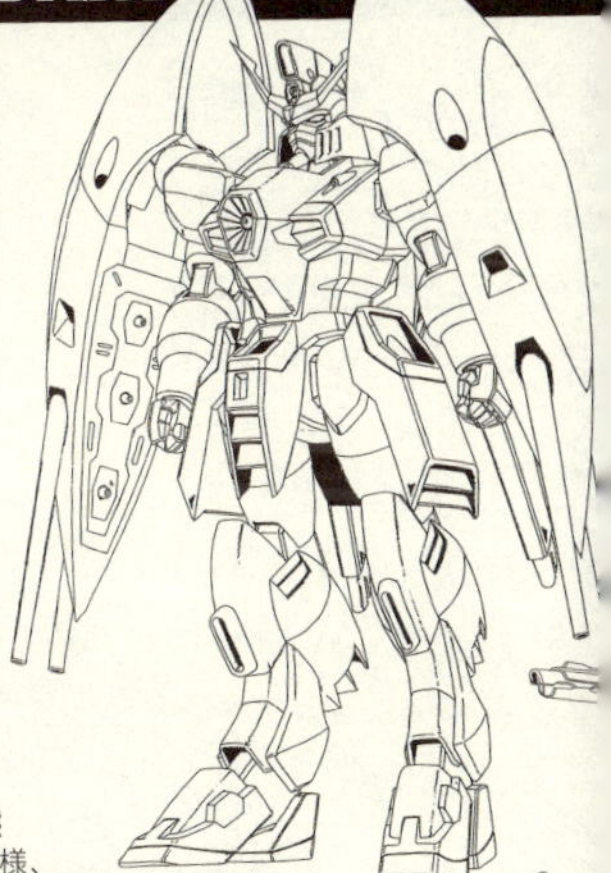

モビルアーマー形態

カオス、ガイア同様、MAへの可変機構を有するアビスは、水中での機動性を高めるため、抵抗を軽減する形状に変形する。

ABYSS

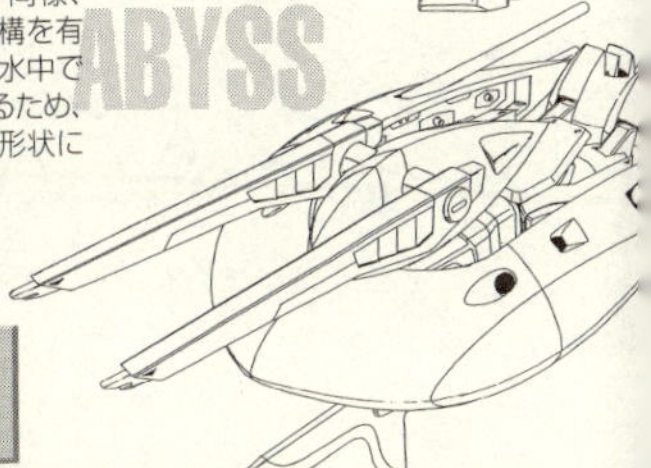

TS-MA4F エグザス

ネオ・ロアノーク大佐専用のMA。有線式の全方位攻撃システム〝ガンバレル〟を四基装備しており、あらゆる方向からの攻撃を可能とする。

全長：20.11m　重量：45.39ｔ

武装

MAU-M3 2連装リニアガン
GAU-M2S 38.5ミリ機関砲
M54アーチャー 4連装ミサイルランチャー
ガンバレルM16M-D4×4
GAU-8687L2 2連装ビーム砲
DE-RXM91Cフィールドエッジ〝ホーニッドムーン〟

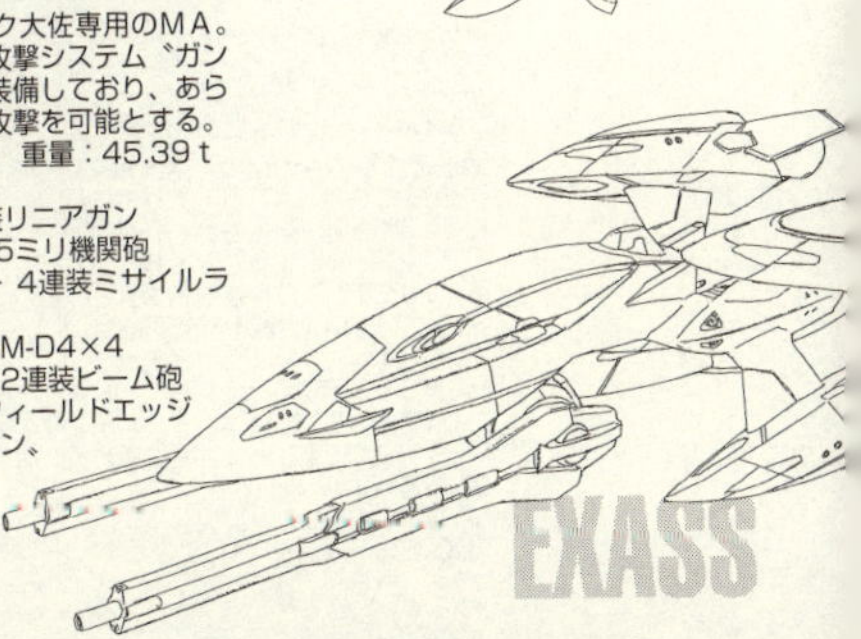

EXASS

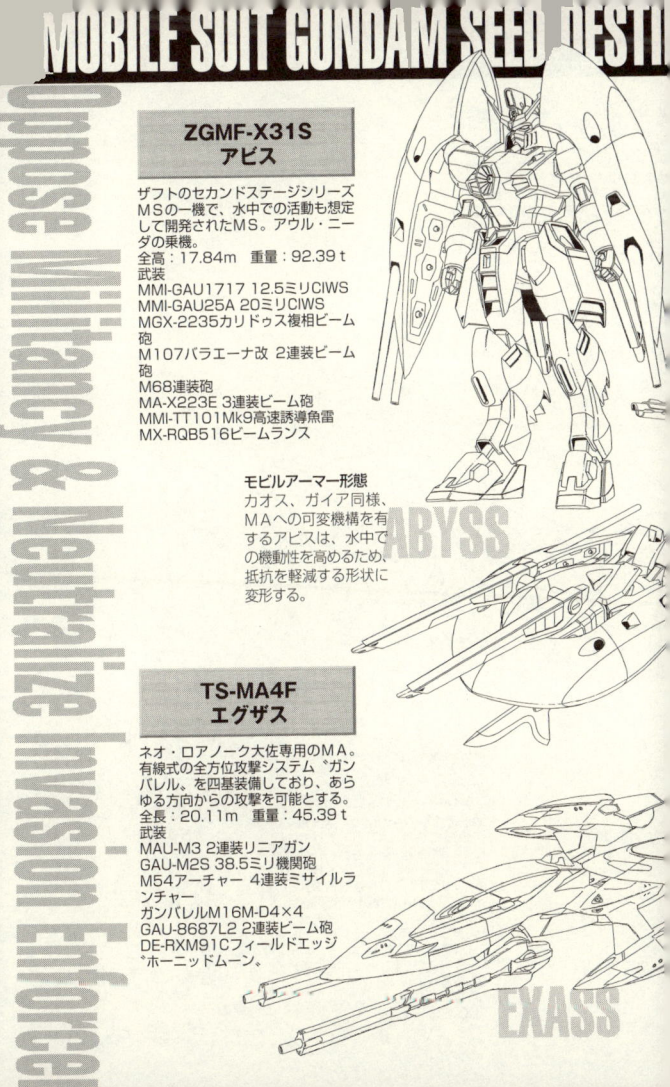

Oppose Militancy & Neutralize Invasion Enforcer

ガーティ・ルー

地球連合軍特殊部隊〝ファントムペイン〟の母艦。前大戦で活躍したアークエンジェル級の流れをくむ武装を持つ。ユニウス条約で禁止された特殊兵装〝ミラージュコロイド〟を装備している。
全長：380m
武装
主砲：225センチ2連装高エネルギー収束火線砲ゴットフリートMk.71
副砲：110センチ単装リニアカノン・バリアントMk.8
75ミリ対空自動バルカン砲搭システム：イーゲルシュテルン

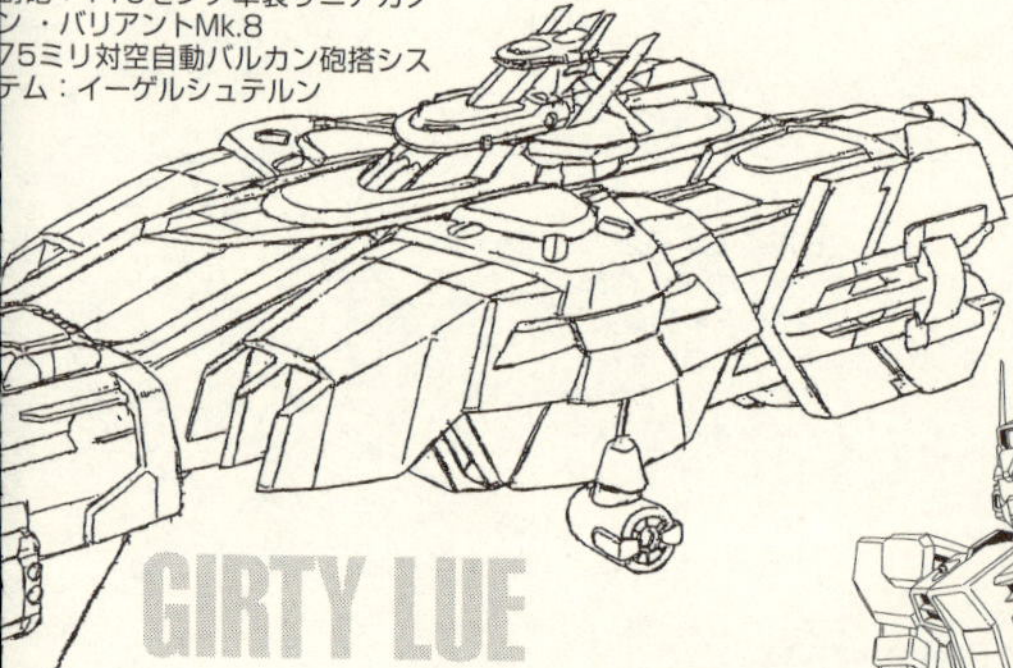

GAT-02L2 ダガーL

地球連合軍の主力MS。前大戦末期に急造されたGAT-01ダガーの改良型。武装面が強化され、各種バックパックを装備することで様々な局面に対応できる汎用性を持つ。
全高：18.4m　重量：55.05t
標準装備
M2M5トーデスシュレッケン12.5ミリ自動近接防御火器
Mk315スティレット 投擲噴進対装甲貫入弾
M703Kビームカービン
ES04Bビームサーベル

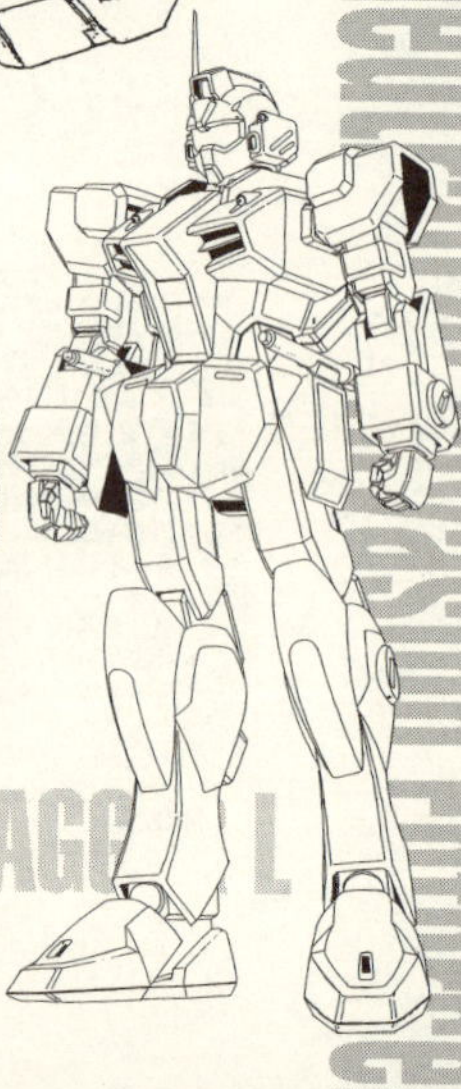

Oppose Militancy & Neutralize Invasion Enforcer

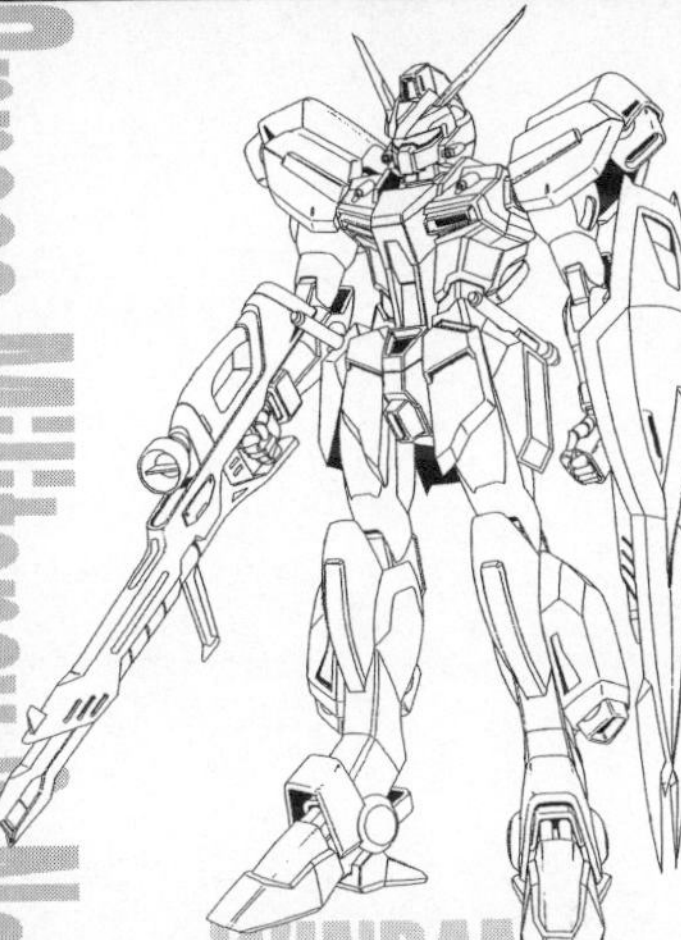

WINDAM

GAT-04
ウィンダム

ダガーＬの後継機として開発され
地球連合軍の次期主力ＭＳ。ダガ
Ｌ同様、各種バックパックを装備
ることで様々な局面に対応できる
用性を持つ。
全高：18.67m　重量：58.2t
標準装備
M2M5トーデスシュレッケン1
ミリ自動近接防御火器
Mk315スティレット投擲噴進対
甲貫入弾
ES04B ビームサーベル

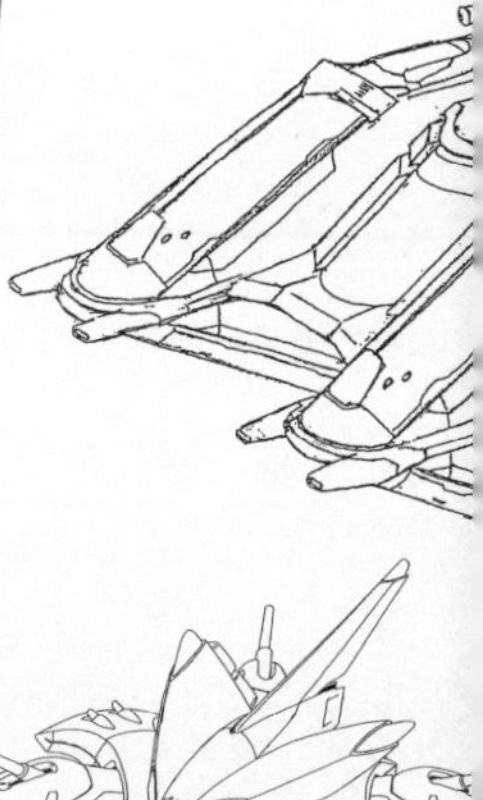

YMAF-X6BD
ザムザザー

地球連合軍が開発した大型ＭＡ。強力な火器や近接戦用クローの他に機体背面には、陽電子砲すら反射するリフレクター機構を備えた恐るべきＭＡ。
全高：47.13m　重量：526.45t
武装
GAU111単装砲
Ｍｋ79低圧砲
複列位相エネルギー砲M534ガムザートフ
75ミリ対空自動バルカン砲搭システム・イーゲルシュテルン
超振動クラッシャーXM518ヴァシリエフ

ZAMZA-ZAH

口絵イラスト　小笠原智史

本文イラスト　As'MARIA

口絵デザイン　design CREST

本文デザイン　廣重雅也（CRESPI）

PROLOGUE

漆黒《しっこく》の宙《そら》に雲母《うんも》のかけらを落としたように、光るものが一片《いっぺん》、きらりと太陽光を反射した。
宇宙空間を舞《ま》うそれは、二枚の翼《つばさ》を広げた白い機体だ。

白を基調に、青や黄で塗《ぬ》り分けられた小型の機体は戦闘機《せんとうき》だろう。風防《キャノピー》の偏光《へんこう》ガラスを通して、パイロットの赤いスーツが見える。

パイロットはコンソールとモニター上の各データを読み取りながら、操縦桿《スティック》を操《あやつ》っていた。ヘルメットの奥には、きかん気そうな子供っぽさが残る少年の顔がある。顔に垂れかかる前髪《まえがみ》は黒く、その間に覗《のぞ》く目は血の色を透《す》かしたような深紅《しんく》だった。

赤い瞳《ひとみ》の先には白銀に輝《かがや》く砂時計の形をした巨大《きょだい》な構造物が近づく。ラグランジュポイント《L》4に建設された新世代コロニー——プラントのひとつ、〝アーモリーワン〟だ。はじめて宇宙に出たときは、対象物との距離《きょり》感がつかめなくて戸惑《とまど》ったものだった。大気のない宇宙空間では離《はな》れたものもあまりにはっきり見え、巨大なプラントもまるで目の前に置かれた模型であるかのように映る。彼はゆったりと回転する人工の大地を回り込んだ。

とたんに、えもいわれぬ青色が視界に入る。地球――母なる青い惑星《わくせい》。その美しい姿を見るたび、息苦しいような苦痛と郷愁《きょうしゅう》が少年の胸を締《し》めつける。その目が無意識に赤道付近を探《さぐ》り、玻璃《はり》のような青い海に浮《う》かぶ小さな宝冠《ほうかん》を求めた。

オーブ連合首長国。それが彼――シン・アスカがコーディネイターとして生まれ、育った国の名だ。赤道直下に位置する環状《かんじょう》群島からなる小国は、さきの大戦のおり、コーディネイターたちにとって地上に残された最後の楽園だった。

コーディネイターは遺伝子調整によって、知力、体力、容姿など、人間の遺伝的特質を最大限に高めた、まさに夢の新人類として生み出された。しかしそれゆえに従来の能力しか持たぬ、遺伝子を操作されていない人々――ナチュラルから排斥《はいせき》され、多くは宇宙にその行き場を求めた。やがて両者の溝《みぞ》が決定的に深まり、コーディネイターとナチュラルの間に戦端《せんたん》が開かれたときも、中立国オーブだけはコーディネイターを差別せず、国内に居住を許していたのだ。

しかしその立場ゆえに、祖国は地球連合軍の侵略《しんりゃく》を受けることとなった。シンの耳にはいまでも染《し》みついている。飛来するミサイルが宙を引き裂《さ》くかん高い音、遠くから腹の底に響《ひび》くような爆音《ばくおん》、鳴りやまないサイレン――。

「急げ、シン！」

「マユ！　がんばってぇっ！」

やや息を切らせた父の声と、うわずった母の声。それらをかき消す轟音とともに、巨大な機影《えい》が飛来する。上空に舞い降りたのは死の天使を思わせる、十枚の翼を持った白亜《はくあ》の巨神だった。それは凄《すさ》まじいスピードで飛び回り、浴びせられる砲火《ほうか》を避《さ》けて、五つの砲口から炎《ほのお》を迸《ほとばし》らせた。シンは一瞬《いっしゅん》、その光に目を灼《や》かれる。

彼らは避難《ひなん》のために港をめざしていた。シンたちの一家が住んでいたオノゴロ島は、オーブの軍需企業《ぐんじゅきぎょう》モルゲンレーテや軍施設《しせつ》などが集中し、オーブ攻略《こうりゃく》戦の主たる標的とされたのだ。巨大な機体、そしてビームやミサイルが飛び交《か》う空には、すでに幾筋《いくすじ》もの黒煙《こくえん》が立ちのぼっている。林を抜《ぬ》ける道を走り続けるシンの目に、木々を透かして港が見えた。港には脱出《だっしゅつ》用の艦《かん》艇《てい》が横付けされ、軍の人間が避難民《ひなんみん》を誘導《ゆうどう》している。あと少しだ――シンは安堵《あんど》しかける。

いまにも泣き出しそうな顔で、母に手を引かれ、走っていた妹のマユが、そのときふいに声を上げて立ち止まりかけた。

「ああん！　マユの携帯《けいたい》っ！」

バッグからピンク色の携帯電話が飛び出し、道をそれて斜面《しゃめん》を転がり落ちていく。

「そんなのはいいから！」

拾いに行こうとするマユを、母が引き戻《もど》した。だがマユはなおも思い切れずに、斜面の下方を目で追う。ねだってやっと買ってもらった携帯電話を、妹はとても気に入っていた。大戦にともない、その使用がほとんど不可能になってからも、片時も手放そうとしないほどに。それを知っていたシンは、転がり落ちる携帯電話を追って斜面を駆《か》け下りた。自分なら身軽だし、拾ってすぐに追いつける。

ピンクの携帯電話は木の根に当たって止まった。シンが腰《こし》をかがめ、それを拾い上げた瞬間、耳を聾《ろう》する轟音が全身を殴《なぐ》りつけた。

世界が回った。

気づいたとき、シンは斜面のいちばん下まで転がり落ち、港そばのアスファルトに叩《たた》きつけられていた。

シンは啞然《あぜん》として周囲を見回した。まるで背景がすげ替《か》えられた舞台《ぶたい》のように、あたりは一瞬にして様相が変わっていた。斜面は大きくえぐられて赤茶けた土が露出《ろしゅつ》し、木々は倒《たお》れ、あるものは炭化してぶすぶすと煙《けむり》を上げている。それがビーム砲の直撃《ちょくげき》によるものだと、そのときのシンには理解できなかった。当惑《とうわく》しながら起き上がった彼に、避難民の誘導に当たっていた軍人が駆け寄り、気づかわしげに声をかけてくる。だが爆発《ばくはつ》の衝撃《しょうげき》をまともに食《く》らった耳には、その声も真綿を嚙《か》ませたようにぼんやりとしか届かない。呆然《ぼうぜん》としていたシンは、軍人に肩《かた》を抱《かか》えられ、その場から引き離されそうになってはじめて我に返った。

マユは……両親は!?

シンはそのときになって、自分が目にしているものの意味に気づいた。さっきまで彼と家族が懸命《けんめい》にたどっていた道路は、砲撃《ほうげき》により大きく切り取られ、庇《ひさし》のように突《つ》き出したアスファルトの下から、いまもパラパラと土砂が崩れ落ちている。木々がなぎ倒され、大きくえぐられた穴の中心──そこが、ついさっきまでシン自身のいた場所だった。爆発の衝撃で、道から離《はな》れていたシンだけが、斜面の下まで吹《ふ》き飛ばされたのだ。

全身の血が一気に冷たくなったように感じた。シンは軍人の手を振《ふ》り払《はら》い、よろよろと駆け出す。

「父さん……母さん……⁉　マユは……⁉」

穴の周囲に動くものの影《かげ》はない。シンは積み重なった土砂の向こうに、力なく投げ出された手を見つけて声を上げる。

「マユ！」

妹の姿を求めて駆け寄ったシンは、しかしそこで凝然《ぎようぜん》と立ちつくす。見覚えのある服の袖口《そでぐら》から、小さな手が覗《のぞ》いている。だが、それだけだ。

妹の体に続くはずの腕《うで》は中途《ちゆうと》で断《た》ち切られ、その先にはなにもない。

シンはぎくしゃくと視線を前に向ける。すると、えぐられた大地のあちこちに、掘《ほ》り返された土塊《つちくれ》の一部のように転がるものが目に入った。無造作に地に投げ出された塊《かたまり》──焼け焦《こ》げた衣服の残骸《ざんがい》をまとわりつかせ、ねじくれた形で横たわるそれらが、家族の変わり果てた姿だった。ついさっきまで自分に触《ふ》れ、話し、動いていた者たちが、一瞬にして物言わぬ塊と化していた。シンは痺《しび》れたように小さな手のかたわらに座り込む。

まるで自分に向けてさしのべられたような手に、彼は震えながら手を伸《の》ばしかける。そこで、自分がまだピンクの携帯電話をかたく握《にぎ》りしめていたことに気づいた。喉元《のどもと》になにかがこみあげる。悲しみ、恨《うら》み、憤《いきどお》り——そんな言葉では言い尽《つ》くせないほどの激情。それは彼のちっぽけな体を内側から食い破りそうに大きかった。彼は天を仰《あお》いで獣《けもの》のように吠《ほ》えた。上空を飛び交う死の天使たちが、その赤い瞳《ひとみ》に焼きつけられる。圧倒《あっとう》的な力を前に、十四歳のシンはあまりに無力だった——。

青く輝《かがや》く惑星《わくせい》を見つめ、苦い思いに身を浸《ひた》していたシンは、スピーカーから入ってきた声で我に返った。

〈——シン、そろそろ時間よ。帰投してください〉

「了解《りょうかい》！」

シンはすばやく気持ちを切り替え、機首を巡《めぐ》らして〝アーモリーワン〟へ向けた。まるで体の一部であるかのように、思いのまま動く機体に、彼はひそかな満足をおぼえる。

——おれは力を手に入れた。

目の前で家族を殺されるまま、なにもできずにただ座り込んでいた十四歳の子供。

あれから二年——いまの自分は、あの無力な子供ではない。

PHASE 01

宇宙港は多くの人でにぎわっていた。

シャトルから降り立ったアスラン・ザラは、その喧噪《けんそう》に不審《ふしん》と警戒《けいかい》の入り混じった視線を向けた。出迎《でむか》えに来ていた駐在員《ちゅうざいいん》が、彼の背後にいる人物に説明する。

「新造戦艦《せんかん》の進水式にともない、明日は軍事式典が予定されておりまして……」

話しかけられた人物は紫色《むらさきいろ》の簡素な上下に身を包み、金の髪《かみ》を振って周囲を見回した。金色に近い褐色《かっしょく》の瞳が、複雑な思いを宿して翳《かげ》る。現在はオーブ連合首長国の代表首長となった、カガリ・ユラ・アスハだ。弱冠《じゃっかん》十八歳の国家元首は、〝プラント〟側の係官に誘導《ゆうどう》されてVIP用の通路を進みながら、漏《も》れ聞こえる人々の会話を耳にしてやるせない表情になる。

〝アーモリーワン〟はさきの大戦後、工業用に建設されたプラントで、内部には大規模な軍事工廠《こうしょう》も存在する。〝プラント〟本国から離れたここL4は、コーディネイター、ナチュラル双《そう》方《ほう》のコロニーが併存《へいぞん》する中立地帯ではあるが、そんな場所でも堂々と戦いのための艦船を製造しているということだ。だが、式典に招かれた〝プラント〟市民たちの顔には、一片《いっぺん》の後ろめたさも見受けられない。彼らは興奮した調子で軍艦の必要性を語りあい、自分たちの国家が持つ高い技術力を誇《ほこ》っている。

ある意味それも無理からぬことではある――と、カガリに従いながらアスランは考えた。

講和条約が締結《ていけつ》されたのちも、〝プラント〟と地上の旧理事国――おもに大西洋連邦《れんぽう》の間にはいまだ緊張《きんちょう》が続いている。
C.E.《コズミック・イラ》七〇に勃発《ぼっぱつ》した、地球圏《けん》全体を巻き込む大戦は、そもそもナチュラルとコーディネイターの対立に根ざしていた。遺伝子を調整され、生み出されたコーディネイターは、その卓越《たくえつ》した能力ゆえに、旧来の人類、ナチュラルの排斥《はいせき》を受け、宇宙にその住処《すみか》を求めた。それがかつての〝プラント〟――Productive Location Ally on Nexus Technology――だ。コーディネイターたちは地球の衛星軌道《きどう》上L５に巨大《きょだい》な植民衛星を築き、その高い技術力と宇宙という特殊環境《とくしゅかんきょう》を活《い》かした工業生産やエネルギー生産に従事するようになった。それらは優先的に〝プラント〟理事国と呼ばれる地球国家に供給され、対価として宇宙では自給が困難な食糧《しょくりょう》を受け取る。しかし不平等な条件に置かれていた〝プラント〟においては独立の気運が徐々《じょじょ》に高まり、一方、地上においてはコーディネイターを『自然の摂理《せつり》に背《そむ》いた許されざる存在』とする思想が、おもに〝ブルーコスモス〟と呼ばれる思想団体を先鋒《せんぽう》として形成されつつあった。両者の敵意は尖鋭《せんえい》化し、そして、ある一点において爆発《ばくはつ》した。
C.E.七〇、二月十四日、のちに〝血のバレンタイン〟として人々の記憶《きおく》に刻まれる事件が起こる。農業プラント〝ユニウスセブン〟に、地球連合軍が核爆弾を撃ち込んだのだ。一発のミサイルが一瞬《いっしゅん》にして、そこに暮らす二十万以上の人命を奪《うば》った。

これを受けて〝プラント〟はついに、四月一日、Zodiac《ザ》 Alliance of Freedom《フ》 Treaty《ト》軍による大規模な地球降下作戦に踏《ふ》み切った。彼らはまず地球の各所に、ニュートロン《N》ジャマーと名づけられた、核分裂《かくぶんれつ》を抑止《よくし》する装置を地中深く撃ち込んだ。この装置の敷設《ふせつ》により、核爆弾はもちろん、動力を核分裂に求めた多くの兵器が無効となり、同時に地上のエネルギー事情は危機に瀕《ひん》した。化石燃料の枯渇《こかつ》した現代においては、原子力発電がエネルギー生産の主体を占《し》めていたからだ。またNジャマーはその副作用として、特定の帯域の電磁波に強く干渉《かんしょう》し、無線からレーダー機器まで、電磁波に頼《たよ》る多くの装置は使用が困難となった。

この条件下でめざましい力を発揮したのが、ザフトが開発した巨大人型兵器――モビルスーツだ。この兵器はバッテリーによって稼動《かどう》し、驚《おどろ》くべき汎用《はんよう》性と高い機動性を見せつけた。この新兵器の投入により、ザフトは物量で圧倒的にまさる地球連合軍との戦いを五分に持ち込んだといっていいだろう。

こうして戦局は膠着化《こうちゃくか》した。地球軍側も独自にモビルスーツの開発に手をつけ、戦火は限りなく拡大していくかに見えた。憎《にく》しみは憎しみを呼び、ひとつの勝利は新たな報復によって覆《くつがえ》される。

アスラン自身が戦火の中に身を置き、一度はその悪《あ》しき連鎖《れんさ》にとらわれもした。〝ユニウスセブン〃で母を亡《な》くし、自分のような思いをする者をなくすためにザフトに身を投じた。〃プラント〃最高評議会議長であった父、パトリック・ザラの指し示すまま、指導者たちの命令に従うことが戦争を終わらせる手段だと信じていた。その果てにさらに身近な者を亡くし、争う謂《いわ》れのなき友を、すんでのところで自らの手にかけるところまで行ってしまった。戦うことによって戦いはなくならず、新たな犠牲者《ぎせいしゃ》をのみ込んで争いの火はさらに燃えさかる。いつの世も繰《く》り返される負の連鎖だ。

そんな自分のあり方に疑問を投げかけたのが、いま、目の前を行く金髪《きんぱつ》の少女だった。

アスランはカガリに身を寄せるようにして、ふとささやきかける。

「服はそれでいいのか？　ドレスもいちおう持ってきてはいるよな？」

「な、何だっていいよ！　いいだろ、このままで？」

カガリは心外そうに口を尖《とが》らせて言い返した。そんなところは出会ったころの強気な少女そのままだ。アスランは内心、そんな彼女を好もしく思いつつも、抑《おさ》えた口調で進言する。

「必要なんだよ、演出みたいなことも。わかってるだろ？　馬鹿みたいに気どることもないが、軽く見られてもダメなんだ。――今回は非公式とはいえ、きみもいまはオーブの国家元首なんだからな」

言われてカガリは押し黙《だま》った。その顔を彼女らしくもない沈鬱《ちんうつ》な表情が覆《おお》う。最近の彼女は、よくそういう表情をするようになった。たぶん自分も同じだろう、とアスランは思う。

さきの大戦中は、二人とも必死だった。自分と同じような疑問に突き当たった者たちがいつしか集《つど》い、『戦いを終わらせるための戦い』を懸命《けんめい》に模索《もさく》していた。その勢力は小さくはあったが、〝プラント〟、地球連合軍双方《そうほう》から、また当時中立を守ろうとして戦火に焼かれたオーブからも、同じ志をもつ者たちが集まり、ナチュラル、コーディネイターの区別なく、ひとつの目標に向けて力を尽《つ》くした。あのころも自分のそばにはカガリがいて、ともに悩《なや》み、迷い、互《たが》いに痛みを分かち合い、同じスピードで走っていた。当時はどうしようもなく苦しいと感じたこともあったが、いま思い返すと必死だったぶん、ある意味満ち足りた時間だったかもしれない。

彼らが出会ったころ、戦局は最悪の方向へ向かっていた。地球軍のアラスカ基地、パナマ宇宙港が壊滅《かいめつ》し、ザフト側はビクトリア宇宙港を失った。そして〝プラント〟から、Nジャマーの影響《えいきょう》を中和するNジャマーキャンセラーの技術が流出すると、地球軍はついにふたたび核の火を投下した。それによって〝プラント〟は軍事衛星〝ボアズ〟を焼かれ、核の恐怖《きょうふ》に突き動かされるように、究極の兵器〝ジェネシス〟を発動した。〝プラント〟すべてを滅《ほろ》ぼす力を持つ核と、地球に生きるすべての生命体を滅《ほろ》ぼす力を持つ〝ジェネシス〟——それらが撃たれればナチュラル、コーディネイターの差なく、すべての人類が死に絶える。

この愚行《ぐこう》を、アスランたちはかろうじて止めることができた。あまりにも大きな犠牲《ぎせい》を払《はら》いはしたが——。

この〝第二次ヤキン・ドゥーエ攻防戦《こうぼうせん》〟の終結後、〝プラント〟側から停戦の申し入れがされた。アスランの父パトリック・ザラ議長が戦闘《せんとう》中に死亡したため、その後、アイリーン・カナーバを代表とした暫定《ざんてい》政府が立ち、すでに連合としての統一が瓦解《がかい》しかけた地球連合と長い協議のすえ、終戦協定の締結《ていけつ》にこぎ着けた。それがC.E.七二、三月十日のことだ。調印はかつての悲劇の場所、現在は地球を取り巻くデブリ帯《ベルト》にある〝ユニウスセブン〟において行なわれ、以降〝ユニウス条約〟と呼ばれる。

さまざまな問題は残されたものの、〝プラント〟と地球各国はこのとき、今後の相互《そうご》理解努力と平和を誓《ちか》い、世界は安定へと歩みはじめたはずだった。

だが、現実には——。

アスランは小さくため息をつき、戦争の悲惨《ひさん》さなど遠くに置き忘れてきたような人々をあとにして、エレベータに乗り込む。砂時計にたとえられるプラントの支点に宇宙港は造られ、人々の居住区である底部までは高速エレベータが連絡《れんらく》している。エレベータ内のソファに腰《こし》を下ろしたカガリが、かたわらに立つ係官を見上げ、口をひらく。

「明日は軍艦《ぐんかん》の進水式ということだが——」

「はい。式典のために少々騒《さわ》がしく、代表にはご迷惑《めいわく》のことかと存じますが……」

慇懃《いんぎん》に微笑《ほほえ》みかける係官に向かって、カガリは苦い口調で言い放った。

「こちらの用件はすでにご存知だろうに、そんな日にこんなところでとは恐《おそ》れ入る」

係官は不興を見せつけられ、焦って表情を硬くする。カガリを守るように立ったアスランは、慎《つつ》ましげに口を挟《はさ》んだ。

「内々、かつ緊急《きんきゅう》にと、会見をお願いしたのはこちらなのです——アスハ代表」

第三者の前で、彼らはかつてのように対等に話をすることはできない。公《おおやけ》には、現在のアスランはカガリの私的な護衛《ボディガード》にすぎないのだ。

「〝プラント〟本国へ赴《おもむ》かれるよりは目立たぬだろう——という、デュランダル議長のご配慮《はいりょ》もあってのことと思われますが」

カガリはちらりとアスランに目を向け、納得《なっとく》いかない表情で黙り込む。そのとき急に、周囲に明るい光が満ち、カガリはガラス壁面《へきめん》の向こうに目をやった。透明《とうめい》なシャフトを通して、眼下に青い海が広がっているのが見えた。明るい日差しを受けて輝《かがや》く海に、緑の島々が散らばっている。まるで地中海を思わせる風景だ。しかしここに広がる風景はすべて人間が造ったもので、外殻《がいかく》の自己修復ガラスを距《へだ》てた外には、真空の宇宙が迫《せま》っている。その事実を思うたびに、アスランは感嘆《かんたん》をおぼえずにはいられない。

彼は郷愁《きょうしゅう》を滲《にじ》ませた表情で、近づいてくる美しい風景を見下ろした。

「違《ちが》う違う！　ロンド隊の〝ジン〟はすべて式典用装備だ！　第三格納庫《ハンガー》だと言ったろ!?」

「マッケラーの〝ガズウート〟かァ!?　早く移動させろォ！」

荒《あら》っぽい叫《さけ》び声が飛び交《か》い、広い敷地《しきち》内は雑然としている。指示に従って全高二十メートルを超《こ》えるモビルスーツが歩き回る眺《なが》めは圧巻だ。式典を明日に控《ひか》え、ザフトの軍事工廠《こうしょう》は常とは違う活気に満ちていた。ここがこれほどのにぎわいを見せることは、万一敵に攻《せ》め込まれでもしない限り、そうそうあるまい。

騒然《そうぜん》たる敷地内を走っていたバギーが、建物の陰《かげ》から現れた〝ジン〟の足に接触《せっしょく》しかけた。運転手があわててハンドルを切る。バギーは危《あや》ういところで巨大《きょだい》な足の間をすり抜《ぬ》け、助手席に座っていたルナマリア・ホークはぞっとした顔で座席にのけぞった。

「ハァ……なんかもう、ごちゃごちゃねー！」

赤い髪《かみ》の活発そうな少女は、その年齢《ねんれい》と見かけにそぐわぬエースパイロットの印、赤い軍服に身を包んでいる。運転席のヴィーノ・デュプレは技術スタッフのつなぎを着、オレンジ色のメッシュが前髪《まえがみ》に入った少年で、まだ子供のような顔をしている。二人とも十七歳――各人の基礎《きそ》的能力が高い〝プラント〟においてはすでに成人と見なされる年齢だ。

「しかたないよ。こんなの久しぶり――ってか、はじめてのヤツも多いんだし。おれたちみたいに」

ヴィーノはうんざりした顔のルナマリアと対照的に、どこか弾《はず》んだ表情だ。

「でもこれで〝ミネルバ〟もついに着任だ。配備は、噂《うわさ》どおり月軌道《きどう》なのかなァ？」

彼は明日に進水式を控えた艦《かん》の名を口にした。その口調には無意識に誇《ほこ》らしさがこもっている。〝プラント〟全土が注目する新造戦艦に、ヴィーノやルナマリアはすでに配属がきまっていた。

気がなさそうに周囲を見回していたルナマリアは、自分と同じ赤服を目にして手を振《ふ》った。長めの金髪《きんぱつ》を首筋に流した、シャープな印象の少年だ。

「レイ！」

レイ・ザ・バレルは彼女の呼びかけに反応して目を向けたが、手を振り返すどころか、表情さえ一ミリも動かさなかった。これは彼が不機嫌《ふきげん》であるとか、ルナマリアを無視しているというのではなく、ただ無感動な性格なのだ。彼はルナマリアたちのバギーを見送ったあと、上空に近づいてきた爆音《ばくおん》に気づいて顔を上げた。そして着陸しようとしているジェットファンヘリコプターを目にしたとたん、珍《めずら》しく表情をゆるめ、そちらに駆《か》け寄る。

着陸したヘリのタラップから、長い裾《すそ》を揺《ゆ》らして身軽に降り立ったのは、三十歳くらいの長い黒髪《くろかみ》の男だった。白い端整《たんせい》な顔は柔和《にゅうわ》だが、同時に周囲を引きつける存在感をすらりとした全身から放っている。男は司令部に向かって歩きながらも、補佐官《ほさかん》たちとせわしげに言葉を交わしていた。切れ長の目が周囲を撫《な》で、敬礼するレイの上に留まると、端整《たんせい》な顔がしばし笑《え》みをたたえた。

この男が現評議会議長、ギルバート・デュランダルその人だ。

「議長……」

レイが見るうち、デュランダルに一人の補佐官が駆け寄り、慌《あわ》ただしくなにかを告げる。デュランダルの目が一瞬《いっしゅん》、鋭《するど》い光を宿した。彼は衣の裾をひるがえし、随員《ずいいん》たちを引き連れて、早足で司令部に向かった。

——こんなにたくさんの人を見るのは、生まれてはじめてかもしれない。周囲の人波を見ながら、ステラ・ルーシェはそう思った。それとも以前にも見たことがあるだろうか?

彼女はちょっと考えたが、すぐにどうでもよくなってやめた。

数歩先を彼女の『お仲間』——スティング・オークレーとアウル・ニーダがぶらぶらと歩いている。少なくともこんなふうに三人だけで、『普通《ふつう》の人』たちに混じって繁華街《はんかがい》をぶらつく、なんてことは初めてかもしれない。軍事式典に招待された〝プラント〟の名士《セレブリティ》が、ステラたちのように着飾《きかざ》って街を歩いていた。だが彼女たちの目的は周囲の人たちとは違う。ステラたち三人はこの〝アーモリーワン〟に偽造《ぎぞう》IDを使って入り込み、指定された待ち合わせ場所に向かっているのだ。

「ステラ、もたもたしてんじゃないよ。置いてくぞ」

短い髪を立てたスティングが肩《かた》ごしに声をかける。刃物《はもの》みたいに鋭い目をしたスティングは、白いジャケットを着ていつもとは別人のようだ。

「迷子になっても捜してやんねーからな」

　アウルがからかうようにくるりと振り返る。女の子みたいにかわいい顔をしている彼だが、顔と性格はかなり違う。アウルも袖無《そでな》しの上着にベルトを配した、しゃれた服に身を包んで、いつもよりさらにかわいく見えた。二人の少年は出会ってからというもの、無口でぼうっとしたところのあるステラの兄貴分を気どっている。

　ステラはうながされて足を速めたが、ふいに、ショーウィンドウに映る自分の姿に目を留めた。柔《やわ》らかく波打つ金髪に大きな目の、人形みたいな女の子が大きなガラスの中から見返してくる。ホルターネックのドレスは凝《こ》ったデザインで、ベールのような袖《そで》が華奢《きゃしゃ》な腕《うで》に垂れかかり、ふんわりした白い裾が膝《ひざ》を覆《おお》っている。少し体を揺らすと、長い裾も揺れて足にまといついた。ためしに回ってみると、白い裾《すそ》はふわりと広がる。こんなきれいな服を着るのもはじめてだ。ステラはうれしくなってくるくると回る。広い袖もはためいてたなびく。まるでお姫《ひめ》さまの服みたいだ。

　先を歩いていたアウルがそんなステラを見て、あきれたようにスティングに訊《き》く声が聞こえる。

「何やってんだ、あれ？」

「『浮《う》かれてるバカ』の演出」

　スティングが答え、アウルがますますわけのわからない顔になる。するとスティングは軽薄《けいはく》そうな笑みを浮かべながら、肩をすくめた。

「――じゃねえの？　オマエもバカをやれよ。バカをさ！」

スティングもなんだか、いつもより『開放的な気分』というのになっているのかもしれない。アウルだけはそんな二人を馬鹿にしたような目で見やり、歩を進める。

ステラは浮かれた気分のまま、踊《おど》るような足取りで彼らにつづいた。道を行く人々の視線にも気づかず、くるくる回りながら角にさしかかったとき、横から人がぶつかってきた。

「うぉっ……と！」

買い物袋《ぶくろ》がどさりと足元に落ちる。はずみではね飛ばされそうになったステラの体を、誰《だれ》かの手が後ろから抱《だ》きかかえて止めた。

「大丈夫《だいじょうぶ》？」

無造作に頭上からかけられた声を、ステラは振り仰《あお》ぐ。

すぐ目の上に、鮮《あざ》やかな紅《くれない》の瞳《ひとみ》があった。ステラたちと同じくらいの年頃《としごろ》の少年だ。驚《おどろ》きに目を見ひらいた顔はあどけなささえ感じさせた。だがその目の色だけは違《ちが》う。

「――だれ……？」

その色は、ステラの嫌《きら》いな言葉に似ていた。

シンは技術スタッフのヨウラン・ケントと、久しぶりに街に出ていた。いまごろ工廠《こうしょう》は式典

の準備で大わらわだろうが、非番の自分たちには関係ない。

ヨウランと話しながら、路地から大通りに出ようとしていたときだった。急に目の前に女の子がふわりと飛び出し、気づく前にシンは思いきりぶつかってしまった。相手もこちらにまったく気づいていなかったようだ。倒《たお》れそうになるところをシンがあわてて手を伸《の》ばし、抱きとめる。

「大丈夫？」

ふっと鼻先を甘い匂《にお》いがくすぐる。やわらかそうな金髪《きんぱつ》の頭が目の下にあった。相手は驚いたようすでシンの顔を見上げる。きょとんとした大きな目が印象的な、妖精《ようせい》めいた雰囲気《ふんいき》の少女だ。白いドレスが、彼女の非現実的な印象をさらに深めている。式典に招待された客の一人だろうか。

「――だれ……？」

少女はつぶやく。シンは一瞬、彼女の深いすみれ色の瞳に見入った。が、次の瞬間、茫洋《ぼうよう》とした少女の表情が一変する。彼女は鋭い目でシンを見返し、山猫《やまねこ》のように猛々《たけだけ》しい動作で彼の手を振《ふ》り払《はら》う。シンはその豹変《ひょうへん》ぶりに呆然《ぼうぜん》としつつ、白いドレスの裾をひるがえして勢いよく走り去っていく少女の後ろ姿を見送った。

少し遅《おく》れて、シンはなんとなく理不尽《りふじん》なものを感じる。向こうもよそ見をしていたくせに、これではまるで自分だけが悪者のようではないか。

すると、後ろからヨウランが顔を突《つ》き出して言った。

「……胸、つかんだな？　おまえ」

「いっ……!?」

指摘《してき》されてシンははじめて気づき、やわらかな感触《かんしょく》の残る両手に愕然《がくぜん》と目を落とす。

……まるで、ではなく、完全に悪者だったらしい。

これではあの子も、怒《おこ》って当然だ。いや、けっしてわざとやったわけではないのだが……。

浅黒い肌《はだ》、黒い髪《かみ》のヨウランは、そんなシンに冷ややかな視線を送ったあと、軽蔑《けいべつ》しきった口調で言い放った。

「こーの、ラッキースケベ！」

「ち、ちがっ……！」

シンは真っ赤になって弁解しようとしたが、すでにヨウランはこちらに背を向けている。あわてて地面に散らばった買い物を拾い集め、シンは友人のあとを追う。

「おいっ、こら！　ヨウラン――」

仲間たちに言いふらされでもしたらことだ。一瞬《いっしゅん》のことでよくおぼえてもいないのに。どうせなら、ちゃんと感触を味わっておくんだった――などと不埒《ふらち》な方向に考えが及びかけ、シンは憤然《ふんぜん》として頭を振った。

いや、あれは単なる事故だ！　忘れよう！　さいわい相手はもう二度と会うことはないだろう名士《セレブ》だ。たしかにかわいいコだったけど……。

それきり彼は、この一瞬の邂逅《かいこう》を忘れた。


アスランたちの前で執務室《しつむしつ》のドアが開いた。秘書官らしき随員《ずいいん》と言葉を交《か》わしていたデュランダル議長がこちらに目をやり、カガリの顔を認めると、柔和《にゅうわ》な笑《え》みを浮《う》かべて歩み出る。

「やあ、これは姫《ひめ》。遠路お越《こ》しいただき、申し訳ありません」

「いや。議長にもご多忙《たぼう》のところ、お時間をいただき、ありがたく思う」

カガリもまっすぐ彼に歩み寄りながら応じ、握手《あくしゅ》の手をさしのべる。デュランダルがうやうやしい手つきでその手を握《にぎ》った。そして、カガリの背後ですばやく室内の危険をチェックしたアスランに目を留める。アスランはその凝視《ぎょうし》が長すぎたような気がして、内心不安をおぼえた。

ふつうVIPは随員になど視線をやらぬものだ。いまは偽名《ぎめい》を名乗り、顔を濃《こ》いサングラスで隠《かく》してはいるが、ここはかつて彼の属した場所だ。デュランダルとは面識がなかったはずだが、メディアなどでアスランを見知っている者は多い。

戦後、彼はひそかにオーブへ渡《わた》り、アレックス・ディノと名を変えて隠れ住んでいる。自分の選んだ道は正しかったといまも信じているが、公的に見れば彼の行動は反逆罪にほかならない。軍籍《ぐんせき》にある者が、自らの国家が決定した道を疑い、それに背《そむ》いて逃《に》げ出すなど、許されないことなのだ。それだけでなく、アスランの立場はさらに複雑だった。戦中、父パトリック・

ザラは国防委員長から評議会議長となり、好戦的な政策を推進し続けたため、戦後において最大の戦犯と目されるようになっていた。その見方にはアスラン自身も賛同する。父は〝ユニウスセブン〟に核《かく》を撃《う》ち込んで母の命を奪《うば》ったナチュラルたちを生涯《しょうがい》許さなかった。私怨《しえん》によって、憎《にく》しみのままにひたすら戦火を拡大した責任は、間違《まちが》いなく父にある。だが世間は、アスラン自身がその父に同調することができずに、独自の行動に出たことなど知りはしない。

カナーバ臨時評議会議長はアスランの脱走《だっそう》、反逆の罪を追及《ついきゅう》せず、オーブへ去るがままにさせた。彼女にとってもアスランは、おそらく本国にいては面倒《めんどう》な存在だったのだろう。

デュランダルは、しかしこちらに気づいたようすもなくカガリに向きなおり、ソファを勧《すす》める。

「お国の方はいかがですか？　姫が代表となられてからは、じつに多くの問題も解決されて……私も盟友として、たいへんうれしく、またうらやましく思っておりますが」

「まだまだ至らぬことばかりだ」

如才《じょさい》ない議長の言葉に、カガリが苦いものを含《ふく》んだ口調で答えた。

はたから見れば、オーブの復興はめざましいものがあるだろう。さきの大戦中、オーブは一度地球連合軍の侵略《しんりゃく》を受け、国を焼かれたうえに属国の扱《あつか》いを受けている。

ザフトの侵攻《しんこう》により、地球連合は宇宙へシャトルなどを打ち上げるためのマスドライバー施設《せつ》をすべて失っていた。宇宙への足がかりがなければ、〝プラント〟を攻めることもできない。

そこで連合が目を向けたのが、当時オーブが所有していたマスドライバー〝カグヤ〟だ。連合はなんとか〝カグヤ〟を接収しようとしたが、当時の代表首長であったウズミ・ナラ・アスハが断固としてそれを拒絶《きょぜつ》した。カガリの父である。

ウズミは一貫《いっかん》して中立の立場を守り続け、このときも連合に与《くみ》することをよしとしなかった。すると連合はオーブを『敵国に協力する裏切り者』と断じ、武力に訴《うった》えた。ナチュラルが、同じナチュラルの国家をだ。

結果、オーブは侵略の憂《う》き目を見ることになったが、停戦後まもなく弱体化した連合の支配から脱することができた。

「――で？　この情勢下、代表がお忍《しの》びで、それも火急なご用件とは、いったいどうしたことでしょうか？」

デュランダルが上滑《うわすべ》りに聞こえるほど快活にたずねる。むろん、こちらの用件など聞く前から知っているに違《ちが》いないというのにだ。

「わが方の大使の伝えるところでは、だいぶ複雑な案件のご相談――ということですが……？」

カガリは強い目で相手の端整《たんせい》な顔を見つめたあと、ふいに、脱力したように低くつぶやく。

「……私には、そう複雑とも思えぬのだがな」

そして投げやりにさえとれる挑戦《ちょうせん》的な口調で、こう言った。

「だが、いまだにこの案件に対する、貴国の明確なご返答が得られないということは、やはり複雑な問題なのか？」

「ほう……？」

室内にいる双方《そうほう》の随員たちが、彼女のけんか腰《ごし》な物言いに緊張《きんちょう》した表情になるが、デュランダルは気を悪くしたふうもなく、興味深げに首をかしげる。カガリは正面から相手の目を見据《みす》え、告げた。

「わが国は再三再四、かのオーブ戦のおりに流出したわが国の技術と人的資源の、そちらでの軍事利用を即座《そくざ》にやめていただきたい、と申し入れている」

大戦前より、オーブは中立の立場を取り、またコーディネイターを差別しない、地球上において数少ない国家だった。そのために、地上で排斥《はいせき》されたコーディネイターのほとんどが宇宙をめざしたのちも、彼らの一部がこの国にとどまった。だが地球連合軍の侵攻にともない、安住の地は失われ、彼らの多くが〝プラント〟にその行き場を求めた。

それはしかたのないことだ。そして本来、国を見限った国民が他国でなにをなそうと、こちらが口出しできることではない。だが、カガリやアスランが危惧《きぐ》するのは、終戦協定締結《ていけつ》後も各国が軍備の増強に歯止めをかけようとしないことだった。さきの大戦であやうく自分たちが滅《ほろ》びかけたというのに、人々はその恐怖を忘れたようになおも自らを焼く火を手放そうとしない。そんな世界の流れを押しとどめたい――それがカガリの強い願いだった。

だがそれだけにとどまらず、この案件にはさらに複雑な要因があった。

デュランダルははぐらかすような笑みを浮かべ、黙《だま》ってカガリの要請《ようせい》を聞いていた。その表情はまるで、やんちゃな子供のいたずらを大目に見る教師のものだ。アスランはひそかに、この会見の結末を予想して暗澹《あんたん》たる気分になった。

ステラたち三人は、町はずれの大きな看板《ビルボード》の前にいた。ここが待ち合わせ場所だ。電子ビルボードはザフトの徽章《きしょう》をでかでかと映し出したあと、宇宙空間に並ぶプラントの映像に切り替《か》わる。ステラはしばらくビルボードを見上げていたが、何度も同じ映像が繰《く》り返されるばかりなのに気づいて、視線を空に向けた。

この空には太陽がない。

「なーんか、地球とあんまり変わんないよな。つまんねえー」

退屈《たいくつ》そうにアウルが言い、ステラは黙ってこっくりとうなずく。

「でもプラントって毎日晴れでいいよな。天気予報いらねーじゃん？」

「バーカ、雨くらい降るさ、プラントでだって」

スティングが脇《わき》から口を挟《はさ》み、アウルは憤慨《ふんがい》した表情になる。

「え、うそ！　なんでわざわざ雨なんか降らさなきゃなんないんだよ！」

「さあ、いろいろあんじゃないの？　雨降らないとさ」

「雨降りなんてサイアクじゃん。服とか濡《ぬ》れるし。な、ステラ？」

またアウルに同意を求められてステラはうなずいた。

「……うんっ」

さっきから腕時計《うでどけい》を何度か見ていたスティングが、近づいてきた車に目をやった。バギーが一台、彼らの前に停車する。前部座席にはザフトの軍服姿の男たちが座っていて、スティングの視線を受け、黙ってうなずく。どうやらこれが『待ち合わせ』の相手らしい。ステラたちも黙ってバギーの後部に乗り込んだ。

バギーは街からさらに離《はな》れ、軍事工廠《こうしょう》の敷地《しきち》内へ入っていく。入り口のゲートで前部座席の男たちはIDを見せ、VIPを案内する係官であるかのようにふるまった。VIPというのはステラたちのことらしい。彼らがザフトの本当の軍人なのか、それともステラたちのように偽《にせ》の身分を名乗っている者なのか、彼女たちは知らない。また、知る必要もなかった。

誰《だれ》も彼らに不審《ふしん》を抱《いだ》く者はなかった。モビルスーツが歩き回り、見学客の姿も見える軍事工廠をバギーは走り抜《ぬ》け、ほどなく巨大《きょだい》な格納庫《ハンガー》の前で停車した。キイスリットにキイが通され、重そうなハッチが上がっていく。内部に駆《か》け込んだステラたち三人に、案内役の男たちが武器を手渡《てわた》す。スティングとアウルが慣れた手つきで銃《じゅう》に弾倉《だんそう》を装填《そうてん》し、ステラはナイフを鞘《さや》から抜き放った。白く光る刃《やいば》を見たとたん、ステラの中でスイッチが入る。

これからが本番だ。

彼女らはさっきまでのどかな会話を繰り広げていた者たちとは別人のような鋭《するど》い目で、建物の奥を透《す》かし見た。薄暗《うすぐら》い格納庫《ハンガー》内には、モビルスーツ運搬《うんぱん》用のクローラーが並んでいるのが見てとれた。その周囲には二、三十人の軍人の姿がある。この程度ならいける、だろう。

スティングが目で合図し、みな、いっせいに物陰《ものかげ》から飛び出す。誰も彼女らの侵入《しんにゅう》に気づかないうちに銃声が高い天井《てんじょう》にこだまし、スティングの連射を食《く》らった兵士たちがなぎ倒《たお》された。誰何《すいか》の声は複数の銃声にかき消される。アウルが宙で側転しながら両手の短機関銃《サブマシンガン》から弾丸《だんがん》をばらまく。コーディネイターである兵士たちさえその動きに眩惑《げんわく》され、やっとのことで構えた銃は虚《むな》しくなにもない空間を撃《う》った。

ステラは兵士たちの中に声を上げて飛び込む。片手のナイフで一人の喉《のど》を切り裂《さ》きながら身をひるがえし、背後の兵士をもう一方の手にグリップした銃で撃ち倒す。その動きはコーディネイターなみ——いや、その上を行くかもしれない。ふわりと白いドレスが舞《ま》うたびに、血しぶきがまだらの模様を描《えが》く。

「アウル、上だ!」

周囲に惜《お》しみなく弾丸のシャワーを振《ふ》りまきながら、スティングが無造作に声を飛ばす。アウルはクローラーの上から自分を狙《ねら》う兵士たちに見向きすらせず、肩《かた》ごしに両手の銃口だけを向けて撃ち落とした。兵士たちはほとんど撃ち返すことも、逃《に》げ出すこともできぬまま、折り重なって倒れていく。その中にはエリートパイロットを示す赤いスーツも見ることができた。

数分もせずに、格納庫《ハンガー》の内部は制圧された。奇襲《きしゅう》であったとはいえ、コーディネイターの兵士たちがたった五人の男女に敗北したのだ。
　あたりに動く者がなくなったのを見て、ステラは気のない動作で、足元に銃とナイフを投げ捨てた。アウルも周囲を確認《かくにん》しながら声をかける。
「スティング！」
「よし、行くぞ！」
　スティングの号令と同時に、三人はそれぞれ三基のクローラーに飛び乗った。その上には鉄灰色の巨大な機体が横たわっている。彼らは開いたままだったコックピットに飛び込み、シートに着く。ステラはOSを起動させた。手元のモニターが明るくなり、OS名が浮《う》かび上がる。
――Generation
　Unrestricted
　　Network
　　　Drive
　　　　Assault
　　　　　Module
〝G.U.N.D.A.M.〟――ガンダムとでも読むのだろうか？
〈どうだ？〉
　通信機からスティングの声が届く。

アウルが応じ、ステラも起動作業を続けながら答えた。

〈OK、情報どおり〉

その手が躍《おど》るように各スイッチを入れ、頭に叩《たた》き込まれたとおりに起動シークエンスをこなしていく。

「いいよ」

「量子触媒《しょくばい》反応スタート、パワーフロー良好。全兵装アクティブ、オールウェポンズフリー……システム、戦闘《せんとう》ステータスで起動……」

エンジン音が低くクローラーを震《ふる》わせ、横たわった巨人の目に灯《ひ》が入る。三機のモビルスーツはクローラーごと起き上がり、その巨大な手足が力を得てゆるやかに動き出す。ロックが外れ、電源ケーブルがはじけ飛ぶ。モビルスーツがついにクローラーから離れ、ゆっくりと歩を進めると、いまごろになってけたたましいサイレンが鳴りはじめた。瀕死《ひんし》の兵士が力を振り絞《しぼ》って警報ボタンを押したものらしい。だが、いまさら遅《おそ》い。

鉄灰色《てっかい》だった三機の装甲《そうこう》が、揺《ゆ》らめくように色づいた。スティングの乗り込んだZGMF―X24S〝カオス〟はモスグリーンに、アウルのZGMF―X31S〝アビス〟はネイビーブルーに、そしてステラのZGMF―X88S〝ガイア〟は黒に。

三機の〝ガンダム〟は警報の鳴り響《ひび》く格納庫《ハンガー》に立ち並び、その異様でさえある姿を堂々と見せつけた。

アスランとカガリはデュランダル議長に伴《ともな》われて司令部を出た。突然《とつぜん》、議長が工廠を案内しようと言い出したのだ。周囲には格納庫《ハンガー》が建ち並び、ときおり広い路面をモビルスーツが地響《じひび》きを立てて横切る。アスランはカガリの後ろにぴたりとついた。あたりは明日予定されている式典のためだろう、ひどくごった返している。

アスランはきびきびと動く兵士たちや、オイルの匂《にお》い、雑然とした雰囲気《ふんいき》の中に身を置き、郷愁《きょうしゅう》のようなものをおぼえた。かつてはここが自分の属する場所だった。警戒《けいかい》のために周囲を見回しながらも、その目はついつい、モビルスーツの方に行ってしまう。〝ジン〟や〝ジグー〟は自分が現役《げんえき》の時と変化していないようだが、当時実戦配備がはじまったばかりだった〝ゲイツ〟は腰部《ようぶ》両側のアンカー《エクステンショナル・アレスター》がレールガンに換装《かんそう》されている。薄黄色《うすきいろ》の戦車タイプに変形する機体は、おそらく〝ザウート〟の次世代機だろう。

「姫《ひめ》はさきの戦争でも、自らモビルスーツに乗って戦われた勇敢《ゆうかん》なお方だ」

デュランダルは行き交《か》うモビルスーツや、格納庫《ハンガー》の中をときおり指し示して解説しつつ、この行為《こうい》を言い訳するように言った。

「また最後まで圧力に屈《くっ》せず、自国の理念を貫《つらぬ》かれた『オーブの獅子《しし》』、ウズミさまの後継者《こうけいしゃ》でもいらっしゃる」

父の名を持ち出され、カガリはやや感傷的な表情になる。

ウズミ・ナラ・アスハは最後まで断固として地球連合軍と戦った。そして、その理念を託《たく》してカガリたちを逃がしたのち、自らマスドライバー施設《しせつ》とともに爆死《ばくし》した。その壮絶《そうぜつ》な生きざまが、彼女だけでなくアスランをも今日まで導いてきたといっていい。

「——ならばいまのこの世界情勢の中、我々がどうあるべきかは、よくおわかりのことと思いますが……」

デュランダルのほのめかしに対して、カガリは硬《かた》い声で答えた。

「我らは自国の理念を守り抜《ぬ》く。それだけだ」

「他国を侵略《しんりゃく》せず、他国の侵略を許さず、他国の争いに介入《かいにゅう》しない？」

「そうだ」

うなずくカガリを、笑みを含《ふく》んだ目で見やり、デュランダルもうなずく。その整った顔はたえず穏《おだ》やかな笑《え》みを浮かべ、どこか聖職者を思わせる。

「それは我々もむろん、同じです。そうであれたら、いちばんよい」

しかし彼はもの柔《やわ》らかな笑顔のまま、こう続けた。

「——だが、力なくば、それは叶《かな》わない」

そのときアスランはひとつの格納庫《ハンガー》をのぞき込み、中に並んだ機体に息をのんでいた。随員《ずいいん》の一人が誇《ほこ》らしげに声をかける。

「ZGMF—1000《ワンサウザンド》〝ザク〟——これは〝ザクウォーリア〟と呼ばれるタイプですな。ニューミレニアムシリーズとしてロールアウトした我が軍の最新鋭機《さいしんえいき》です」

モスグリーンを基調とした装甲色の新型機は、〝ジン〟からの流れを受けたデザインを若干《じゃっかん》残していた。頭部の単眼《モノアイ》や鎧《よろい》武者を思わせる全体のフォルムなどだ。だがこんな機体を自分たちに無造作に見せてよいものだろうか？

デュランダルの話は続いていた。

「――それは姫とて……いや、姫の方がよくおわかりでしょうに？　だからこそオーブも軍備は調《ととの》えていらっしゃるのでしょう？」

力なくば叶わない――むろん、カガリもそれは理解しているはずだった。力のない者の言葉など誰《だれ》も聞こうとはしない。そして、さきの大戦で力のない者がいかにたやすく滅《ほろ》ぼされたか――。

だが、彼女は相手の言葉に反抗《はんこう》するように、突然ぶっきらぼうに言い返す。

「その、『姫』というのは、やめていただけないか？」

デュランダルは虚《きょ》を衝《つ》かれたように目を見ひらいたあと、笑いを嚙《か》み殺しながら頭を下げる。

「これは失礼しました。――アスハ代表」

カガリは憤然《ふんぜん》とした表情で相手を睨《にら》んだが、引き下がった。歩を進めながら、デュランダルは中断された話の続きを口にする。

「――しかし、ならばなぜ？……なにを怖《こわ》がってらっしゃるのですか、あなたは？」

カガリは見透《みす》かすような言葉に反応して、頭を上げる。デュランダルはにこやかにたずねた。

「大西洋連邦《れんぽう》の圧力ですか？　オーブが我々に条約違反《いはん》の軍事供与《きょうよ》をしている——と？」

カガリの顔色が変わった。それが図星だったからだ。デュランダルはそれを見てとりながら、理性的な言葉を紡《つむ》ぐ。

「——だが、そんな事実はむろん、ない。かのオーブ防衛戦のおり、難民となったオーブの同胞《どうほう》たちを、我らがあたたかく受け入れたことはありましたが……」

工廠《こうしょう》で作業していた技官のうちにも、カガリの顔を見て反応する者がいた。現在、話題とされている元オーブ国民だろう。

「その彼らがここで暮らすために、持てる技術を活《い》かそうとするのは、しかたのないことではありませんか？」

デュランダルの言うことは正論だ。たしかにオーブが条約に違反して〝プラント〟に加担しているなどという事実はなく、大西洋連邦の指摘《してき》は言いがかりに近い。

だが現在、オーブは微妙《びみょう》な立場にある。かつて言いがかりに近い題目のもと、大西洋連邦の占領下《せんりょうか》に置かれたかの国は、独立したとはいえ、以前ほど不可侵《ふかしん》の立場にはいない。それは『オーブの獅子』とあだ名された傑物《けつぶつ》、ウズミを失ったためでもあった。カガリはその娘《むすめ》であることと、〝第二次ヤキン・ドゥーエ攻防戦《こうぼうせん》〟での働きを喧伝《けんでん》されたことから、代表首長の地位に押し上げられたにすぎない。そんな彼女に断固として大西洋連邦の圧力をはねのけるだけの力はない。そして、戦禍《せんか》の癒《い》えないオーブを守るには、好むと好まざるとにかかわらず、大国につけいる隙《すき》を与《あた》えるわけにはいかないのだ。

そしてそれ以上に、カガリが憂《うれ》えるのは現在の世界が向かう方向だった。彼女は思いつめたようにデュランダルに向きなおり、拳《こぶし》を握《にぎ》って叫《さけ》ぶ。

「だが！　強すぎる力はまた争いを呼ぶ！」

〝プラント〟に放たれた核《かく》の火、〝ジェネシス〟から迸《ほとばし》った死の光――それらによって奪《うば》われる命を間近に見てきた彼女は、死の道具を続々と生み出そうという行為《こうい》を黙《だま》って見ていることができないのだ。それは、アスランも同じだ。

だがデュランダルは動じる気配もなく、ゆるやかにかぶりを振《ふ》る。

「いいえ、姫《ひめ》。争いがなくならぬから、力が必要なのです」

カガリは言葉をのんで立ちつくす。そのとき、警報が鳴り響《ひび》いた。

「――なんだ……？」

二人は対決を忘れ、周囲を見回す。不吉《ふきつ》なサイレンの音は鳴りやまず、工廠内の兵士たちはにわかに緊迫《きんぱく》した表情で事態を把握《はあく》しようと動きはじめる。アスランもカガリのそばに寄って、あたりに油断なく目を配った。

――と、一棟《むね》の格納庫《ハンガー》から、巨大《きょだい》な扉《とびら》を貫《つらぬ》いて数条のビームが放たれた。扉は吹《ふ》っ飛ぶように熔《と》け落ち、ビームの飛び込んだ向かいの格納庫《ハンガー》でなにかが誘爆《ゆうばく》する。

「カガリ！」

アスランはとっさにカガリを抱《だ》いて物陰《ものかげ》に飛び込んだ。爆風《ばくふう》がさっきまで彼らのいた道路を駆《か》け抜けていく。

「なに……っ⁉」

もがくように身を起こしたカガリが呆然《ぼうぜん》と声を上げる。デュランダル議長も随員たちにかばわれて無事だ。

——なにが起こったんだ⁉

アスランは物陰から顔を出して、爆発の方向を見やった。風に吹き流されていく爆煙《ばくえん》の陰から、巨大なシルエットが現れる。

「〝カオス〟、〝ガイア〟……〝アビス〟⁉」

かたわらに身を低くしていた議長の随員《ずいいん》が、煙《けむり》の中から歩み出た三機のモビルスーツを目にして驚愕《きょうがく》の声を上げる。二つの目と二本の角を持つ特徴《とくちょう》的な頭部、〝ジン〟などと比べてすらりとした直線的なフォルム。それぞれ特殊《とくしゅ》武装を施《ほどこ》されてはいるものの、その基本的なデザインは見間違《みまちが》えようがない。

「あれは！」

アスランが思わず絶句し、カガリが愕然《がくぜん》とつぶやいた。

「——『ガンダム』……！」

〈まず格納庫《ハンガー》を潰《つぶ》す！　モビルスーツが出てくるぞ！〉

〝カオス〟のスティングが陽気な調子で叫び、背後につけていた〝アビス〟のアウルがそっけなくステラに命じる。

〈ステラ、おまえは左〉

「わかった」

ステラは淡々《たんたん》と答え、言われたとおり左方へ〝ガイア〟を駆った。黒いモビルスーツは空中で変形し、四足歩行型の形態を取る。ザフトの四足獣《しそくじゅう》型モビルスーツ〝バクゥ〟と似通った形状だ。

〝ガイア〟は四本の肢《あし》で大地を蹴《け》り、黒い疾風《しっぷう》のように格納庫《ハンガー》の間を駆け抜《ぬ》けながら、背部ビーム砲《ほう》を放った。ビームは格納庫《ハンガー》の中に並んでいた〝ジン〟を貫き、誘爆を起こして建物ごと吹っ飛ばす。〝アビス〟の両肩《りょうかた》を覆《おお》う甲羅《こうら》のようなシールドから、二門ずつ突《つ》き出している砲口が火を噴《ふ》き、やはり別の格納庫《ハンガー》を火の海に変えた。

スティングの〝カオス〟はビームライフルで、ずらりと並ぶ式典用装備の〝ジン〟を、豪華《ごうか》な的《マト》を射落とすように片端《かたはし》から狙《ねら》い撃《う》ちしていた。そのようすはまるで新しいオモチャを得た子供のようだ。機体の背面に負った筒《つつ》型の兵装ポッドが開き、数十ものミサイルをいっせいに放った。ＡＧＭ１４１ファイヤーフライ誘導《ゆうどう》ミサイルは、花火のような音を立てて高い弧《こ》を描《えが》いたあと、並んだ格納庫《ハンガー》に次々と命中して炎《ほのお》の花を広げていく。もともと強襲《きょうしゅう》型に設計されているらしい〝カオス〟に、この仕事はうってつけのようだ。

しかしそろそろ、敵も奇襲《きしゅう》の衝撃《しょうげき》から立ちなおり、反撃を開始しようとしていた。空戦用の〝ディン〟が翼《つばさ》を開いて飛び立ち、大火力の〝ガズウート〟が戦車形態から二足歩行に切り替《か》わってこちらに砲撃を浴びせてくる。ステラは射線を見切って地を蹴り、空中からお返しにビームの矢を放つ。鈍重《どんじゅう》な〝ガズウート〟はなすすべもなくビームに機体を貫かれ、たっぷり抱《かか》えた弾薬《だんやく》を誘爆させて四散した。

たくさんの炎が太陽のない空を焦《こ》がす。躍動《やくどう》する鋼鉄《こうてつ》の獣を自由自在に駆り、ステラの血が徐々《じょじょ》に温度を高めていく。

——これは最高の搭乗機《のりもの》だ。私の〝ガイア〟！

「姫をシェルターへ！」

最初の衝撃から立ちなおると、デュランダルはまず随員にそう指示した。それに従って一人の兵士が「こちらへ！」と先に立つ。アスランは呆然と立ちつくしているカガリの肩《かた》を抱き、すばやく彼のあとに続いた。

「何としても押さえるんだ！〝ミネルバ〟にも応援《おうえん》を頼《たの》め！」

さすがにデュランダルはすぐに落ち着きを取り戻《もど》し、事態の収拾《しゅうしゅう》にかかっている。その通る声を背中に聞きながら、アスランは走った。

瞬《また》きほどの間に、工廠《こうしょう》は火の海と化していた。三機の新型モビルスーツの圧倒《あっとう》的な能力を前に、アスランも苦い思いになる。おそらくあれらは、かつて自分の搭乗機だった〝ジャスティス〟の流れを汲《く》んだ次世代機に違いない。強すぎる力は争いを呼ぶ——カガリの危惧《きぐ》はまさに当たってしまった。何者かがこの『力』の存在に気づき、危惧、あるいは欲望のために、それをザフトから奪《うば》い取ろうとしている。

そしてその『何者か』とは誰《だれ》か？——答えは誰の目にも明らかだった。

先導されてアスランとカガリは格納庫《ハンガー》の間を走っていた。が、建物の陰を出たところで、アスランは足を止める。ほんの十数メートル先でモビルスーツどうしが戦闘《せんとう》を繰《く》り広げていた。緑色の新型機がビームサーベルを抜き放ち、〝ジン〟の機体を貫《つらぬ》く。それを見てとったアスランは、カガリを引きずるようにして建物の陰へ跳《と》び下がる。爆発が起こり、反応が遅《おく》れた先導の兵士が、あっという間に炎にのまれる。

「こっちだ！」

案内人を失ったいま、アスランはできるだけ戦闘区域から離《はな》れようとカガリをうながして走る。が、彼らの退路を阻《はば》むように、四足歩行モードの黒い機体が道路の向こうから躍《おど》り出た。その機体を空中から〝ディン〟が狙い撃ちし、二人の目前に巨大《きょだい》な穴を穿《うが》つ。アスランは車の陰に飛び込み、カガリの上に覆いかぶさった。流れ弾《だま》が当たったらしく、建物の壁《かべ》が崩《くず》れ、轟《ごう》音《おん》とともに破片《はへん》が道路に降りそそぐ。

「なんで……!? なんで、こんな……っ!」

アスランの腕《うで》の中で、カガリがやりきれない思いを吐《は》き出す。

黒い機体が跳躍《ちょうやく》し、空中で〝ディン〟と交錯《こうさく》する。と、見るや、黒い機体の背中にあった二枚の翼が展開し、発せられた光刃《こうじん》がすれ違いざま〝ディン〟の機体を両断していた。

落下してきた〝ディン〟が格納庫《ハンガー》の屋根を突き破《やぶ》り、中で激しい爆発《ばくはつ》を起こす。爆風は物陰に隠《かく》れた二人をも襲《おそ》い、アスランはとっさに自分の体でカガリを守る。建物の破片を振《ふ》りまきながら、なにかが付近の道路に倒《たお》れ、その衝撃で身を寄せていた車輛《しゃりょう》がわずかに跳《は》ね上がった。

「アスラン……!」

カガリがアスランの身を気づかって声をかけ、アスランは安心させるように微笑《ほほえ》みかける。

「大丈夫《だいじょうぶ》だ」

だが破片が直撃しなかっただけでも幸運だったのだ。なんで、こんな!——と、アスランもどうしようもない苛立《いらだ》ちをこめて考えた。どうしてよりによってこんなところへ、自分たちは来てしまったんだろう?

しかしこうなった以上、カガリを何としても守らなければ。彼女は自分にとってかけがえのない存在であり、それ以上に、これからのオーブには必要な人なのだ。

アスランは狂《くる》おしい思いであたりを見回し、そして、路上に倒れた機体に気づいた。さっき見た新型――〝ザク〟だ。破壊された格納庫から飛び出したものらしい。アスランは一筋の光明を見いだしたような思いになる。

「来い！」

彼はカガリをうながしてそちらに駆《か》け出した。幸運にも仰向《あおむ》けに倒れた〝ザク〟のコックピットは開いていた。

「乗るんだ！」

「え……!?」

戸惑《とまど》うカガリを抱《だ》き上げて、アスランは開いたコックピットハッチから身をくぐらせる。すばやくシートに着き、彼は慣れた動作で機体を立ち上げはじめた。頭上でハッチが閉じる。

「おまえ……？」

カガリが不安げに身を寄せてくる。

アスランがモビルスーツに触《ふ》れるのは、さきの大戦以来だ。できれば二度と触れることがなければと思ってきた。それを知っているカガリは、だからこそアスランの気持ちを慮《おもんぱか》るのだろう。だがアスランは短く吐き捨てた。

「こんなところで、きみを死なせるわけにいくか！」

この状況《じょうきょう》では、ここの方がむしろ、外よりマシな避難《ひなん》場所だ。さいわい〝ザク〟はどこにも損傷がなさそうだった。操縦系統も旧型とは異なっているものの、おおかた見当がつく。操《あやつ》れないことはないだろう。

エンジンが滑《なめ》らかな駆動音《くどうおん》を伝え、モニターに光が入る。アスランは状況をつかむために〝ザク〟の身を起こさせた。胸の排気口《はいきこう》から熱せられた排気が噴《ふ》き出し、機体の上に積もっていた瓦礫《がれき》がばらばらと落下する。

が、その動きが敵の注意を引いてしまったらしい。開けたばかりの視界に、こちらに向きなおる黒い機体が映った。

——しまった!

黒い機体がビームライフルを構える。アスランは考える間もなくレバーを操作し、ペダルを踏《ふ》み込んでいた。〝ザク〟がスラスターの噴射《ふんしゃ》とともに横へ飛びのくと、放たれたビームが背後の壁を灼《や》いた。着地の足で踏み切り、アスランは敵機へ突《つ》っ込む。そのスピードに黒い機体は虚《きょ》を衝《つ》かれたらしい。〝ザク〟のショルダーアタックをまともに受けて、背後に吹《ふ》っ飛ばされる。

予想以上のパワーと機動性だ。自分も背後に飛びすさりながら、アスランはこの新型機の性能に内心舌を巻く。しかし敵機はそれで引き下がってはくれなかった。今度はビームサーベルを掲《かか》げて迫《せま》る。アスランはすばやく武器を探《さぐ》り、肩《かた》に装着されたシールドからビームトマホークを抜き放ってこれに応戦した。下がりながら敵機のサーベルをシールドで受け、ビームトマホークを振り下ろす。黒い機体もシールドでその刃《やいば》を受け止めた。

「くっ……！」

アスランはなんとか敵をかわして後退するタイミングを探った。カガリを守るためと思ってこの機体に逃《に》げ場を求めたのだ。勝つためではない。

だが黒い機体はまるでムキになったように、しゃにむに打ちかかってくる。逃げる隙《すき》など与《あた》えてくれそうにない。となれば、戦って勝ち取るのみだ。

決意をこめてモニターを睨《にら》みつけたアスランの耳に、さっき聞いた言葉がよみがえった。

——争いがなくならぬから、力が必要なのです……。


〈〝インパルス〟発進スタンバイ。パイロットは〝コアスプレンダー〟へ——〉

戦闘《せんとう》区域からほど近い工廠《こうしょう》内のドックに、淡《あわ》いグレイの戦艦《せんかん》が繋留《けいりゅう》されていた。明日に進水式を控《ひか》えた新造艦〝ミネルバ〟だ。前方へ突き出した艦首の両側に、大きく三角の翼《つばさ》が広がる。船体中央にはカタパルトが見られ、両舷《りょうげん》部にもモビルスーツ用ハッチを備えている。翼部や船体下部は赤に塗《ぬ》り分けられ、やや直線的なデザインは旧来のザフト艦とは趣《おもむき》を変え、どちらかというとオーブ系艦船との類似《るいじ》が見てとれた。

モビルスーツ管制の声が響《ひび》き渡《わた》る艦内をシンは走っていた。その身を包んでいるのはエースの証《あかし》、赤いパイロットスーツだ。彼は格納庫《ハンガー》へ駆け込み、ヘルメットの気密《シール》をしながら愛機に飛び乗る。白と青の機体は〝コアスプレンダー〟と呼ばれる新型戦闘機だった。

〈モジュールはソードを選択《せんたく》。シルエットハンガー二号を開放します。シルエットフライヤー、射出スタンバイ……〉

艦に戻《もど》ったとたん召集《しょうしゅう》され、シンにはまだ状況がつかめていない。ただ知らされたのは工廠内で開発され、ロールアウト直前だった新型機が、何者かの手によって奪取《だっしゅ》されたということだけだ。

――いったいなにをやってたんだ！

そんな事態を招いた味方の誰《だれ》かを、腹の底で罵《ののし》りながら、彼はキャノピーを閉じ、機体を立ち上げた。発進シークエンスに従って、格納庫《ハンガー》から上階へ機体を載《の》せたリフトがせり上がる。ゆっくりとカタパルトデッキの床《ゆか》が目の上から下がっていく。同時に前方のハッチが開きはじめ、隙間《すきま》から薄青《うすあお》い空が覗《のぞ》いた。

〈ハッチ開放、射出システムのエンゲージを確認《かくにん》。カタパルト推力正常。進路クリア――〝コアスプレンダー〟発進、どうぞ！〉

シンは左手のスロットルを全開した。同時にカタパルトによる加速度が体をシートへ押しつける。一瞬《いっしゅん》のちには全方位が開け、シンはわずかに目を細めた。機体を傾《かたむ》けて旋回《せんかい》すると、工廠内で立ちのぼる黒煙《こくえん》が視界をふさぎ、彼は愕然《がくぜん》とする。至る所に火が見え、何十棟《とう》もの格納庫《ハンガー》が無惨《むざん》に潰《つぶ》されている。まさかこれほどの被害《ひがい》を受けているとは思いもしなかった。あそこにいるはずの同僚《どうりょう》の顔がよぎり、シンの頭は怒《いか》りで沸騰《ふっとう》する。

――ひとの陣地で好き勝手しやがって……！

〝ミネルバ〟のカタパルトが〝コアスプレンダー〟に続いて、三個の物体《ユニット》を射出する。しかしそれは戦闘機の形状をしていない。

その間にもシンの目は破壊《はかい》された工廠の上をたどり、間もなく目標物をとらえた。黒くほっそりした機体が一機の〝ザクウォーリア〟と対峙《たいじ》している。ＺＧＭＦ―Ｘ８８Ｓ〝ガイア〟だ。奪取された機体と刃《やいば》を交える〝ザクウォーリア〟は押されぎみだった。そちらを目指しながら、シンは〝ザク〟の背後からＺＧＭＦ―Ｘ２４Ｓ〝カオス〟が接近しているのに気づいた。これも敵の手に落ちたものだろう。〝ザク〟のパイロットは前方の敵に気をとられ、〝カオス〟の接近に気づいていない。

「危ないっ！」

〝カオス〟が〝ザク〟の死角から躍《おど》りかかる。寸前で〝ザク〟は防御《ぼうぎょ》姿勢を取ろうとしたが間に合わず、ビームサーベルに左腕《ひだりうで》を持っていかれる。体勢を崩《くず》した〝ザク〟に、〝カオス〟がとどめを刺《さ》そうとする。が、その前にシンの放ったミサイルが〝カオス〟の背中で炸裂《さくれつ》した。

「ふん！　これでおあいこだ！」

シンは棒立ちになった〝カオス〟の横をすり抜け、一度上空へ舞《ま》い上がる。そこで、遅《おく》れて〝ミネルバ〟から射出されたユニットが〝コアスプレンダー〟に追いつく。

シンはそれらと相対速度を合わせ、この機体特有のシステムを起動させる。〝コアスプレンダー〟の機首がくるりと回転し、翼端《よくたん》とともに機体下部に折りたたまれる。同一軸《じく》上に並んだユニットにビーコンが発せられ、シンはスロットルを絞《しぼ》った。後方のユニットに変形した〝コアスプレンダー〟が吸い込まれるように接近し、接触《せっしょく》した。——いや、双方《そうほう》のジョイントが嚙《か》み合い、もともと機体の一部であるかのように接合《ドッキング》したのだ。機体は次に加速し、前方のユニットとも接合する。後方のユニット下部がスライドして両足になり、前方ユニット突端《とったん》から四本角が生えた頭部が現れた。最後に〝シルエットフライヤー〟と呼ばれる無人機が運んできたユニットを分離《パージ》し、それが背面に装着される。

そう、シンの操《あやつ》るこの機体はただの戦闘機ではなかった。モビルスーツのパーツのひとつだったのだ。

合体したとたん、鉄灰色《てっかい》の機体はベールを剝《は》ぐように色づく。下半身と腕部《わんぶ》は白く、肩や胸部は赤い。通電し、位相転移《フェイズシフト》システムがオンになったのだ。

シンはモビルスーツの背面に負った長大な二本の剣《けん》を抜《ぬ》き放ちながら、地上へ降り立った。焼け焦《こ》げた大地を踏《ふ》みしめて立った機体は、燃え立つような赤と純白に輝《かがや》く。

ZGMF—X56S〝インパルス〟——それがこの機体の名だった。シンは一振《ひとふ》りが刃渡《はわた》り十数メートルにも及《およ》ぶレーザー対艦刀《たいかんとう》——MMI—710〝エクスカリバー〟を柄の部分で結合《アンビテクストラス・フォーム》させ、大きく頭上で振《ふ》りかぶる。

「何でこんなこと……」

〝カオス〟と〝ガイア〟。ともに同系統の機体を前に、シンは憎《にく》しみをこめて叫《さけ》ぶ。

「また戦争がしたいのか⁉　あんたたちはっ！」

「こいつ……⁉」

突然《とつぜん》、出現した白い機体を、スティングは唖然《あぜん》として見つめた。フレームや特徴《とくちょう》的な頭部など、自分たちが手にした機体と同一系統のものであることは間違《まちが》いない。だが、この白いのは自分たちの目の前でたったいま合体して成形したのだ。

スティングたちが気をのまれているうちに、合体型の白い機体は長大なレーザー刀を振るってステラの〝ガイア〟に飛びかかった。

〈なんだっ、これは⁉〉

ステラがかろうじてその刃をかわし、後退しながら頭部バルカン砲《ほう》を乱射した。だがフェイ《P》ズシフト《S》装甲《そうこう》に実体弾《だん》など効くはずもない。自分たちの奪《うば》った三機の機体はPSシステムを採用している。この白いのも間違いなくそうだろう。PS装甲は通電することにより強度が高まり、物理的な攻撃《こうげき》はほとんど完全に防ぐのだ。この装甲を備えた機体を墜《お》とすには、ビームかレーザーを用いるしかない。その敵機は腰《こし》の後ろからビームライフルを抜き放ち、滞空《たいくう》中の〝ガイア〟を狙《ねら》う。

「くそ！　あれも新型か⁉」

スティングは掩護のためにライフルを発射しながら、モニターに現れた『不明』の文字を見て毒づく。

「どういうことだ!?　あんな機体の情報は……！　アウル！」

この工廠《こうしょう》に新型モビルスーツが三機ある。それを奪《と》って来い、としか彼らは言われなかった。四機目があるなんて話が違う。スティングは急いでもう一人の仲間を呼び寄せようとした。

その間にも白い機体《ヤツ》と〝ガイア〟は目まぐるしく交錯《こうさく》し、戦っている。獣型に変形して飛びかかった〝ガイア〟に、敵機は両手に分離《ぶんり》した刀を振るいながら逆に突《つ》っ込む。その刃をかわしてすれ違った〝ガイア〟が空中から背部ビーム砲を放つ。が、背面からの狙撃《そげき》を白い機体は腕に装着したアンチビームシールドで確実に受け止め、片手の長刀《ちょうとう》を〝ガイア〟に投げつけた。ステラは危《あや》ういところで人型にモードを変え、シールドでレーザー刃《じん》を受け止めたが、反動で機体は大きくはじき飛ばされる。

スティングは敵機の戦い方を見て口元を引き締《し》めた。

機体だけじゃない。パイロットもなかなかやる！　コイツは侮《あなど》ってはならない相手だ。

〈シン！　命令は捕獲《ほかく》だぞ！〉

突然スピーカーから飛び込んできた男の声に、シンは眉《まゆ》をひそめる。〝ミネルバ〟の副長、アーサー・トラインだ。

〈わかってるんだろうな⁉　あれは我が軍の――〉

〝ミネルバ〟でこちらの戦闘《せんとう》を見ていて危惧《きぐ》を抱《いだ》いたのだろう。シンは荒々《あらあら》しく怒鳴《どな》り返した。

「わかってます！　でも、できるかどうかはわかりませんよ！」

たしかにあの機体はザフトにとって重要なものだ。シンもそれはわかっている。だが機体に傷をつけるのを恐《おそ》れてこちらがやられたら元も子もない。こっちはさっきから必死で戦っているというのに、上の人間にはそんなこともわからないのか⁉

「だいたい！　何でこんなことになったんです⁉」

シンは突いてくる〝ガイア〟の切っ先を避《さ》け、自分も斬《き》りかかりながら、どうしようもない憤《いきどお》りを通信機の向こうにぶつける。

「何でこんな簡単に、敵に――！」

すると女性の声が割って入る。

〈いまはそんなおしゃべりしてる時じゃないでしょう？　演習でもないのよ！　気を引き締めなさい！〉

横面《よこつら》を張りつけるような凛《りん》とした声は、タリア・グラディス艦長《かんちょう》のものだった。これは自分と副長、双方《そうほう》への叱責《しっせき》だ。シンに言い返そうとしていたアーサーが言葉をのみ込む気配が伝わってくる。

シンの方はそれどころではない。狂《くる》ったように打ちかかってくる〝ガイア〟のビームサーベルをシールドで押し返す。あのビームを食らえば自分は死ぬのだ。教えてもらうまでもなく、これは間違いなく演習ではない。

通信を切る間際《まぎわ》に、艦長が別回線に向けて怒鳴った言葉が耳に入った。

〈──強奪《ごうだつ》部隊なら、外に母艦がいるはずです！　そちらは？〉


「よおーし、行こう！」

時計を確認《かくにん》した男が号令し、ついでにおどけた調子でつけ足した。

「──慎《つつ》ましく、な」

特務艦〝ガーティ・ルー〟の艦橋《ブリッジ》はその指令を受けてにわかに活気づいた。

「〝ゴットフリート〟一番二番、起動！　ミサイル発射管一番から八番、〝コリントス〟装塡《そうてん》──」

「イザワ機、バルト機、カタパルトへ」

操艦《そうかん》に従事している者たちはみな、地球連合軍の制服を身につけていた。

最初に命令を下した男は、艦長席の隣《となり》に座してモニターを見つめている。だが実のところ、男がなにを見ているかは周囲にはわからない。なぜならその顔の上半分を、無機的なマスクが覆《おお》い隠《かく》していたからだ。マスクからはみ出して肩《かた》に流れる金髪《きんぱつ》だけが、かろうじて彼の生身の部分をかいま見せる。だが周囲の兵士たちは慣れているものか、男の異様な風体《ふうてい》に気を払《はら》うようすもない。男の名はネオ・ロアノーク。この部隊を率いる立場にあり、階級は大佐《たいさ》だった。

モニター中央には、ザフトのナスカ級艦が浮《う》かんでいる。すでに射程距離《しゃていきょり》に入っているというのに、〝ガーティ・ルー〟に気づいたそぶりはない。

それもそのはず、〝ガーティ・ルー〟が存在するはずの宙域には、いかなる艦影《かんえい》も見てとることができない。それは視覚的にも、レーダーなどの観測機器をもってしても、という意味だ。

ネオは無機的な外見とそぐわぬ陽気な調子でさらに命令を下す。

「主砲《しゅほう》照準、左舷《さげん》前方ナスカ級。発射とともに〝ミラージュコロイド〟を解除、機関最大。——さあて、ようやくちょっとは面白《おもしろ》くなるぞ、諸君」

指揮官の軽口を聞き、隣に座した艦長のイアン・リーが、謹厳《きんげん》そうな顔にかすかに笑《え》みを浮かべた。そしておもむろに声を張る。

「〝ゴットフリート〟、てーっ！」

〝ガーティ・ルー〟の二二五センチ二連装高エネルギー収束火線砲〝ゴットフリート〟Mk.71が火を噴《ふ》いた。おそらく標的となったナスカ級からは、なにもない空間からいきなり撃《う》たれたように見えただろう。いや、それさえ見ることができた者はいないかもしれない。太い熱線はまっすぐにナスカ級の機関部に吸い込まれ、一瞬《いっしゅん》ののちに艦は激しい爆発《ばくはつ》を起こして四散していたからだ。

エンジンが高く唸《うな》りを上げ、〝ガーティ・ルー〟の船体に急激な加速がかかる。同時に揺《ゆ》らめきながら帳《とばり》が落とされたように、虚空から青鋼色の艦影が現れた。〝ミラージュコロイド〟システムが解除されたためだ。さきの大戦中、モビルスーツの迷彩《めいさい》用に開発された〝ミラージュコロイド〟は可視光線を歪《ゆが》め、レーダー波を吸収する働きを持つ。ガス状に散布したそれを磁場で安定させることにより、対象物を敵の目から完全に隠すことができるのだ。この艦はその〝ミラージュコロイド〟を装備した艦だった。

だが〝ミラージュコロイド〟とて戦艦の熱量まではカバーできない。それゆえネオたちはエンジンを停止したまま、両舷《りょうげん》に追加した推進装置からガスを噴射《ふんしゃ》し、その推力のみで息をひそめながらここまで接近したのだ。エンジンを稼動《かどう》させたいま、遮蔽《しゃへい》装置の意味などないし、それに、すでにその効果は充分《じゅうぶん》だった。

突然《とつぜん》現れ、主砲とミサイルを乱射しながら突《つ》き進んでくる〝ガーティ・ルー〟を前に、はじめのナスカ級だけでなく、付近を哨戒《しょうかい》中のザフト艦、また〝アーモリーワン〟の管制が完全に虚《きょ》を衝《つ》かれたことは間違《まちが》いない。だが二隻《せき》めのナスカ級はかろうじて降りそそぐミサイルの大半を迎撃《げいげき》し、回頭して応戦してくる。

「そーら、来るぞォ！」

ネオは緊迫《きんぱく》感を感じさせない口調で言い、矢継《やつ》ぎ早に命令を下す。

「モビルスーツ発進後回頭二〇！　主砲照準インディゴ、ナスカ級！――あちらの砲に当たるなよ！」

その警句に乗組員《クルー》は不敵な笑みで応じる。

開いたハッチからGAT―02L2〝ダガーL〟が飛び立っていく。現在、地球連合軍の主力となっている量産型モビルスーツだ。GAT―01〝ストライクダガー〟の後継機《こうけいき》であり、一本だったビームサーベルを腰部《ようぶ》に二本装備し、胸部バルカンが追加されるなど武装面での強化が施《ほどこ》されている。こちらに向かってくるナスカ級からも、〝ジグー〟、〝ジン〟が次々と飛び立つが、先制を食《く》らって次々と〝ダガーL〟に撃ち落とされる。戦況《せんきょう》は圧倒《あっとう》的に〝ガーティ・ルー〟の有利だ。

だがネオの目標はこの局地戦を制することではなかった。その視線の先には、ゆったりと回る〝アーモリーワン〟がある。

ひそかに先行させていた〝ダガーL〟が、そろそろ港の方で花火を打ち上げるはずだった。

〝アーモリーワン〟の軍港に置かれた司令ブースは、いまや蜂《はち》の巣をつついたような様相だった。さっきから軍工廠《ぐんこうしょう》が攻撃《こうげき》を受けている。その報《しら》せを受け、外に母艦の存在を予想して友軍艦を哨戒に出したとたん、なにもない空間からいきなり戦艦が現れてその艦を一撃《いちげき》のもとに沈《しず》めたのだ。

「不明艦捕捉《ほそく》！　数一、オレンジ二五マーク八ブラボー、距離《きょり》二三〇〇！」

オペレーターの報告に、上官は耳を疑った。

「そんな位置に!?」

〝アーモリーワン〟からはほとんど目と鼻の先だ。

「〝ミラージュコロイド〟……?」

一人の将官が考えられる可能性を口にし、一同の面《おもて》に驚愕《きょうがく》と憤慨《ふんがい》の表情が浮かぶ。たしかにそれしか考えられない。しかし〝ミラージュコロイド〟の使用はユニウス条約で禁止されているというのに?

「――地球軍なのか!?」

その問いかけにオペレーターは、さらに苛立《いらだ》ちをあおるような答えを返した。

「熱紋《ねつもん》ライブラリ照合――該当艦《がいとうかん》なし!」

それはデータにない新型艦という意味だった。船籍《せんせき》を推測することさえ不可能というわけだ。

司令官が怒鳴《どな》るように命令を下した。

「迎撃! 艦《ふね》を出せ! モビルスーツもだ!」

指示を受けて、繋留《けいりゅう》されていたローラシア級艦が発進し、ゆっくりと司令ブースの前を横切っていく。先頭の艦が港口にさしかかろうとしたとき、その前にいきなり黒いモビルスーツが二機、躍《おど》り出た。バズーカを構えた連合の〝ダークダガーL〟だ。

先頭の艦が機体を確認《かくにん》したときには、すでにそのバズーカは火を噴いていた。放たれた砲弾《ほうだん》はまっすぐに艦橋《ブリッジ》を貫《つらぬ》く。〝ダガーL〟はその結果を見届けることもせず、後続の戦艦に砲口を向け、次々と発射していく。エンジンを被弾《ひだん》した一隻が激しい爆発を起こし、反動で巨大《きょだい》な船体が司令ブースへ突っ込む。一隻が爆発すると別の船体が衝突《しょうとつ》し、さらに誘爆《ゆうばく》を引き起こす。狭《せま》い発進路内では巻き添《ぞ》えを避《さ》けることもできない。

こうして港口は完全に爆発と戦艦の残骸《ざんがい》で埋《う》めつくされた。ここまではすべて、ネオ・ロアノークという男の計画どおりだった。

かすかな、だが無視しがたい震動《しんどう》が踏《ふ》みしめた大地から伝わる。それはスティングにとって『時間切れ《ゲームオーバー》』を意味していた。

目の前にはなおも白い新型が立ちはだかっている。獣型モードの〝ガイア〟が翼部《よくぶ》のビームブレイドをきらめかせて迫《せま》るがかわされ、着地した瞬間《しゅんかん》を狙《ねら》ってスティングも斬《き》りかかる。が、二段構えの攻撃にも敵機は機敏《きびん》に反応する。〝カオス〟のビームサーベルをシールドで受け、レーザー刀で横薙《よこな》ぎにこちらのコックピットを狙ってくる。スティングはやむなく後退し、代わりに飛びかかろうとした〝ガイア〟を上空から砲弾が襲《おそ》う。二機の〝ディン〟が新型の加勢に入ったのだ。が、別方向からのビームが空中の二機を叩《たた》き落とした。飛来したのはネイビーブルーの機体、〝アビス〟だ。

〈スティング、さっきの――〉

アウルもさっきの震動に気づいたようだ。スティングは苛立ちもあらわに相手の台詞《せりふ》を先取りした。

「わかってる。『お迎《むか》え』の時間だろ!?」

〈遅《おく》れてる。バ、ス行っちゃうぜ?〉

「わかってると言ったろうが!」

白い機体と〝ガイア〟が離《はな》れたところをスティングはビームライフルで狙う。だが敵はその射撃《しゃげき》さえもシールドと跳躍《ちょうやく》でかわしていく。

〈だいたい、ありゃ何だよ!? 新型は三機のはずだろ!〉

アウルが非難がましく言うから、スティングもむっとして言い返した。

「俺が知るか!」

〈どーすんの? あんなの予定にないぜ!――ちっ、ネオのヤツ!〉

アウルが今度はここにはいない指揮官に毒づいた。それはスティングも同感だ。

この三機の情報が手に入ったくせに、なんであいつだけ抜《ぬ》けていたんだ? 中途半端《ちゅうとはんぱ》な!

「……けど、放《ほう》っちゃおけないだろ!? 追撃《ついげき》されても面倒《めんどう》だ」

言いながらスティングは背後から接近していた〝シグー〟に銃口《じゅうこう》を向ける。ビームの一射で〝シグー〟は撃《う》ち落とされた。ザフトは最初の奇襲《きしゅう》で受けた衝撃《しょうげき》から立ち直りつつある。今のうちに退却《たいきゃく》した方がいいことはわかっていた。が、スティングはすでに〝カオス〟を駆《か》って、白い機体に躍りかかろうとしている。

〈はん！　首でも土産《みやげ》にしようっての!?〉

馬鹿にしたように言い返しながら、アウルも〝カオス〟のあとについた。

〈――カッコ悪いってンじゃねー？　そーゆーの！〉


地平が不気味に震動したのを感じとり、カガリが不安げにアスランの顔を窺《うかが》った。これは内部での爆発《ばくはつ》によるものではない。アスランは唸《うな》るように答えた。

「外からの攻撃《こうげき》だ。……港か？」

三機の新型モビルスーツを奪《うば》った連中の背後になんらかの組織があるならば、〝アーモリーワン〟の外には脱出《だっしゅつ》したこれらの機体を運び去るための艦《あし》が用意されているはずだ。おそらくそいつらが攻撃してきたのだろう。

「アスラン……！」

アスランの脳裏《のうり》によみがえった前大戦時の光景があった。ザフトの急襲《きゅうしゅう》部隊の攻撃によって崩壊《ほうかい》したオーブのコロニー〝ヘリオポリス〟――あのときアスランはその崩壊を招いた者の一人だった。そこで秘密裏に開発されていた地球連合軍のモビルスーツを奪い、結果がどうなるか想像もせずに戦った。

まるで同じ歴史が繰《く》り返されているようだ。目の前では恐《おそ》るべき力を帯びたモビルスーツが、これから起こることになど思いもやらず、ひたすらに相手を撃ち、斬りかかる。

奪取《だっしゅ》された三機目が新たに飛来し、戦闘《せんとう》に加わった。人型になった黒い機体と接近して斬り結んでいた白いザフト機の死角から、残りの二機が躍りかかる。緑の機体が突《つ》っ込むと見せて飛び上がり、その背後に身を隠《かく》していた青い機体が胸の中央から大口径のビーム砲《ほう》を放つ。寸前で黒い機体が飛びのき、あわやというところで白い機体も横っ飛びによける。が、その動きさえ予測されていた。飛び上がった緑の機体が上空から一対《いっつい》のビーム刃《じん》をきらめかせて舞《ま》い降りる。両足先から出力されたビーム刃が、かろうじて飛び離れたザフト機をかすめ、地面を断《た》ち切った。

アスランたちは眼前で繰り広げられる戦闘を愕然《がくぜん》と見ていた。これらの機体は火力、機動力、どれをとっても従来の機体とは段違《だんちが》いの性能を示している。だがさらに驚嘆《きょうたん》すべきは、これだけの機体を操《あやつ》っているパイロットたちだ。白いザフトの機体はともかく、残りの三機を操るのは、今日はじめて機体に触《ふ》れた部外者のはずなのだ。

着地した瞬間、緑の機体はすでに敵機をポイントし、撃っている。白い機体は驚《おど》くべき反射神経でシールドをかざし、からくもビームの直撃を逃《のが》れた。が、同時に横から黒い機体のサーベルが迫っている。身を沈《しず》めた白い機体の頭上ギリギリを光刃がなぎ払《はら》う。なんとか間合いを取ろうとしたザフト機だったが、ひるがえって迫るサーベルを受けたところで体勢を崩《くず》した。

このままではやられる！

カガリが思わず悲鳴を上げる。

「アスランっ！」

「つかまっていろ！」

アスランは短く命じ、ペダルを踏《ふ》み込んだ。

地表に叩きつけられたザフト機に、青い機体が穂先《ほさき》からビーム刃を出力した槍《やり》をかざして迫る。そこに、アスランの〝ザク〟が疾風《しっぷう》のように割り込んだ。肩《かた》からの体当たりをまともに食《く》らった青い機体は後方に大きく吹《ふ》っ飛ばされる。アスランはすばやく身を返し、逆方向から突《とっ》進《しん》してきた黒い機体に向かってビームトマホークを投擲《とうてき》した。重い戦斧《せんぷ》が唸りを上げて飛び、黒い機体がかろうじて掲《かか》げたシールドに突き刺《さ》さる。

しかしそのとき、ショルダーアタックを受けて地面に沈んだ青い機体が身を起こし、胸の砲口から強烈《きょうれつ》なビームを放った。アスランはシールドを向けたが、大出力のビームはそれさえも吹き飛ばす。反動で〝ザク〟は背後の建物に叩《たた》きつけられた。コックピットを激しい衝撃が揺《ゆ》さぶり、シートにつかまっていたカガリの体が、もぎ取られるように宙を飛ぶ。

「――っ！」

どこかにはね返り、膝《ひざ》の上に落ちてきたカガリの体を、アスランはあわてて抱《かか》え起こした。と、その手がぬるりと滑《すべ》る――血だ。アスランはぞっとして呼びかける。

「カガリっ！」

頭を強打したカガリは意識がないらしく、反応がない。そちらに気をとられかけたアスランだが、モニターの中、迫《せま》ってくる敵機に気づいて機体を操作する。直後、青い機体の胸からまたもビームが放たれ、〝ザク〟がさっきまでもたれていた壁《かべ》を灼《や》いた。

やむを得ない状況《じょうきょう》だったとはいえ、こんな状態で戦闘に介入《かいにゅう》するべきではなかった。

アスランはなおも動かないカガリを気づかいながら、そのまま戦場を離脱《りだつ》するほかなかった。


「はやくっ！　入れるだけ開けばいい！」

ルナマリア・ホークがじりじりしながら叫《さけ》んだ。

そこは爆撃《ばくげき》を受けて倒壊《とうかい》した格納庫《ハンガー》の中だった。作業員も兵士も総出で、使える機体の上から瓦礫《がれき》を運び下ろしている。レイ・ザ・バレルは黙《だま》って搭乗機《とうじょうき》のかたわらに立ち、コックピットが徐々《じょじょ》に現れるのを見ていた。

三機の新型が攻撃を開始したとき、レイとルナマリアは自分の機体を目指して走っているところだった。が、到達《とうたつ》する前に彼らの機体が待つ格納庫《ハンガー》にミサイルが命中し、爆発したのだ。ある意味二人は幸運《ラッキー》だったといえる。あと一分駆《か》けつけるのが早ければ、いまごろは彼ら自身が瓦礫の下にいただろう。

「レイ！」

声がかかったとたん、レイは機体の上に飛び乗っている。スタッフがコックピットハッチを開きながら慌《あわ》ただしく注意を与《あた》える。

「中の損傷はわからん！　いつもどおりに動けると思うなよ！」

レイはシートに着き、すばやく機体を立ち上げていた。

「——無理だと思ったらすぐ下がれ！」

スタッフの言葉を理解したというしるしに無造作にうなずき、レイはハッチを閉じた。点灯したモニターに下がっていくスタッフたちが映っている。それを確認《かくにん》したあと、レイは機体を立ち上がらせた。

その機体をいまだ覆《おお》っていた瓦礫がバラバラと滑り落ちていく。現れたのは頭に羽根飾《はねかざ》りのような一本角を戴《いただ》き、両肩《りょうかた》にシールドを装備したZGMF―1001〝ザクファントム〟だ。〝ザクウォーリア〟の上位機に当たる。ボディは紫《むらさき》がかったグレイ、頭部と四肢《しし》は白い。これはレイのパーソナルカラーだ。立ち上がった機体は横たわるもう一機の〝ザク〟に向きなおる。

「どけ、ルナマリア」

レイが淡白《たんぱく》に命じると、ハッチをふさぐ巨大《きょだい》な落下物に手を焼いていたルナマリアとスタッフが、彼の意図を悟《さと》って飛びのいた。〝ザクファントム〟の手が、人の力ではびくとも動かなかったコンクリートの塊《かたまり》や鉄骨を、いともあっさりと払いのける。赤い機体が現れ、ルナマリアが喜び勇んでコックピットに飛び乗った。

上空から増援《ぞうえん》の〝ディン〟が接近し、シンの掩護《えんご》射撃《しゃげき》を開始する。すると〝アビス〟が肩の巨大なシールドを開いて内部に並んだ砲口をさらす。MA―X223E三連装ビーム砲だ。次の瞬間《しゅんかん》左右六つの砲口からまばゆい光が迸《ほとばし》り、〝ディン〟の機体に吸い込まれる。ビームを食《く》らった機体は空中で炎《ほのお》の花を咲《さ》かせ、破片《はへん》が煙《けむり》の尾《お》を引いて舞い落ちる。それを見ていたシンは歯嚙《はが》みしながら対艦刀《エクスカリバー》を構えて突進する。

「そんな好き勝手――」

レーザー刃《じん》が白く長い弧《こ》を描《えが》く。が、〝アビス〟は刀の一閃《いっせん》をかわし、飛びのいている。背後から飛びかかってきた〝ガイア〟のサーベルをシールドで押し返し、シンは叫んだ。

「――させるもんかぁぁっ！」

レーザーとビームの刃《やいば》が交錯《こうさく》し、両者は激しく機体をぶつけ合う。〝ガイア〟はシンの気迫《きはく》に押されたかのように下がり、バーニアを全開にして空中に逃《のが》れた。〝インパルス〟はそれを追って飛ぶ。同様に空中に戦場を移した〝カオス〟がビームライフルを撃《う》ちかける。急速旋回《せんかい》してそれをよけた〝インパルス〟に、〝ガイア〟が横手から躍《おど》りかかった。シンは今度は上昇《じょうしょう》して振《ふ》り回されたサーベルから逃れる。

「〝カオス〟も〝ガイア〟も〝アビス〟も……なんでこんなことになるんだっ！」

〝インパルス〟の手が背面の翼《つばさ》に似た装備をつかみ、引き抜《ぬ》いて投げつける。それは先端《せんたん》からビーム刃を出力し、回転しながら敵機に襲《おそ》いかかる。ビームブーメランはとっさに突《つ》き出された〝ガイア〟のシールドにはね返され、弧を描いて〝インパルス〟の手に戻《もど》る。反動ではじき飛ばされた〝ガイア〟の上空で、〝アビス〟が肩のシールドを展開した。シンはハッとしてシールドの陰《かげ》に身を隠《かく》す。六本の熱線がいっせいに放たれ、〝インパルス〟をかすめて地上を撃った。眼下に展開していた〝ガズウート〟や〝ゲイツR〟がビームの餌食《えじき》となって爆発《ばくはつ》する。

シンの赤い目が怒《いか》りに燃えた。

そのとき、シンの左方からビームの矢が放たれ、〝アビス〟のシールドにはじけた。

シンは驚《おどろ》いてそちらを見やり、見慣れた機影《きえい》を目にして思わず頬《ほお》をゆるめた。白い〝ザクファントム〟と赤い〝ザクウォーリア〟――レイとルナマリアだ。二人とも無事だったのだ！

レイはいつもの切れるようにムダのない動きでビーム突撃銃《とつげきじゅう》をコントロールし、一方ルナマリアは威勢《いせい》のいい啖呵《たんか》を切りながら撃ちまくる。

〈コンのォ！　よくも舐《な》めたマネをォッ！〉

二機の〝ザク〟から浴びせられるビームに、奪取《だっしゅ》された三機は翻弄《ほんろう》された。

「こいつっ……なぜ墜《お》ちない!?」

ステラは憎々《にくにく》しげに吐《は》き捨てた。その視界は例の白い同系統機のみが占《し》めている。さっきからどれだけしかけても撃墜《げきつい》することができず、あまつさえこちらに痛い目まで見せてくれた。しかも、こちらは三機だというのに！　こんな目障《めざわ》りな敵《ヤツ》には会ったことがない。コイツを墜とすまでは退《ひ》けない！

〈スティング、キリがない！　こいつだってパワーが……〉

通信機から流れ込むアウルの声に焦《あせ》りが滲《にじ》み、スティングが決断を下した。

〈離脱《りだつ》するぞ！――ステラ、そいつを振りきれるか!?〉

だが実のところ、それらの言葉が耳には届いているものの、ステラはその内容になど、もはや注意を払《はら》っていなかった。彼女は殺気立った声で言い捨てる。

「……すぐに沈《しず》めるッ！」

完全に頭に血が上ったステラは、ビーム砲《ほう》を乱射しながらフルスピードで敵機に突っ込んだ。

「こんなっ……私は！……私はっ……！」

急速に目の前に迫《せま》る白い敵機《ヤツ》もレーザー刀を構えて待ち受ける。両者の刃が一閃し、空中で機体が交錯する。

――なぜコイツは沈まない!?

こんな敵はいままでいなかった。ステラは自分が負けることなど考えない。自分が最高の戦士だと知っているからだ。それだけに、汚点《おてん》を残して去ることなどできなかった。

〈離脱だ！　やめろ、ステラ！〉

スティングが怒鳴《どな》りつけるが、ステラはなおもサーベルを掲《かか》げて敵機に襲いかかっていく。

「私が、こんなァッ……！」

苛立《いらだ》ちに沸騰《ふっとう》しそうな彼女の耳に、そのとき、アウルが皮肉げに投げつけた言葉が突き刺《さ》さった。

〈じゃあ、おまえはここで死ねよ!〉

――死!……死ヌ!?

氷のひび割れが心臓に走ったようだった。熱くなっていたステラの頭が真っ白になり、心臓から体のすみずみにまで凍《こお》りつくような冷たいものが広がっていく。まるで血液に冷却液《れいきゃくえき》が混じり込んだようだ。全身を満たしていた自信が砕《くだ》け散り、バラバラと抜け落ちていく。

〈アウルっ!〉

スティングが制止の声を上げるが、アウルは意地悪く追い打ちをかけた。

〈ネオにはぼくが言っといてやる――サヨナラってなァ!〉

ステラの体が細かく震《ふる》えだす。

――死ヌ……? 私?

慣性のまま無防備に機体が流れる。

――『サヨナラ』……?

急に攻撃《こうげき》をやめたステラに、白い機体が迫る。間一髪《かんいっぱつ》のところでスティングが割って入り、放たれたビームブーメランをはじき返す。

〈アウル、おまえッ……!〉

〈止まんないじゃん。しょうがないだろ!?〉

〈黙《だま》れバカ！　よけいなことをっ……〉

仲間たちの言い争いさえ遠く聞こえた。呆然《ぼうぜん》とすくんでいたステラは、スティングがカバーに入ってくれなければ、自分が死んでいたことを悟《さと》る。

死ぬ――忘れていた感情が突然《とつぜん》、圧倒《あっとう》的な強さをもって身に迫る。それは、恐怖《きょうふ》だった。

「――いやあぁぁぁぁっ！」

彼女は絶叫《ぜっきょう》し、必死になって機体を返す。

逃《に》ゲナケレバ！　殺サレル！　死ヌ……！

ステラはもはや戦士ではなく、怯《おび》え惑《まど》う小さな少女にすぎなかった。

急加速でその場を離脱し、天頂方面をめざす〝ガイア〟に、舌打ちしてスティングがあとを追う。

〈な？　結果オーライだろ！〉

仲間たちに追随《ついずい》しながら、アウルが悦《えつ》に入ったように言い放った。

「逃がすかァッ！」

あまりに唐突《とうとつ》な退却《たいきゃく》に、シンは一瞬《いっしゅん》、反応が遅《おく》れた。その遅れを取り戻《もど》そうとするようにバーニアを全開し、追跡《ついせき》に入る。レイの〝ザクファントム〟とルナマリアの〝ザクウォーリア〟もそれに従った。

それにしてもさっきの〝ガイア〟は何だったのだ？　あれほど執拗《しつよう》に攻撃をしかけてきた敵が、退却する直前の数秒間、完全に無防備になった。パイロットになにか不具合でもあったのか？

シンは先を行く三機を見上げながら考える。あの三機との戦闘《せんとう》に入ってからというもの、彼には気になっていたことがあった。あの三機に乗っているのは何者か？——という疑問だ。敵が地球連合軍か、それに類するものであることは、はじめから確信している。だがあの特殊《とくしゅ》な新型機を、奪取したとたん乗りこなす技量を見るうち、シンの確信は揺《ゆ》らいだ。ナチュラルにあんな操縦ができるだろうか？　反応速度にしても判断力にしても、もしかしたらコーディネイターさえ上回っているかもしれない。

〈……ええッ⁉〉

シンの思考は突然上がったルナマリアの声にさえぎられた。サイドモニターを見ると、後方、ルナマリア機がバーニアから盛大に黒煙《こくえん》を噴《ふ》き出し、みるみる遅れていく。どうやら機体にトラブルが発生したようだ。

「ルナ、戻れ！」

シンが声をかけると、ルナマリアは心外そうに〈でも……！〉と言い返す。が——

〈無理をするな、ルナマリア〉

冷静な声でレイも命じ、ルナマリアはしぶしぶ機体を返した。

「ナスカ級、撃沈《げきちん》！」

満身創痍《まんしんそうい》になりながら、なおも戦いつづけていた二隻《せき》めのナスカ級が、〝ガーティ・ルー〟主砲《しゅほう》の直撃を受けて沈《しず》んだ。

「左舷《さげん》後方より〝ゲイツ〟、新たに三！」

港の方は予定どおりのようだ。新たに出撃してくる艦影《かんえい》はない。だがモビルスーツまで封《ふう》じ込めることは無理だ。イアン・リーは表情も動かさず、淡々《たんたん》と命じる。

「アンチビーム爆雷《ばくらい》発射と同時に加速二〇パーセント、一〇秒。一番から四番〝スレッジハマー〟装填《そうてん》！　モビルスーツ、呼び戻せ！」

のんびりしたふぜいで肘《ひじ》をついて戦闘を見ていたネオ・ロアノークが、おもむろにオペレーターにたずねる。

「――彼らは？」

オペレーターは短い問いかけをすぐ理解して首を振《ふ》る。

「まだです」

その答えを聞いて、ネオはやや困惑《こんわく》したように息をついた。リーはあっさり問いかける。

「失敗ですかね？」

〝アーモリーワン〟に潜入《せんにゅう》した別働隊のことだ。すでに戻ってくる予定の刻限をかなり割っている。

「港を潰《つぶ》したといっても、あれは軍事工廠《こうしょう》です。長引けばこちらが保《も》ちませんよ」

リーは上官の注意を喚起《かんき》した。冷たいようだが、これ以上この宙域にとどまることは望ましくない。襲撃《しゅうげき》してくるモビルスーツは増える一方だし、封鎖《ふうさ》した港も予想より早く復旧しないとも限らないからだ。

「わかってるよ。だが失敗するような連中なら、俺だってこんな作戦、最初っからやらせやせんしな」

ネオは彼の進言に気を悪くするようすもなく応じたあと、席を立つ。視線で問いかけるリーに答えながら、ネオはふわりとエレベータに向かって飛んだ。

「——出撃《で》て時間を稼《かせ》ぐ。艦《ふね》を頼《たの》むぞ」

「はっ」

リーはそれについては意見することなく、うなずく。指揮官が自ら戦場に出ることは、あまり望ましいことではないが、止めてもムダだということはすでに学習していた。彼は手元のインターフォンを取って告げた。

「格納庫、〝エグザス〟出るぞ！　いいか？」

ほどなく左舷ハッチが開き、赤紫色《マゼンタ》のモビルアーマーが射出された。ネオの専用機TS—MA4F〝エグザス〟だ。細く尖《とが》った機首から後部へかけての流線型が鮫《さめ》を思わせる。下部には一対《いっつい》のレールガンを装備し、機体を取り巻くように四基の特殊兵装が付属している。

　ネオの機体は流星のように、新たに接近しつつある三機の〝ゲイツR〟をめざす。〝ゲイツR〟はこちらの〝ダガーL〟を撃破し、新たに現れたモビルアーマーにもそれぞれの銃口《じゅうこう》を向ける。〝エグザス〟は弾道《だんどう》を見切るかのように、ビームや砲弾《ほうだん》を縫《ぬ》って飛びまわる。機体を取り巻いていた四基の特殊兵装が、パッと四方に飛散した。それらはまったく独自の軌道《きどう》を描《えが》きながら、敵機に向けて四方からビームの雨を降らせる。それらはビームガンバレル——さきの大戦で〝メビウス・ゼロ〟というモビルアーマーに装備されていた兵装を、さらに改良したものだ。高速で動く小さなガンバレルをとらえるのは難しく、三機の〝ゲイツR〟は翻弄《ほんろう》されるまま、次々と被弾《ひだん》して炎《ほのお》を噴き出す。全方位《オールレンジ》からの同時攻撃《こうげき》を可能とするこの兵装にとっては、モビルスーツでさえ必ずしも脅威《きょうい》ではない。しかし使いこなすには卓越《たくえつ》した空間認識《にんしき》力が必要とされ、使い手を選ぶ機体だ。

　瞬《また》きほどの間に三機の〝ゲイツ〟を屠《ほふ》った上官の搭乗機《とうじょうき》を、艦橋《ブリッジ》から眺《なが》めながらリーはひそかに苦笑《くしょう》した。

　これでは、おとなしく指揮官席に座っていられなくなるのも無理がない。


　レイの前を行く白い機体から、放射されるようにシンの怒《いか》りが伝わってくる。かなり熱くなっているようだ——とレイは考え、無理もないと思い返す。シンは単純だがまっすぐで、考えるより先に体が動いているようなタイプだ。あの三機がなしたことを目にして冷静でいられるはずがない。彼らは強奪《ごうだつ》したこちらのモビルスーツによって、まるでその力を見せつけて楽しむかのように工廠にあれほどの破壊《はかい》をもたらした。明らかにこれは挑発行為《ちょうはつこうい》だ。短気なシンでなくとも頭に来るだろう。だがそれだけに、レイの中では怒《いか》りを圧《お》して疑念が頭をもたげる。

この微妙《びみょう》な時期に、なぜこんな挑発的行為を——？

そのとき、追いすがるレイとシンの前で、〝カオス〟が背面にマウントした筒《つつ》型のユニットを分離《パージ》した。タイミングを合わせたように〝アビス〟がその前面に滑《すべ》り込み、胸部に開いた巨《きょ》大《だい》な砲口《ほうこう》と肩《かた》のレールガンから砲火を解き放つ。そのどちらも一撃で〝ザク〟を葬《ほうむ》ることができる火力だ。よけいな詮索《せんさく》をしている場合ではない。レイたちはすばやく散開し、砲火を避《さ》けた。が、その間にさきほど機体からパージされた〝カオス〟のユニット——ＥＱＦＵ—１５Ｘ機動兵装ポッドが彼らの背後に回り込んでいる。兵装ポッドはまるでそれ自身が意志を持つかのように、無重力の中を自在に飛び回り、鋭《するど》いビームの矢をレイたちに放つ。この兵装ポッドはさきの大戦中開発された〝ドラグーン〟システムを導入したもので、本体から分離し、個別攻撃を可能としている。

〈なんてヤツらだ！　奪《うば》った機体でこうまで……！〉

シンの声に焦《あせ》りが滲《にじ》む。たしかに、〝ドラグーン〟システムの操作など、正規のパイロットでも困難だったはずだ。だからこそなおさら、これらの機体がこのまま敵の手に落ちてはまずい。機体と乗り手は、将来ザフトにとって恐るべき脅威となるだろう。

「脱出《だっしゅつ》されたらおしまいだ！　その前に何としても捕《と》らえる！」

レイが決意をこめて告げると、シンが苦い口調で答えた。

〈わかってる、けどっ！〉

一連の攻撃は牽制《けんせい》だったらしい。三機はまたレイたちと少し距離《きょり》を開け、プラント外壁《がいへき》へ向かっていく。シンの〝インパルス〟が加速し、レイもすぐあとに続く。

そのとき——

「…………!?」

レイの体を奇妙《きみょう》な感覚が貫《つらぬ》いた。彼は反射的にシートの上で身を起こす。

——なんだ……？

背筋を電流が駆《か》け抜《ぬ》けたようだ。レイは機体を確認したが、どこにも異常はない。一瞬《いっしゅん》の感覚はすでに消えている。だがほんのかすかに、見えないなにかに頭を押さえつけられているかのような圧迫《あっぱく》感をおぼえる。

プレッシャーによる肉体の変調かもしれない。レイにとって——そしてシンにとっても、これがはじめての実戦だ。だがそんな甘えを言っていられる状況《じょうきょう》ではない。ここにいるのは自分とシンだけ——つまり、いまあの三機を止められるのは自分たちだけなのだ。

「ダメです！　司令部、応答ありません！」

工廠《こうしょう》内の司令部を呼び出していたバート・ハイムの報告に、タリア・グラディスは苦い顔になる。蜂蜜《はちみつ》色の髪《かみ》を前に流した、凛《りん》としたふぜいの女性だ。

港との連絡《れんらく》もさっきの震動《しんどう》以来、途絶《とだ》えたままだ。おそらくあれが、外部から港への攻撃だったのだろう。

「工廠内ガス発生、エスバスからロナール地区まで、レベル四の退避《たいひ》勧告《かんこく》発令」

別系統で情報収集に当たっていたメイリン・ホークの報告も、タリアの気分をますます滅入《めい》らせた。副長のアーサー・トラインが動揺《どうよう》した声を出す。

「艦長《かんちょう》……これ、まずいですよね？　もしこのまま逃《に》げられでもしたら……」

まずいにきまっている。人柄《ひとがら》はいいのだが、どうもこの副長は言わずもがなのことを言い過ぎるようだ。タリアはむっつりと答えた。

「……バタバタ首が飛ぶわね、上層部の」

アーサーはさらに情けない顔になった。自分たちの首は無事だと開きなおるくらいの度胸はないのだろうか。これからみっちりしごいてやろう——こんな状況下ではあるが、ひそかにタリアは心に決めた。

バーニアに異常の発生したルナマリアの〝ザクウォーリア〟が緊急着艦《きんきゅうちゃっかん》する。もともとこの艦に配備がきまっていた機体だ。搬入《はんにゅう》が前倒《まえだお》しになったと思えばいいだろう。艦橋《ブリッジ》にいるメイリンが驚《おどろ》いてパイロットの無事を確認している。無理もない。彼女はルナマリアの妹にあたるのだ。

「それにしても……」

タリアは顎《あご》に手をやりながらつぶやく。

「どこの部隊かしらね？　こんな大胆《だいたん》な作戦……」

モニターにはシンたちの追撃《ついげき》を振《ふ》り切って外壁をめざすセカンドステージシリーズ三機が映っている。必然性から考えれば敵は地球連合軍――だがあれらの機体を、あれほどまでに乗りこなすパイロットがナチュラルとは思いがたい。にもかかわらず、これほどの作戦を遂行《すいこう》可能な部隊が地球連合軍以外にいるとも思えないのだ。式典前の混乱にまぎれて潜入《せんにゅう》、新型機を奪取《だっしゅ》し、プラント内部で騒《さわ》ぎを起こす。そしてそれと呼応するように、外部の部隊が港を潰《つぶ》す、などと――。

そのとき背後のエレベータが開き、タリアは振り向いた。艦橋《ブリッジ》に入ってきた人物を認め、彼女は驚きの声を上げた。

「議長？」

そこにあったのは、随員《ずいいん》を伴《ともな》ったデュランダル議長の姿だった。議長が進水式と軍事式典に出席するため、訪問中であったことは知っていたが、なぜ避難《ひなん》せずにこんなところへ？

「状況は!?　どうなっている！」

デュランダルは端整《たんせい》な顔を厳しく引き締《し》め、早足に入って来るなりたずねた。

「……ごらんのとおりです」

タリアはモニターを示したあと、こちらが把握《はあく》しているだけの状況を手短かに説明する。内心、厄介《やっかい》なことになったと感じながら。

デュランダルは有毒ガスが発生している地上から、シェルターへ避難するように勧《すす》められたが、それを蹴《け》ってこの艦へ来たのだという。最高責任者である自分が、真っ先に安全な場所へ逃げるわけにはいかないと。

デュランダル議長はシーゲル・クライン、アイリーン・カナーバのあとを引き継《つ》いで議会の中では穏健《おんけん》派を率いる、もともとはDNA特性の解析を専門とする人物だ。あくまで地球への宥和《ゆうわ》政策をとる穏健派ではあるが、そのうえで軍備の重要性をも理解している中道派——つまり、話のわかる人間だとタリアは認識《にんしき》していた。こんな時に自分だけ逃げることを潔《いさぎよ》しとしない、という心情も立派だと思う。彼に対して他意はなく、むしろ好意を持っている。公的のみならず、いささか個人的な事情においても。

だがそれは艦橋《ブリッジ》の外に限ってのことだ。戦闘《せんとう》中に、部外者——しかも抗《あらが》いがたい権力を持った人物を艦橋《ブリッジ》に入れたがる艦長はいない。ことに、個人的な事情がかかわっているとあらば。

そのとき、モニターの中がパッと明るくなり、一同の目がそちらに向く。〝ガイア〟が背面砲《ほう》とライフルを、外壁《がいへき》に向かっていっせいに発射したのだった。シンの〝インパルス〟がそれを止めようとビームブーメランを投げつけたが、それらは〝アビス〟が横から放射したビームにのまれて灼《や》きつくされる。

「まずいな……」

デュランダルが苦いつぶやきをもらす。〝ガイア〟は再度、外壁へ砲撃《ほうげき》し、シンとレイは〝アビス〟と〝カオス〟に阻《はば》まれてそれを阻止《そし》することができない。そのとき、〝インパルス〟からの通信が入った。

〈〝ミネルバ〟！　フォースシルエットを！〉

パイロットの要求に、副長のアーサーが戸惑《とまど》った顔をこちらに向ける。

「艦長？」

ここがあの三機を押さえる最後のチャンス、ギリギリの瀬戸際《せとぎわ》だ。持てる手札を切るなら、いましかない。タリアは即座《そくざ》に心を決め、答える。

「許可します。射出して！」

迷いのない彼女の言葉に、逆にアーサーがふと背後を気にした。タリアは肩《かた》ごしにデュランダルを見やる。

「――もう、機密もなにもありませんでしょ？」

デュランダルはあきらめたように肩をすくめる。

「ああ……」

指示を受けてメイリンが、うわずった声でモビルスーツデッキに呼びかけた。

「フォースシルエット、射出スタンバイ!」

カガリが腕《うで》の上で身じろぎし、アスランは目をやった。彼らは依然《いぜん》として〝ザク〟のコックピットにいた。睫毛《まつげ》が震《ふる》え、金色の瞳《ひとみ》がその下から現れると、アスランは安堵《あんど》の息をついた。

「カガリ……」

「ア……スラン……?」

かすれた声でカガリがつぶやき、頭を振ろうとして痛みに身をすくませる。

「大丈夫《だいじょうぶ》か?」

アスランが気づかわしげな声を出すと、彼女はまだ青い顔で微笑《ほほえ》んでみせた。

「ああ……だいじょうぶ……」

「すまなかった、つい……」

後悔《こうかい》をおぼえながら、アスランはわびる。するとカガリは何でもないことのように言った。

「いいんだ。おまえがああしなけりゃ、あの白い『ガンダム』はやられていただろ?」

思わずアスランは彼女の顔を見つめ、微笑んだ。カガリはモニターを見やり、外の様子を窺《うかが》っている。

煙《けむり》が立ちこめ、瓦礫《がれき》の散らばる無惨《むざん》な風景が広がっていた。破壊《はかい》された〝ジン〟が力尽《ちからつ》きたように、建物の壁《かべ》にもたれたまま動かなくなっている。この惨状を引き起こしたのは、たった三機のモビルスーツだ。カガリの表情が暗く沈《しず》む。

彼女は言った。強すぎる力は争いを呼ぶ——と。

それに対してデュランダルが答えた。争いがなくならぬから、力が必要なのだと。

果たしてどちらが正しいのか。これを見ているとわからなくなる。アスランにしても、いま、一度は棄《す》てたはずの力を手にしている。争いを求めたからではなく、争いの中で生き延びるために、やむなく手にしたのだ。だがその行為《こうい》がさらに大きな争いを呼ばないと誰《だれ》に言えよう。

「アスラン……どこへ？」

カガリがたずね、アスランは暗い思いを振《ふ》り捨てて答える。

「ドックの方は無事らしい。例の新造艦《かん》のある……。さっきデュランダル議長が向かうのが見えた。俺たちもひとまずそこへ行こう」

「議長が……」

彼らは部外者だ。この混乱のなか、身元を保証してくれるのはデュランダル議長だけといっていい。火災によって有毒ガスも発生しているらしいから、不用意な場所で機体を降りるわけにもいかない。デュランダルが向かった新造艦に助けを求めるのが適当だろう。

さらに行くと、ドックに繋留《けいりゅう》された戦艦の艦橋《ブリッジ》部分が、無事な建物の上に見えはじめた。あれがそうだろう。艦橋《ブリッジ》の形やその両翼《りょうよく》に見えるハッチの形状が、かつて見たある艦《ふね》を思い出させ、アスランは少し眉《まゆ》をひそめる。

そのとき、艦橋《ブリッジ》の下にあるハッチが開き、なにかが勢いよく射出された。戦闘機《せんとうき》――？

「何だ……？」

白い機首、赤い主翼《しゅよく》が一瞬《いっしゅん》、目に焼きつく。戦闘機というには機体後部の形状が特異に見えるが、それを見定める前にその機影《きえい》は天頂方向をめざして駆《か》け去る。アスランとカガリは状《じょう》況《きょう》もつかめぬまま、その軌跡《きせき》を見送った。


「こいつらァッ……！」

スティングは兵装ポッドを開き、白い機体をロックオンしてミサイルを放つ。敵は後退しながら胸部機関砲《きかんほう》で弾幕《だんまく》を張り、ミサイルは機体をかすめることもできず虚《むな》しく叩《たた》き落とされた。

アウルが白い〝ザクファントム〟の精密な射撃《しゃげき》をかわしながら呻《うめ》くのが聞こえる。

〈いいかげん……っ！〉

「――しつこいっ！」

スティングも吐《は》き捨てた。

――あと一歩で外へ出られるというのに……！

彼らの背後ではステラの〝ガイア〟がビーム砲《ほう》で外壁《がいへき》を撃《う》ちつづけている。だがプラントの外壁を形成する厚い自己修復ガラスはなかなか破れようとはしない。逃《に》げることに必死のステラに白い機体が迫《せま》ろうとする。

「やらせるかよッ！」

スティングは兵装ポッドを分離《パージ》して両側から敵機を狙《ねら》う。ほぼ同時に二方向から発せられたビームを、白い機体は凄《すさ》まじい反応速度を見せ、シールドで防ぐ。が、その隙《すき》にスティングは敵の懐《ふところ》へ飛び込み、勢いのまま相手の振り下ろそうとした巨大《きょだい》なレーザー刀をシールドで払《はら》う。刀は中途《ちゅうと》から折れ、破片《はへん》が四散した。

――やれる！

スティングはたたみかけるようにビームライフルを連射する。だが前面に〝ザクファントム〟が僚機《りょうき》をかばって割り込み、その隙に白い機体は離脱しようとする。そのとき、視界の隅《すみ》をなにかが横切り、スティングは一瞬そちらに注意を奪《うば》われた。

なんだ？……戦闘機――？

そのとき、逃げようとするかに見えた白い機体が、背面の装備を切り離《はな》した。そこへ、さっきの飛行物体が弧《こ》を描《えが》いて回り込み、機体後部のユニットをパージする。飛行物体は白い機体の頭上をかすめて飛び去り、分離《ぶんり》したユニットが敵機の背面にマウントした。

「なっ……!?」

スティングは目を疑った。

白い機体の背面で、ユニットから伸《の》びた四枚の赤い翼《つばさ》が十字形に展開する。それと同時に機体の色が変化した。赤かった胸部は鮮《あざ》やかな青に、腹部は赤に――まるで別の機体に生まれ変わったかのようだ。

青、赤《トリコロール》、白の機体がバーニアを噴《ふ》かして突《つ》っ込んでくる。スティングは我に返って、ビームライフルで狙う。が、一瞬にして機体色を変えた敵機は、さっきまでとは段違《だんちが》いの機動性でことごとくその射撃をかわし、瞬《また》く間に〝カオス〟の目前に迫った。背面から抜《ぬ》き放たれたビームサーベルを辛《から》くもかわし、スティングは唸《うな》る。

「コイツは……！」

一部始終を見ていたアウルも、圧倒《あっとう》された口調で叫《さけ》んだ。

〈――装備を換装《かんそう》する!?〉

彼はスティングを掩護《えんご》してシールド内の三連装ビーム砲を放つ。が、トリコロールの機体はそれさえも楽々とかいくぐって〝アビス〟に迫り、シールドを掲《かか》げて突っ込む。〝アビス〟の機体が手もなくはじき飛ばされた。

おそらくさっきまでの装備は接近戦、そして新しい装備は機動戦を前提に設計されたものだろう。状況に合わせて装備を換《か》えるという発想自体は珍《めずら》しいものではない。〝ダガーL〟にしてもザフトの〝ザク〟にしても、追加装備によってさまざまな戦況に対応する。ある意味それが人型モビルスーツの強みだ。だがその換装を、ここまで洗練された形で見せられたことはない。

白い機体はスティングたちのタッグを斥《しりぞ》け、瞬く間に〝ガイア〟に肉薄《にくはく》した。ステラが怯《おび》えきった悲鳴を上げる。

〈やめてェェッ！　あっち行ってっ！〉

「墜《お》ちろォォォッ！」

シンは叫びながら、フォースシルエットに換装した〝インパルス〟を駆って〝ガイア〟に迫った。そのとき背後から強烈《きょうれつ》な熱線が放たれる。モビルアーマー形態に変形した〝カオス〟が背部ビーム砲、兵装ポッドビーム砲をいっせいに発射したのだ。が、それらのビームはシンを標的にしたものではなかった。

外壁の一点にすべてのビームが集中する。さっきから〝ガイア〟の砲撃《ほうげき》を受け続けていた白己修復ガラスが、ついに熱に耐《た》えかねて融《と》け落ちた。

――しまった……！

ぽっかりと空いた穴の向こうに宇宙が見えた。付近は急速に減圧され、機体が突如《とつじょ》発生した乱気流に翻弄《ほんろう》される。流出する空気とともに、黒い機体が穴をくぐって逃げ出すのが見えた。懸命《けんめい》に機体を立てなおそうとするシンの横をすり抜け、〝カオス〟と〝アビス〟がそのあとに続く。

「くっそォッ！」

シンは歯噛《はが》みした。

――やっとここまで追いつめたというのに！　これではやられっぱなしじゃないか！

せっかく手に入れた力を活《い》かすこともできず、奪われるがままに翻弄される。シンにとってそれは耐えがたいことだった。義務感というより執着心《しゅうちゃくしん》に突き動かされ、彼はためらうことなく、外壁に空いた穴に身を躍《おど》らせた。

――絶対にあいつらを逃がすものか！


「艦長《かんちょう》！」

〝インパルス〟に続いてレイの〝ザクファントム〟までがプラントの外へ飛び出すのを見て、アーサーが驚《おどろ》きの声を上げる。

「あいつら、なにを勝手に！　外の敵艦はまだ……」

困惑《こんわく》する副長の声にかぶせ、メイリンが鋭《するど》い声で報告した。

「〝インパルス〟のパワー、危険域ですっ！　最大であと三〇〇！」

「ええっ!?」

アーサーの顔が青ざめた。タリア・グラディスはひとつ息をついたあと、毅然《きぜん》として立ち上がり、告げる。

「〝インパルス〟まで失うわけにはいきません……」

少年たちの行為《こうい》は軽率《けいそつ》だが、無理からぬものとも思える。こちらはこれほどの被害《ひがい》をこうむっているのだ。

だからこそ、彼らを見殺しにはできない。

例によってタリアの決断は早かった。

「――〝ミネルバ〟、発進させます！」

彼女が宣言するとクルーの間にどよめきが走った。だが港が潰《つぶ》され、他艦の増援《ぞうえん》が望めぬ限り、自分たちが掩護に向かうしかない。デュランダル議長は彼女と目が合うと、苦渋《くじゅう》の表情でうなずき、同意を示す。

「頼《たの》む……タリア」

タリアは強くうなずき返し、ふたたび席に着いた。

「〝ミネルバ〟発進シークエンス、スタート。本艦はこれより戦闘《せんとう》ステータスに移行する！」

発進シークエンスがはじまった。タリアは振《ふ》り返り、デュランダルをうながす。

「議長は、早く下船を」

すると相手はしれっとした顔で、思いもかけぬことを言い出した。

「タリア、とても残って報告を待っていられる状況《じょうきょう》ではないよ」

つまり、彼も同行するというのだ。アーサーがまた驚愕《きょうがく》の表情で議長を見やり、タリアも軽く睨《にら》むように眉《まゆ》を寄せる。

「しかし……！」

デュランダルはもの柔《やわ》らかに、だが断固たる意志をこめて告げた。

「私には権限もあれば義務もある。……私も行く。許可してくれ」

たとえ議長の権限であろうと、艦《ふね》の上では艦長の命令にまさるものはない。問答無用で彼を放《ほう》り出すことができないわけではなかったが、タリアにはそうできない事情もあった。彼女は前に向きなおり、聞こえないようにため息を漏《も》らす。

だから、この人を艦橋《ブリッジ》に入れたくなかったのだ。


「これが明日、進水予定の軍艦だろうな。〝ミネルバ〟——と言っていたが……」

アスランはバーニアを開き、〝ザク〟を着艦させた。ハッチの付近は搬入《はんにゅう》されてくる機体や人でごった返し、彼らの乗っている〝ザク〟になど誰《だれ》も見向きもしない。ひとまず、カガリの手当てが先だ。いちおう止血はしたが、専門家に見てもらわなければ。そのあとでデュランダル議長をつかまえよう。

アスランは格納庫《ハンガー》に機体を乗り入れ、ハッチを開いてカガリを伴《ともな》い、下に降りた。カガリはまだ頭が痛むらしく、床《ゆか》に降り立ったとたんよろめく。

「大丈夫《だいじょうぶ》か？　すぐ……」

彼女を気づかうアスランの背中に、少女の鋭い声が投げつけられた。

「その二人っ、動くな！」

振り向くと、ザフトの赤服を着た赤い髪《かみ》の少女が小銃《しょうじゅう》を構えたところだった。彼女の周囲に武装した兵士たちが駆《か》け寄り、同様にアスランたちに銃口を向ける。アスランが反射的にカガリを背後にかばって立ったそのとき、艦内にアナウンスが流れた。

〈本艦はこれより発進します！　各員、所定の作業に就《つ》いてください――〉

発進？――周囲がざわめき、アスランも思わずその言葉に反応する。この艦は進水式前ではなかったのか？

「動くな！」

やはりアナウンスに意表を衝《つ》かれた表情になった赤服の少女が、すぐアスランに目を戻《もど》して叫《さけ》ぶ。これは当然の反応だ。文字どおり部外者のアスランたちが、我が物顔に〝ザク〟に搭《とう》乗《じょう》し、軍艦に乗り込んだのだから。

「なんだおまえたちは？　軍の者ではないな？　なぜその機体に乗っている⁉」

矢《や》継《つ》ぎ早に少女はたずねる。かなり気が立っているようだ――と、考えたところでアスランは、彼女らが自分たちを警戒《けいかい》する、もうひとつの理由に気づいた。同じような部外者によって、ザフトの機体が乗っ取られた直後なのだ。

「あ……」

カガリがうろたえながら口をひらくが、アスランはそれを制し、ザフト兵たちを睨み据《す》えながら、あえて高圧的に告げた。

「銃《じゅう》を下ろせ。こちらはオーブ連合首長国代表、カガリ・ユラ・アスハ氏だ」

それを聞いた赤服の少女は驚《おどろ》いて銃口を下げ、兵士たちの間に小さなどよめきが走る。

「——俺は随員《ずいいん》のアレックス・ディノ。デュランダル議長との会見中、騒《さわ》ぎに巻き込まれ、避《ひ》難《なん》もままならないままこの機体を借りた」

「オーブの、アスハ……？」

少女が曖昧《あいまい》な表情で繰《く》り返す。アスランの言葉を疑っているのだ。だがこちらがＶＩＰである以上、確信が持てないうちは相手も慎重《しんちょう》に振る舞《ま》わざるを得まい。本物であろうと、偽物《にせもの》であろうと。アスランは居《い》丈高《たけだか》に要求を突《つ》きつけた。

「代表はケガもされている。議長はこちらに入られたのだろう？　お目にかかりたい！」

彼らを取り囲んだ兵士たちは、困惑《こんわく》顔で目と目を交わした。


ネオ・ロアノークは敵モビルスーツを撃退《げきたい》したあと、〝エグザス〟を駆り、〝アーモリーワン〟をめざした。いちおう、潜入《せんにゅう》させた別働隊《れんちゅう》の成否を確認《かくにん》するためだ。ネオは部下たちの能力を正しく評価していたので、彼らが失敗したとは考えなかった。なにか不測の事態《イレギュラー》があったと思った方がいい。

プラントの外壁《がいへき》付近で彼は〝エグザス〟の相対速度を合わせ、エンジンを切った。その機体は外壁に静かに着地し、まるで巨大《きょだい》なプラントに張りついたコバンザメのように見える。

様子を窺《うかが》ううち、プラントの一角からビームが放たれた。外壁に穿《うが》たれた穴から黒いモビルスーツが一機飛び出し、ついで二機が連なるように続く。連中だろう。遅《おく》れはしたものの、ネオの期待に応《こた》えて任務はこなしたようだ。

それにしてもずいぶん遅《おそ》くなったものだ、と見るうち、続いてもう一機のモビルスーツが外壁に空いた穴から姿を現す。背中に四枚の翼《つばさ》を広げ、白を基調とした、見たことのない機体だ。

――四機めの新型か……！

ネオは連中が遅れた理由を悟《さと》り、自嘲《じちょう》する。

「なるほどね。これはたしかに、俺のミスかな？」

その手はキイボードを叩《たた》いている。〝ガーティ・ルー〟への通信文だ。Nジャマーによって無線の使用に制限のある戦場においては、現在のところレーザー通信がもっとも信頼《しんらい》性の高い通信法だった。

ネオは〝エグザス〟のエンジンを始動させると、ごく軽くスラスターを操《あやつ》る。機体は優雅《ゆうが》にトンボを切ってプラント外壁を離《はな》れ、いきなり加速すると、もう一機の新型めがけて急迫《きゅうはく》した。

〝アーモリーワン〟を飛び出したとたん、宇宙の深淵《しんえん》がシンを押し包んだ。一瞬、見当識を喪《そう》失《しっ》する。それでも何とかシンは気流に流された機体を立てなおし、慌《あわ》ただしくモニターを切り替《か》えて全方位を探《さぐ》る。だが周囲には例の三機は見あたらない。

「くそッ……どこだ⁉」

焦《あせ》りに歯噛《はが》みしながら、シンはとにかくバーニアを噴《ふ》かし、三機の痕跡《こんせき》を捜《さが》し回った。スピーカーからレイの声が入ってくる。

〈シン！ いったん退《ひ》くんだ。やみくもに出ても……〉

レイの白い〝ザクファントム〟が近づいてくるのが見えた。彼もシンのあとを追って外に出たのだ。

「くっ……！」

悔《くや》しいが、レイの言うとおりだ。当てずっぽうに飛んであいつらが見つけられるはずもない。宇宙空間は深く、暗い。Nジャマー環境下《かんきようか》ではレーダーも当てにならない。

あきらめて、機体を返そうとしたときだった。突然《とつぜん》、レイの〝ザクファントム〟が急加速した。

〈――シン！〉

「え？」

同僚《どうりよう》の唐突《とうとつ》なアクションに驚いて周囲を見回したとき、シンの視界の隅《すみ》にキラリと白い光が映った。ビーム砲《ほう》で狙《ねら》われたのだと気づいたのは、横に飛び込んだレイがシールドで一条の光をさえぎったあとだ。もう一発のビームは機体をかすめたのみだが、レイがカバーに入ってくれなければ撃破《げきは》されていただろう。

シンは一瞬にして全神経を高ぶらせながら、周囲をチェックする。だが、ビームはなにもない空間から——それもまったく別々の方向から発射されたように見えた。

「——どこから!?」

戸惑《とまど》うシンの目に、矢のように迫《せま》る赤紫《マゼンタ》の機体が映る。

——モビルアーマー!?

見たことのない形状のモビルアーマーは機体下部のレールガンを撃《う》ちながら、〝インパルス〟の横をすり抜《ぬ》けた。それを追ってビームライフルを構えようとしたシンを、まったく別方向からの砲撃《ほうげき》が襲《おそ》う。

ほかにも敵が!?——シンはそちらを確認しようとするが、機影《きえい》らしきものは見つからず、代わりにふたたび四方からのビームにさらされた。なんとか機体を急旋回《せんかい》させて射線をかわす。回避《かいひ》する寸前、ようやく、高速で飛び回るごく小さな物体をシンの目がとらえる。ビーム砲を備えた兵装ポッド——〝ドラグーン〟のようなものか？　さっきのモビルアーマーに付属する特殊《とくしゅ》武装だろう。

だが、暗い宇宙空間で高速運動するそれらの兵装ポッドに対応することは不可能に近かった。飛び回る兵装ポッドが矢継《やつ》ぎ早にビームを放つ。ギリギリのところでシールドをかざし、ビームライフルで応戦するが、こちらのビームが空間を薙《な》いだときは、すでにそこにポッドはない。

全方向からの間断ない砲撃に、シンは翻弄《ほんろう》されるばかりだ。

一基のポッドが正面に滑《すべ》り込む。ビームがコックピットを直撃する！

が、今度もまた目の前に白い〝ザクファントム〟が割り込んだ。ほとんどパニック状態だったシンの耳に、レイの叱咤《しった》が飛び込んでくる。

〈なにをしている！　ぼうっとしてたらただの的《マト》だ！〉


「さあ、その機体もいただこうか？」

ネオは縦横無尽《じゆうおうむじん》にビームガンバレルを操り、着実に新型モビルスーツを追いつめていた。だがあと一手で王手《チエツク》というとき、白い〝ザクファントム〟がそれを阻《はば》む。

ネオはその動きに奇妙《きみよう》な引っかかりを感じた。あのパイロットは、高速運動するビームガンバレルの狙いをとらえたのだろうか？　思えば、最初の攻撃《こうげき》も〝ザクファントム〟は予測していたかのようだった。あのときパイロットはまだガンバレルの存在にさえ気づいてはいまい。ビームは撃ったとほぼ同時に目標に到達《とうたつ》する。弾道《だんどう》を見切ることなど不可能だ。

だがあの〝ザクファントム〟のパイロットは二度もネオの狙いを外した。これは偶然《ぐうぜん》か？

そのとき――

〈――この敵はふつうとは違《ちが》う！〉

不思議な声をネオは聞いた。通信の混線――いや、そんなものではない。まるで全身の細胞《さいぼう》がその声に共鳴したかのようだった。

「なんだ……!?」

戸惑いつつネオは、やや好奇心《こうきしん》もおぼえて〝ザクファントム〟に砲撃を集中させる。〝ザクファントム〟はそのことごとくを鮮《あざ》やかにかわし、逆にビーム突撃銃《とつげきじゅう》でガンバレルを一基撃ち落とした。ネオは驚《おどろ》きに舌を巻く。

――たしかに。この敵はふつうとは違う。

〈システムコントロール全要員に伝達。現時点をもってLHM―BB01〝ミネルバ〟の識別コードは有効となった。〝ミネルバ〟緊急《きんきゅう》発進シークエンス進行中。A五五M六警報発令、ドックダメージコントロール全チーム、スタンバイ――〉

発進シークエンスが進むなか、メンテナンス用のケーブルが外れ、ドックのクレーンが下がった。〝ミネルバ〟の下で、ドックの床《ゆか》がゆっくりと開いていく。巨大《きょだい》なハッチが開ききると、船体を繋留《けいりゅう》した両脇《りょうわき》の壁《かべ》ごと下方へスライドしていく。艦《かん》が発進ゲート内にはいると今度は上方になったハッチは閉まり、ゲート内が減圧される。

「発進ゲート内、減圧完了《かんりょう》――いつでも行けます!」

アーサーの報告を受け、タリアは声を張った。

「機関始動。〝ミネルバ〟発進する!」

船体下のハッチが開く。現れた星の海に〝ミネルバ〟をそっと投げ落とすように、繋留フックが離《はな》れた。遠心力を受けて、船体はゆったりと宇宙空間に沈《しず》んでいく。

いまだ進水式を終えぬまま、〝ミネルバ〟は大いなる星の海に漕《こ》ぎ出《い》でた。

この航海がどれほどの長きにわたるか知りもせずに――。


その〝ミネルバ〟艦内《かんない》を赤服の少女――ルナマリア・ホークと名乗った――に先導されて進みながら、カガリが心配そうにたずねる。

「避難《ひなん》するのか、この艦《ふね》？　プラントの損傷はそんなにひどいのか？」

ルナマリアは肩《かた》ごしにちらりとこちらを見やったが、答えない。

アスランとカガリは武装した兵士たちに前後を守られ、艦内通路を歩いていた。守るといっても、監視《かんし》されていると言った方が正しいだろう、とアスランは思う。理解はするが、あまり居心地のいいものではない。

そのとき艦内に警報が流れはじめた。

〈コンディション・レッド発令！　コンディション・レッド発令！　パイロットはただちにブリーフィングルームへ集合してください〉

アスランはようやく事態を理解して、愕然《がくぜん》とする。この艦が発進するのは、避難のためではない。コンディション・レッド、その警戒《けいかい》レベルが意味するのは――

「戦闘《せんとう》に出るのか!?　この艦《ふね》は！」

アスランがきつく問いただすと、ルナマリアが戸惑った顔をこちらに向けた。彼女も事情を理解していないのかもしれない。カガリが焦《あせ》った表情でアスランを見つめる。

「アスランっ……」

その名にルナマリアが反応した。

「――アスラン？」

とたんに真っ正直なカガリが、「あっ」と口を押さえる。非常事態の連続に、偽名《ぎめい》を使うことを忘れてしまったのだ。アスランはルナマリアの凝視《ぎょうし》を感じ、その目を見返す。

少女の視線にはさっきまでと違う熱意がこもっていた。それは、好奇の目だった。

「索敵《さくてき》急いで！　〝インパルス〟、〝ザク〟の位置は!?」

ドックを出るやいなや、タリアは命じた。のんびり処女航海を味わっていられる状況《じょうきょう》ではない。索敵担当のバートが声を上げた。

「インディゴ五三、マーク二二ブラボーに不明艦一！　距離《きょり》、一五〇！」

近い。デュランダルが背後でつぶやきを漏《も》らす。

「それが母《ぼ》艦《かん》か……」

「諸元をデータベースに登録、以降、対象を〝ボギーワン〟とする！」

敵をあらわす『ボギー』という単語を用いて、タリアは未知の艦にコードネームを割り振《ふ》った。直後、モビルスーツ管制担当のメイリンがうわずった声で叫《さけ》ぶ。

「ど、同一五七マーク八〇アルファに〝インパルス〟と〝ザク〟！　交戦中のもよう！」

懸念《けねん》が当たり、タリアはすばやく訊《き》く。

「呼び出せる？」

「ダメです！　電波障害激しく、通信不能！」

「敵の数は？」

例の三機か、それとも敵の増援《ぞうえん》部隊がいるかもしれない。だがメイリンは思わぬ答えを返してよこした。

「一機です。でもこれは――モビルアーマーです！」

タリアは落胆《らくたん》と安堵《あんど》を同時におぼえた。すると例の新型三機はもはや母艦に持ち去られたのだ。取り返す可能性はぐんと低くなった。だが少なくともモビルアーマー一機が相手なら、〝インパルス〟と〝ザクファントム〟で後《おく》れをとることはあるまい――。

タリアの予想は、やがて映し出されたモニター内の映像に覆《くつがえ》される。ビームが格子《こうし》のように交錯《こうさく》し、レイの〝ザクファントム〟を追っていた。〝ザク〟は錐揉《きりも》みし、急上昇《じょうしょう》しながらそれを避《さ》ける。シンの〝インパルス〟がビームサーベルを抜《ぬ》き放って掩護《えんご》に飛び込むが、逆にビームを立て続けに浴びせられ、シールドで防ぐ一方になる。

「敵は一機のはずでは——？」

アーサーが愕然とつぶやく。それほど、ビームの軌跡《きせき》は数多く、発せられる方向もでたらめだった。〝インパルス〟のエネルギーは残り少ない。失った三機を嘆《なげ》いている場合ではない。急いで手を打たねばそれが四機になる。

タリアはすばやく打つ手を定めた。

「〝ボギーワン〟を討つ！」

ついで、彼女の口から矢継《やつ》ぎ早に命令が飛び出す。

「艦橋遮蔽《ブリッジしゃへい》、進路インディゴデルタ、加速二〇パーセント、信号弾《だん》およびアンチビーム爆雷《ばくらい》発射用意——アーサー、なにしてるの!?」

艦橋《ブリッジ》がゆっくりと降下し、下階の戦闘指揮所《CIC》に直結する。いつまでも呆然《ぼうぜん》と突《つ》っ立ったままでいるアーサーをタリアが怒鳴《どな》りつけると、彼は飛び上がった。

「うあっは……はいっ！——ランチャーエイト一から四番〝ナイトハルト〟装塡《そうてん》っ！」

あわてて所定の席に飛び込み、アーサーは指示を下しはじめる。

この艦橋《ブリッジ》遮蔽システムは戦闘ステータスへのスムーズな移行を可能とすると同時に、船体の突端《とったん》に位置する無防備な艦橋《ブリッジ》を防護する機能でもあった。

「——〝トリスタン〟一番二番、〝イゾルデ〟起動！　照準、〝ボギーワン〟！」

次々と武装システムが起動していくなか、背後からデュランダルがタリアに声をかけてきた。

「彼らを助けるのが先じゃないのか、艦長《かんちょう》？」

タリアは少々うんざりしながら振り返る。モビルスーツ戦に対して、艦砲《かんぽう》をぶっ放して掩護するわけにいかないくらい、わからないのだろうか。

「そうですよ」

タリアは内心の苛立《いらだ》ちをおくびにも出さずに説明した。

「だから母艦を撃《う》つんです。敵を引き離《はな》すのがいちばん早いですから、この場合は」

「戦艦《ふね》？」

ネオは〝アーモリーワン〟を回り込んでくるライトグレイの戦艦に気づいた。港が復旧したのか？

戦況《せんきょう》は圧倒《あっとう》的にネオの有利だった。だが現れた戦艦に気をとられたわずかな隙《すき》に〝ザクファントム〟にもう一基のビームガンバレルを撃ち落とされる。

「チッ……欲張りすぎは元も子もなくすか」

ネオは潮時というものを知っていた。それ以上時を浪費《ろうひ》せず、機体を返す。突然《とつぜん》の退却《たいきゃく》に、敵のモビルスーツ二機は反応できず、あっという間に距離を開ける。

それにしてもあの〝ザクファントム〟——機動性が従来の量産型モビルスーツと段違《だんちが》いなのはもちろんだが、それを差し引いてもあれほど〝エグザス〟に対応できた機体ははじめてだ。

まるでこちらの動きを前もって知っているかのようだった。それに一瞬《いっしゅん》、たしかに聞こえたあの声――機体よりパイロットが特別だと思うべきか――？

ネオはしばし考えを巡《めぐ》らせたが、結論を先送りにして〝ガーティ・ルー〟をめざした。


撃ってくるビームがいつの間にか途絶《とだ》えていた。唐突《とうとつ》に自分の激しい呼吸音が大きく聞こえる。あまりに目まぐるしい戦闘《せんとう》だっただけに、シンは敵が去ってしまったあとでやっとそれに気づくありさまだった。

――え……？

シンは驚《おどろ》いてあたりを見回し、すでに小さな光点となった敵機をとらえて唖然《あぜん》とする。なぜ急にあのモビルアーマーは逃《に》げ出したのだ？　あちらが完全に押していたのに？

その答えはすぐわかった。別方向から巨大《きょだい》な艦影《かんえい》が接近しつつあったからだ。

「〝ミネルバ〟……！」

シンは目をみはる。進水式をすませていない艦がここにいる。敵機はこの艦に気づいて退却したのだ。そのとき、その〝ミネルバ〟から発光信号が打ち上げられた。

「帰還《きかん》信号!?――何でっ！」

その意味を読み取ったシンが不満の声を上げ、レイが冷静に告げる。

〈……命令だ〉

にべもない。レイは命令や軍規には厳しく、ときにそれらを逸脱《いつだつ》しがちなシンをいさめるのが常だった。

シンはしぶしぶ彼に従い、母艦をめざす。レイが息も上げてないことが、少し癪《しゃく》にさわった。

「戦艦とおぼしき熱源接近！　類別不能！　レッド五三マーク八〇デルタ！」

オペレーターの声とともに、モニターに見慣れない形状の艦が映った。イアン・リーは身を乗り出す。

「例の新型艦か？——面舵《おもかじ》一五、加速三〇パーセント、〝イーゲルシュテルン〟起動！」

すぐさまその口から敵艦《てきかん》からの攻撃《こうげき》を想定した指示が飛び出す。

「——〝エグザス〟は!?」

問うまでもなく、すでにその赤紫《マゼンタ》の機体がこちらに向かっているのが見えた。ネオはリーから見れば酔狂《すいきょう》なところがあるが、けっして間抜《まぬ》けではない。

敵艦の左舷《さげん》から複数のミサイルが射出される。リーは叫《さけ》んだ。

「回避《かいひ》ーっ！」

船体下部の七五ミリ対空自動バルカン砲塔《ほうとう》システム〝イーゲルシュテルン〟が、襲《おそ》い来るミサイルを迎撃《げいげき》し、撃ち落とす。弾幕《だんまく》をかいくぐった最後のミサイルが至近でかろうじて撃破《げきは》され、艦は爆発《ばくはつ》のあおりを食《く》らって大きく揺《ゆ》れた。

そんな状態の艦に〝エグザス〟は、双方《そうほう》の艦から放たれた砲撃《ほうげき》をかいくぐって着艦する。上官の腕《うで》を知っているリーでさえ舌を巻く操縦技術だ。着艦と同時にネオの声がスピーカーから飛び込む。

〈撤収《てっしゅう》するぞ、リー！〉

その言葉を待っていた。リーは操舵士《そうだし》に命じる。

「回頭、機関最大！」

第二波までにわずかな間があった。敵艦は自軍のモビルスーツを収容したあと、主砲を発射し、さらにミサイルを放つ。

「大佐《たいさ》！」

エレベータが開き、ネオの姿が現れると、艦橋《ブリッジ》クルーが歓迎《かんげい》するように声を上げた。ネオはリーに近づきながら、悪びれたようすもなくわびる。

「すまん。遊びすぎたか」

リーは意見を控《ひか》えた。言ってもムダなことに言葉を費《つい》やす余裕《よゆう》はない。

「敵艦なおも接近！　ブルーゼロ、距離《きょり》一一〇！」

オペレーターの報告に、二人はモニターに目をやる。

「かなり足の速い艦《ふね》のようです。厄介《やっかい》ですぞ」

リーの苦い言葉にかぶせて、オペレーターが叫ぶ。

「ミサイル接近！」

「取り舵《かじ》！　かわせ！」

後部〝イーゲルシュテルン〟が艦尾《かんび》に食らいつこうとするミサイルを片端《かたはし》から叩《たた》き落とす。

近接の爆発に突《つ》き上げられるように船体が揺れるなか、ネオが荒《あら》っぽい口調で怒鳴《どな》った。

「両舷《りょうげん》の推進予備タンクを分離《ぶんり》後爆破！　アームごとでいい！　鼻《はな》っ面《つら》に食らわせてやれ！」

リーは唖然として上官のマスクに覆《おお》われた顔を見上げる。自分には思いつかなかった戦術だ。

ネオはいつもの飄然《ひょうぜん》とした物腰《ものごし》からは想像もつかない、明晰《めいせき》な口調で命じた。

「——同時に上《あ》げ舵三五、取り舵一〇、機関最大！」


「このまま一気に〝ボギーワン〟を叩きます！　進路イエローアルファ！」

タリアの号令に応《こた》え、主砲XM47〝トリスタン〟を放ちながら〝ミネルバ〟は前進する。

前方には青鋼色《スチールブルー》の戦艦《せんかん》が船尾《せんび》を見せている。敵艦もかなりの高速艦のようだが、こちらの俊《しゅ》足《んそく》には敵《かな》うまい。このまま例の三機を抱《かか》えたまま逃げ延《の》びさせるわけにはいかない。

焦《あせ》りをおぼえながら見つめるモニターのなかで、〝ボギーワン〟の両舷から突き出していた構造物がゆらりと揺らぎ、本体から切り離《はな》される。

「〝ボギーワン〟、船体の一部を分離！」

逃げるために重量を減らしたのか？——最初はその可能性が頭に浮《う》かんだ。二基の構造物は慣性のまま、こちらの進路へ漂《ただよ》ってくる。突き出した支柱の先端《せんたん》に噴射《ふんしゃ》口のようなものを備え、基部近くでタンクが支柱を取り巻いている。これは――。

「!!」

タリアは構造物の正体に気づき、鋭《するど》い声で叫んだ。

「撃《う》ち方待てッ！」

矢継《やつ》ぎ早の命令が彼女の口から飛び出す。

「面舵一〇！　機関最大ッ！」

操舵士のマリク・ヤードバーズがその命令に従って舵を切る。が、遅《おそ》かった。艦の目前に迫《せま》っていた構造物のタンクは、次の瞬間《しゅんかん》膨れ上がり、炸裂《さくれつ》する。

視界がホワイトアウトする。至近距離で起こった爆発が目を灼《や》き、艦は乱気流にのまれたように揺さぶられた。メイリンのかん高い悲鳴が響《ひび》く。タリアはシートのアームをつかんで衝《しょう》撃《げき》に耐《た》え、唇《くちびる》を噛《か》みしめる。

――やられた！

敵が分離したのは予備の推進装置だ。タンクの中には推進剤《すいしんざい》がたっぷり詰《つ》まっていたのだろう。そんなものを機雷《きらい》よろしくこちらに叩きつけてくるとは！

タリアは確信する。あの艦に乗っているヤツは、一筋縄《ひとすじなわ》ではいかない相手だ。

シンは苦い表情でコックピットを出た。ヴィーノとヨウランがこちらを気づかって声をかけてくるが、相手をする気分にもなれない。体は疲《つか》れ切っているが全身の神経がピリピリと逆立っている。

負けた――と思った。目の前で何人もの仲間がやられたというのに、敵に機体を奪《うば》われるまま、なにひとつ取り返すことができなかった。そのうえ特殊《とくしゅ》武装を備えていたとはいえ、たかが一機のモビルアーマー――前時代の兵器に手も足も出なかったのだ。

苦い思いを抱えながら、パイロットロッカーへ向かおうとしていたシンの目に、一機の〝ザクウォーリア〟が入った。左腕《ひだりうで》を破損したその機体は、最前の戦闘《せんとう》中に彼の危機を救ってくれたもののようだ。あのパイロットも〝ミネルバ〟に着艦しているのだろうか。

考えていたとき、艦を激しい衝撃が襲《おそ》った。

「なんだァ!?」

「――被弾《ひだん》した!?」

衝撃にさまざまな器具が散らばり、無重力下の空中を舞《ま》う。技術スタッフが口々に声を上げる。

「艦橋《ブリッジ》！　どうした!?」

やはり愛機を降りていたレイがインターフォンをつかみ、問いただすが、通信が不通になっていたらしく、受話器を投げ捨てて艦橋《ブリッジ》の方に向かった。

「くっそォォォッ！」

シンの目にふたたび怒《いか》りが燃え上がる。彼はたったいまあとにしてきたコックピットへ飛び戻《もど》った。

「各ステーションっ！　状況《じょうきょう》を報告せよ！」

アーサーが通信機に怒鳴り、タリアは索敵《さくてき》担当に問う。

「バート、敵艦《てきかん》の位置は⁉」

「待ってください！　まだ――」

バートは爆発《ばくはつ》の影響《えいきょう》で変調したモニターを前に、懸命《けんめい》にセンサーを調整している。その結果を待たず、タリアは次の命令を下す。

「近接防御火器《CIWS》システム起動、アンチビーム爆雷《ばくらい》発射！――次は撃ってくるわよ！」

まさかいきなりこんな修羅場《しゅらば》を経験するハメになるとは思わなかったのだろう。メイリンはいまにも泣き出しそうな顔だ。

敵はこの隙《すき》に反撃《はんげき》に転じるに違《ちが》いない――タリアの予想は、しかしバートの報告に裏切られる。

「――見つけました！　レッド八八マーク六チャーリー！　距離《きょり》五〇〇！」

その座標の意味するところを悟《さと》り、アーサーが唖然《あぜん》として叫《さけ》んだ。

「逃げたのか!?」

ざわめきの走る艦橋《ブリッジ》に、そのときレイ・ザ・バレルが入ってきた。状況を確認《かくにん》しようと来たのだろう。彼は入室したところで、後部座席に座る人物に気づいて驚《おどろ》きの声を上げた。

「議長!?」

タリアは忌々《いまいま》しげにため息をつき、シートにもたれかかった。

「やってくれるわ! こんな手で逃げようなんて」

「……だいぶ手強《てごわ》い部隊のようだな」

背後からデュランダルが口を挟《はさ》み、タリアはキッとしてそちらに向きなおる。

「ならばなおのこと、このまま逃がすわけにはいきません。そんな連中にあの機体が渡《わた》れば……」

「ああ……」

デュランダルの表情もその懸念《けねん》に翳《かげ》った。

〝ユニウス条約〟で定められたことのなかに、モビルスーツの保有機数に関する条項《じょうこう》がある。各国の戦艦、モビルスーツ、モビルアーマーの保有数には、その国力に応じた制限を設ける、というのがそれだ。ここでいう国力とは人口、GNPなど、いくつかのパラメータにより算出するもので、『国力』の高い国がより多くの武器を持つことができるということになる。発案者の名を取ってリンデマン・プランと名づけられたこの条項は、つまり人口の多い大国――あえていうなら大西洋連邦《れんぽう》に有利な条件だ。当初は〝プラント〟もこのプランに反発を示した。それをしぶしぶながらも受け入れたのは、条約調印が〝プラント〟側の希望どおり、かつての悲劇の地〝ユニウスセブン〟で行なわれたこと、そして自分たちの技術力に揺《ゆ》るぎない自信を抱《いだ》いていたことによる。

持てるモビルスーツの数が限られるなら、一機の持つ性能を高めればよい。その発想のもと開発されたのが〝ザク〟であり、〝カオス〟以下のセカンドステージシリーズだった。〝インパルス〟に至っては、装備を換装《かんそう》することによって、一機に複数機ぶんの戦闘能力を持たせるという試みなのだ。文字どおり一騎当千《いっきとうせん》の機体、それが〝インパルス〟であり、そして〝カオス〟、〝ガイア〟、〝アビス〟の三機だった。だから、その三機が奪われ、敵方に渡ることによって引き起こされるのは、ただ機密漏洩《ろうえい》の危険だけではない。下手をすると両軍のパワーバランスが大きく変わってしまう可能性さえあるのだ。

タリアはその危険性をよく理解していた。彼女はあらためてデュランダルを見据《みす》え、簡潔な口調で自分の意見を呈示《ていじ》する。

「いまからでは下船いただくこともできませんが、私は本艦がこのまま、あれを追うべきと思います。——議長のご判断は？」

厳しい表情でタリアの言葉を聞いていたデュランダルは、決定を突《つ》きつけられ、ふいにやわらかく微笑《ほほえ》んだ。

「私のことは気にしないでくれたまえ、艦長」

つかの間浮《う》かんだ笑《え》みは、すぐに深刻な表情に置き換《か》わる。

「私だってこの火種、放置したらどれほどの大火となって戻ってくるのか、それを考える方が怖《こわ》い。あれの奪還《だっかん》、もしくは破壊《はかい》は、現時点での最優先責務だよ」

「ありがとうございます」

彼の同意を得られて、タリアはかすかに昂揚《こうよう》をおぼえながら、前に向きなおった。彼女らの会話をクルーは固唾《かたず》をのんで窺《うかが》っている。タリアはバートにたずねた。

「航跡追尾《トレース》は？」

待っていたようにバートが即答《そくとう》する。

「まだ追えます！」

「では、本艦《ほんかん》はこれよりさらなる〝ボギーワン〟の追撃《ついげき》戦を開始する！　進路イエローアルファ、機関最大」

タリアが決然と号令すると、水を打ったようだった艦橋《ブリッジ》の空気が動き出した。

「全艦に通達する。本艦はこれよりさらなる〝ボギーワン〟の追撃戦を開始する！」

クルーがはじかれたように作業に入り、アーサーが艦内アナウンスを開始する。その顔にはありありと、とんでもないことになった——という表情があった。

「——突然《とつぜん》の状況《じょうきょう》から思いもかけぬ初陣《ういじん》となったが、これは非常に重大な任務である。各員、日ごろの訓練の成果を存分に発揮できるよう、つとめよ！」

その間にタリアは警戒レベル《コンディション》をイエローに下げ、艦橋《ブリッジ》の遮蔽《しゃへい》が解除される。せり上がっていく艦橋《ブリッジ》上で、タリアはようやく肩《かた》から力を抜《ぬ》き、デュランダルに微笑みかけた。

「議長も少し艦長室でお休みください。〝ミネルバ〟も足自慢《あしじまん》ではありますが、敵もかなりの高速艦です。すぐにどうということはないでしょう。――レイ、ご案内して」

ちょうどそこにいたレイに命じると、彼は「は！」と姿勢を正し、丁重《ていちょう》にデュランダルに目礼する。

「ありがとう」

デュランダルはそんな彼を見てあたたかい笑みを浮かべる。そういえばこの二人も知り合いだったか、とタリアは気づく。それにしても議長が話のわかる人物でよかった。これなら何とか乗り切れるだろう。タリアがそう考えたとき、艦内から通信が入った。

〈艦長〉

モニターに映ったのはもう一人のパイロット、ルナマリアだ。なぜか嫌《いや》な予感がした。

「どうしたの？」

〈戦闘《せんとう》中のこともあり、ご報告が遅《おく》れました〉

赤服の少女は男っぽい口調できぱきと報告した。

〈本艦発進時に、格納庫にて〝ザク〟に搭乗《とうじょう》した二名の民間人を発見――〉

「え？」

厄介《やっかい》なことになった。この艦はこれから戦闘に向かうというのに——と考えるタリアの耳に、信じがたい言葉が届く。

〈——これを拘束《こうそく》したところ、二名はオーブ連合首長国代表カガリ・ユラ・アスハとその随員《ずいいん》と名乗り、傷の手当てとデュランダル議長への面会を希望いたしました……〉

「オーブの……!?」

タリアは愕然《がくぜん》として聞き返す。すでにエレベータへ向かおうとしていたデュランダルが引き返してくる。その顔にも驚愕《きょうがく》の表情があった。

〈僭越《せんえつ》ながら独断で傷の手当てをし、いま、士官室でお休みいただいておりますが……〉

嫌な予感は当たった。タリアは頭を抱《かか》えたくなる。

まったく次から次へと！　三機のモビルスーツを奪《うば》われ、〝アーモリーワン〟がめちゃくちゃにされ、艦は進水式を待たずに出航。そのうえ敵を目の前で取り逃《に》がしただけでも大事だというのに、今度はオーブの姫《ひめ》が乗船だと？　ひとつの戦艦に、一人の国家元首でも多すぎるというのに！

薄暗《うすぐら》い部屋にはかすかなモーターの唸《うな》りと、ときおり専任スタッフの交《か》わす低い声だけが響《ひび》いている。ネオはコンソールごしに部屋の奥を覗《のぞ》き込む。そこには円形のベッドが三つ、クローバーの三つ葉のように並んでいた。ベッドを覆《おお》うドーム型のガラスカバーの下には、三人の幼いパイロットが、思い思いの格好で横たわっている。スティング、アウル、ステラ――ネオのかわいい部下たちだ。実際、彼らの寝顔《ねがお》は幼い子供のようにあどけなく、愛らしい。まるでこの世の悩《なや》みも恐怖《きょうふ》もいまだ知らぬ者のように。

そう。嫌なことはすべて忘れてしまえ――ネオは心の中で彼らにささやきかけ、その部屋をあとにした。

艦橋《ブリッジ》に戻《もど》ると、イアン・リー艦長がちらりとこちらを見て口をひらく。

「どうやら成功、というところですかな？」

ネオは席の後ろに立ち、たずねた。

「ポイントBまでの時間は？」

「二時間ほどです」

オペレーターが答え、リーは探《さぐ》るようにネオを見つめる。

「まだ追撃があるとお考えですか？」

「わからんね」

ネオはあっさり答えた。

「わからんからそう考えて、予定どおりの進路を取る。――予測は常に悪い方へしておくもんだろ？　とくに戦場では」

リーは低く唸る。いちおう、これが彼の同意らしい。いかにも堅物《かたぶつ》といった外見の男で、最初配属されたときはどうなるかと思ったが、意外にもお互《たが》いの相性《あいしょう》はよかったらしい。もっとも、そう思っているのはこちらだけかもしれないが。

次にリーは義務的に訊《き》く。

「彼らの〝最適化〟は?」

「おおむね問題はないようだ。みんな気持ちよさげに眠《ねむ》っているよ」

ネオはさっき見た少年たちの寝顔を思い出し、微笑《ほほえ》む。

メンテナンスルーム――あの部屋は、三人のパイロットたちを『メンテナンス』する場所だ。一度戦闘に出たモビルスーツを整備士たちがメンテナンスするのと同じ。精密に造られたものほど、よく手をかけてやらねばその性能を発揮できない。

そもそもモビルスーツの操縦とは、卓越《たくえつ》した反射神経、身体能力を持つコーディネイターでなければ手に余る技術だった。彼らが戦場に持ち込んだ、この新たな兵器の優越《ゆうえつ》性に気づいた地球連合軍が、それを自ら開発する際にもっとも苦心したのがその点だったのだ。ナチュラルのパイロットによるモビルスーツの操縦――最終的にはオペレーティング《O》システム《S》の補助によってそれが可能となるのだが、並行してひそかに試《ため》されていたのが、パイロット自体を『造り上げる』という方法だ。

コーディネイターと同等の身体能力を持ち、戦場において恐《おそ》れや不安に判断を惑《まど》わされることのない最強の戦士――強化人間を。

　スティングたちは三人とも、その強化人間だった。暗示によって死の恐怖を忘れ、潜在《せんざい》能力を高めて、コーディネイターをも超《こ》える力を得た最高のパイロットだ。

「――ただ、アウルがステラに〝ブロックワード〟を使ってしまったようでね。それがちょっと厄介ということだが……」

　ネオは専任スタッフからの報告を口にする。

　あの三人にはそれぞれ〝禁句《ブロックワード》〟が設定されている。ステラの場合、それは『死』という単語だ。それらの禁句は彼らにかけられた暗示を解き、抑《おさ》えつけられていた恐怖を思い出させてしまうのだ。

〝ブロックワード〟によってよみがえった恐怖という感情は、睡眠《すいみん》中に消去されることになる。あの専用ベッドは、ヒーリング効果のあるイメージ映像や音楽を彼らの脳に送り込み、恐怖だけでなく、戦場で彼らが受けた種々のストレスなど、次の戦闘に挑《いど》むにあたってマイナス要因となる記憶《きおく》をすべてリセットする働きを持つ。この『メンテナンス』によって強化人間たちは、パイロットとして心理的に最高の状態を維持《いじ》できるのだ。

　リーが馬鹿にしたように息をつく。

「何かあるたび、揺《ゆ》りかごに戻さねばならぬパイロットなど……研究所《ラボ》は本気で使えると思ってるんでしょうかね？」

リーは彼らのことが気に入らないのだ。パイロットが、なのか、彼らを造った連中が、なのかはよくわからないが。ネオは取りなすように反論する。

「それでも、前のよりかはだいぶマシだろ？　こっちの言うことや仕事を、ちゃんと理解してやれるだけ」

さきの大戦中にも、強化人間は試験的に実戦配備されていた。インプラントと薬物投与《とうよ》によってコーディネイターなみの身体能力を手に入れたパイロットたちだ。たしかに彼らの戦闘《せんとう》能力は凄《すさ》まじいものがあった。しかしいずれも薬物によって、恐怖心だけでなく通常の判断能力や思考能力まで破壊《はかい》され、信頼《しんらい》性という点ではかなり問題のあるシロモノだったらしい。その後、試行錯誤《さくご》のすえに生み出されたスティングたちは、自ら思考し、判断する能力を残している――ステラに関しては少々疑問もあるが、どうやらあれはもともとの個性らしい。

ネオの目には彼らはやんちゃなふつうの坊《ぼう》やたちに見える。ただちょっとばかり扱《あつか》いに注意が必要なだけで――だが、十代の少年少女なんて誰《だれ》でもそんなものではないか。格段の進歩だと思うのだが、リーの考えは違《ちが》うらしい。彼はやはり苦虫《にがむし》を嚙《か》み潰《つぶ》したような顔で鼻を鳴らした。そんな艦長《かんちょう》をなだめるように、ネオは言う。

「しかたないさ。今はまだなにもかもが『試作段階』みたいなもんだ。艦《ふね》も、モビルスーツも、パイロットも――世界もな」

リーは彼の横で、自分を納得《なっとく》させようとするかのようにうなずく。

「ええ、わかっています」

「やがてすべてが本当にはじまる日が来る……」

ネオは微笑み、リーの目を見つめた。

「……我らの名のもとにね」

無機的な仮面になかばを覆《おお》い隠《かく》された笑顔《えがお》は、飄逸《ひょういつ》たるその物腰《ものごし》にもかかわらず、どこか非人間的な冷たさを漂《ただよ》わせていた。

PHASE 02

「本当に、おわびの言葉もない……」

デュランダルがいつもの滑《なめ》らかな口調でねぎらう。その背後にはこの艦の艦長であるタリア・グラディスが控《ひか》えていた。

「姫《ひめ》まで、このような事態に巻き込んでしまうとは。ですがどうか、ご理解いただきたい」

アスランとカガリは〝ミネルバ〟の艦長室に通され、ようやく議長との面会を果たしていた。これでいちおうの身の証《あかし》は立ったものの、アスランは暗然たる思いだ。彼もすでに、この艦がこれから戦闘に向かうことを知っていた。カガリの安全を図《はか》ろうとして避難《ひなん》したというのに、よりにもよってその戦艦が最前線ともいうべき場所だったとは。サイコロの目が悪い方、悪い方へ出続けているかのようだ。

デュランダルの前に座したカガリも頭に包帯を巻かれ、心なしか青ざめた顔をうつむけている。だが彼女の頭を悩《なや》ませていたのは、アスランとは違う懸念《けねん》だった。

「あの部隊については、まだまったくなにもわかっていないのか？」

まずカガリの口をついて出た問いに、デュランダルは歯切れの悪い調子で答える。

「ええ、まあ……そうですね。艦《ふね》などにも、はっきりとなにかを示すようなものは、なにも……」

これはつまり、その背後にあるものについては想像しているが、確たる証拠《しょうこ》がないので明言できない——という意味だろう。

「……しかし、だからこそ我々は、一刻も早くこの事態を収拾しなくてはならないのです。取り返しのつかないことになる前に」

デュランダルが沈鬱《ちんうつ》な口調で訴《うった》えかける。

「ああ、わかっている。それは当然だ、議長」

カガリはやりきれない顔になり、強くうなずいた。

「いまは何であれ、世界を刺激《しげき》するようなことはあってはならないんだ。絶対に……！」

彼女の両手が膝《ひざ》の上で強く組み合わされる。祈《いの》りの形のように。

アスランたちは知っている——いま、世界は危《あや》ういバランスの上で、かろうじて平衡《へいこう》が保たれている状態だということを。針の先ほどの刺激を受ければ、この平和は一気に崩《くず》れ落ちる。

これまでの二年、〝プラント〟も地球もさきの大戦でこうむったダメージから回復することを先決とし、和平の仮面の下で申し合わせたように互《たが》いに手出しを避《さ》けてきた。だがいま、よどんでいた流れが出口を求めてさまよいはじめているのを、国際社会に身を置いて、アスランとカガリもひしひしと感じとっていたのだ。

しかしデュランダルはカガリの答えを聞いて、急に晴れやかな笑顔になる。

「ありがとうございます。姫ならばそうおっしゃってくださると――信じておりました」

その言葉の後半はアスランに向けられたものだ。急に笑みを向けられて、アスランは少したじろぐ。

この人は、誰にでもこんなふうに愛想《あいそ》のいい人なのだろうか？　ただの随員《ずいいん》にまで？

「よろしければ、まだ時間のあるうちに、少し艦内をごらんになってください」

やはり愛想よく呈《てい》されたデュランダルの招待に、今度はタリア・グラディス艦長がたじろいだ。

「議長……！」

彼女はカガリをはばかるように低く警告の声を発した。この艦はザフトの最新鋭艦《さいしんえいかん》だ。明らかに機密に属するものを、他国の元首に見せびらかしていいはずがない。アスランの目にも議長の提案は軽はずみなものに映る。

しかしデュランダルは平然としたものだ。

「一時とはいえ、いわば命をお預けいただくことになるのです。それが盟友としての、わが国の相応の誠意かと」

議長がそう言ってしまえば、グラディス艦長は反論し辛《づら》い。拒否《きょひ》すれば盟友関係を否定してしまうことになるからだ。

アスランはこのデュランダルという人がよくわからなくなる。たんなるお人好《ひとよ》しなのか？　それとも彼には、なにか深い意図があるのだろうか？

「しっかし、まだ信じらんない！　マジ嘘《うそ》みてえ」

赤い〝ザクウォーリア〟のコックピットに顔を突《つ》っ込んだヴィーノが、しみじみ言う。

「ああ……」

ヨウランがキイボードを叩《たた》きながらむっつりと答える。

「なんでいきなり、こんなことになるんだよォ」

ヴィーノは同僚《どうりょう》に向きなおって訴え、ヨウランも憂鬱《ゆううつ》そうにため息をついた。進水式もまだなのに、いきなり実戦に放《ほう》り込まれて、クルーたちには戸惑《とまど》いも多い。ましてやヴィーノやヨウランのような新兵には初の実戦だ。

「でもまさか、これでこのまま、また戦争になっちゃったりは……しないよね？」

ヴィーノが少し声をひそめて同意を求めると、ヨウランは肩《かた》をすくめた。

「……と思うけどね」

シンは彼らの会話を聞きながら、格納庫《ハンガー》のなかを横切る。戦争——彼の目がかすかに翳《かげ》る。

そんなものをまた繰《く》り返したいなどと誰《だれ》が思うだろう。それなのに、敵地に潜入《せんにゅう》してそのモビルスーツを奪《うば》い、あれほどの破壊《はかい》をほしいままにした敵の部隊の意図がわからない。あんなことをしてそのままですむと思っているのか？　それともあいつらは戦争になってもかまわないというのだろうか？

考えながら、また左腕《ひだりうで》のない〝ザク〟に目が行った。シンは思いついてヴィーノたちにたずねた。

「なあ、あの〝ザク〟のパイロット、誰なんだ？」

命を救われたのは癪《しゃく》だが事実だ。パイロットにひとこと礼くらいは言っておくべきだろう。

だがヴィーノとヨウランは首をかしげる。そこへ、背後から声がかかった。

「ああ、あれに乗ってたのはオーブのアスハ代表だよ」

答えたのはルナマリアだ。彼女は自分の機体に向かって飛びながら、大仰《おおぎょう》に肩をすくめる。

「それでさっきは大騒動《おおそうどう》だったんだから！」

「オーブの、アスハ!?」

シンは思わず耳を疑った。オーブ、アスハ——どちらも彼にとっては特別の意味を持った名前だ。彼は壁《かべ》を蹴《け》って戻《もど》り、機体に取りついたルナマリアのそばに寄った。ルナマリアはやや興奮した面持《おもも》ちでうなずく。

「うん。私もびっくりした。こんなところでオーブの姫《ひめ》さまに会うとはね！」

シンの顔がこわばった。現在、オーブの国家元首を、自分たちとほとんど年齢《ねんれい》の変わらないアスハ家の少女がつとめていることは、彼も知っていた。〝ヤキン・ドゥーエ〟での戦いにも身を投じ、大戦を終結に導いたということで、オーブでは英雄扱《えいゆうあつか》いされているということも。その事実は彼に苦々しい思いを抱《いだ》かせる。

ルナマリアは彼の表情に気づいたようすもなく、無造作に訊《き》いた。

「でもなに？　あの〝ザク〟がどうかしたの？」

「ああ、いや……〝ミネルバ〟配備の機体じゃないから、誰が乗ってたのかなって……」

シンはあわてて言葉を濁《にご》す。アスハ家の人間に助けられたなんて言えるはずがない。いや、そもそもルナマリアに、自分が誰かに助けられたことなんて教えてやりたいわけがない。

ルナマリアは彼の言い訳をあっさり受け入れたようだ。生来、さっぱりした人柄《ひとがら》で、人の言葉を疑う性格ではないのだ。

「操縦してたのは護衛の人みたいよ。アレックスって言ってたけど……」

ここで彼女は突然《とつぜん》、目を輝《かがや》かせ、秘密めかしてささやきかける。

「……でも、アスランかも」

「え？」

シンは虚《きょ》を衝《つ》かれて目を瞬《またた》かせた。アスラン——その名も彼の記憶《きおく》のなかにあった。ルナマリアは身を乗り出して続ける。

「代表がそう呼んだのよ。とっさに、その人のことを——『アスラン』って。アスラン・ザラ、いまはオーブにいるらしいって噂《うわさ》でしょ？」

　アスラン・ザラ――当時の〝プラント〟評議会議長パトリック・ザラの息子《むすこ》にして、ザフトのエースパイロット。大戦中、敵の新型モビルスーツを単機で倒《たお》し、ネビュラ勲章《くんしょう》を授与《じゅよ》されて特務隊〝フェイス〟に配属された、軍部においてはエリート中のエリートともいうべき人物だ。しかしその後、軍を脱走《だっそう》し、行方《ゆくえ》しれずになっていたはずだ。彼のその後についてはさまざまな憶測《おくそく》がなされているが、その中にはたしかにオーブへ亡命したという説もあった。

「アスラン……ザラ……？」

　シンは自分たちの先輩《せんぱい》にあたる男の名をつぶやく。たしかにあのアスラン・ザラなら、はじめて乗った機体で〝アビス〟や〝ガイア〟を圧倒《あっとう》するような戦いができたとしても、不思議ではないかもしれない。

　しかしもしあれがアスラン・ザラならば、なぜアスハの護衛などをやっているのだ……？

　シンはしばし、釈然《しゃくぜん》としない思いを抱いた。

「しかしこの艦《ふね》も、とんだことになったものですよ」

　通路を進みながらデュランダルが述懐《じゅっかい》する。

「進水式の前日に、いきなりの実戦を経験せねばならない事態になるとはね……」

　アスランとカガリは彼に伴《ともな》われ、〝ミネルバ〟艦内《かんない》を案内されていた。彼らの先を、レイ・ザ・バレルという赤服を着た金髪《きんぱつ》の少年が先導する。すれ違《ちが》った兵士が一行に敬礼し、アスランは反射的に手を挙げて礼を返した。

先導するレイが一基のエレベータの前で立ち止まり、ドアを開きながら告げる。

「ここからモビルスーツデッキへ上がります」

「え……」

アスランたちはつい顔を見あわせた。しかしデュランダルはまるで頓着《とんちゃく》するようすもなく、彼らをうながしてエレベータに乗り込む。

それにしても、そこまで自分たちに見せていいのだろうか？　デュランダル議長も大盤振《おおばんぶ》る舞《ま》いにすぎるのではないか？

その彼はエレベータのなかで牽制《けんせい》するように説明する。

「艦のほぼ中心に位置するとお考えください。搭載《とうさい》可能機数は、むろん申し上げられませんし、現在その数量が載《の》っているわけでもありません」

むしろ情報の制限に安心させられるという、奇妙《きみょう》な状態になっている。アスランはちらりと疑うようにデュランダルの横顔を見やった。

自分たちは見くびられているのだろうか。こんな若造になにを見せてもわかりはしないと？　それともこれは、オーブの技術流出問題にはかばかしい答えをしない、せめてもの埋《う》め合《あ》わせのつもりなのだろうか？

議長の穏《おだ》やかで端整《たんせい》な顔立ちのどこにも、底意のあるようすは窺《うかが》えない。だがなぜか、この男のやることなすことに、深い意味がひそんでいるような気がしてしまう。この滑《なめ》らかすぎる弁舌《べんぜつ》のせいだろうか。

だが、エレベータのドアが開いたとたん、アスランは議長への詮索《せんさく》など忘れて息をのむ。広々とした格納庫《ハンガー》には、ずらりと例の〝ザク〟が並んでいた。

「ZGMF－1000――〝ザク〟はもうすでにご存知でしょう。現在のザフト軍主力の機体です――」

モビルスーツに対する興味はアスランと同様のカガリも、思わず前に出て感嘆《かんたん》のまなざしをその空間に投げる。その眼前には四層になったデッキがあり、そこに〝アーモリーワン〟で見た白いモビルスーツのパーツが収容されていた。

「――そしてこの〝ミネルバ〟最大の特徴《とくちょう》ともいえる、この発進システムを使う〝インパルス〟――工廠《こうしょう》でごらんになったそうですが？」

「あ、はい……」

話を向けられ、アスランは落ちつかない気分でうなずく。

「技術者に言わせると、これはまったく新しい、効率のよいモビルスーツシステムなんだそうですよ。私にはあまり、専門的なことはわかりませんがね」

デュランダルは得意げに言ったあと、カガリにからかうような目を向けた。

「――しかし、やはり姫《ひめ》にはお気に召《め》しませんか？」

カガリは一瞬《いっしゅん》の熱意に、かえって罪悪感をおぼえたかのように硬《かた》い表情でいた。彼女はデュランダルの言葉に反応し、挑《いど》むように言う。

「議長は、うれしそうだな」

あまりに単純で子供じみたカガリの言葉に、デュランダルは失笑《しっしょう》した。

「うれしい――というわけではありませんがね。あの混乱のなかから、みなで懸命《けんめい》にがんばり、ようやくここまでの力を持つことができたと言うことは、やはり……」

「力か……」

カガリはやりきれない表情でつぶやき、キッとその目を上げる。

「争いがなくならぬから力が必要だ――とおっしゃったな、議長は」

まっすぐで硬質《こうしつ》なカガリの視線を、デュランダルはどこまでも柔《やわ》らかな物腰《ものごし》で受け止める。

「ええ」

「だが！　ではこのたびのことはどうお考えになる⁉　あのたった三機の新型モビルスーツを奪《うば》おうとした連中のために、貴国がこうむったあの被害《ひがい》のことは⁉」

カガリは激した口調でただし、デュランダルはまるで挑発《ちょうはつ》するように聞き返す。

「だから、力など持つべきではないのだと？」

「そもそもなぜ必要なのだ⁉　そんなものが、いまさら！」

カガリはもどかしげに訴《うった》える。その声はしだいに大きくなり、モビルスーツデッキの高い天《てん》井《じょう》にはね返って響《ひび》く。作業しているスタッフがこちらに奇異《きい》の目を向けた。だが彼女はどう見られるかなど、かまってはいない。彼女が危惧《きぐ》するのは現在、世界が向かう先だけだ。

「我々は誓《ちか》ったはずだ！　もう悲劇は繰《く》り返さない。互《たが》いに手を取って歩む道を選ぶと！」

それなのに――なぜ人は同じ過《あやま》ちを繰り返そうとする？　このままではダメだと悟《さと》って、互いの手を握《にぎ》りあったはずなのに、なぜ――？

アスランにはカガリの心中が手に取るようにわかった。母の死した地〝ユニウスセブン〟で人々が融和《ゆうわ》を誓い合ったとき、彼もまた、これですべてが終わると信じたのに……。

――そのとき、少年のものらしい声が下方から投げつけられた。

「さすが、きれいごとはアスハのお家芸だな！」

聞こえよがしに発せられた嘲弄《ちょうろう》に、アスランは驚《おどろ》いて声の方を見やる。アスハという名を口にした以上、こちらが国賓《こくひん》級のＶＩＰとわかっての発言に違いない。

「シン！」

ここまで先導してくれたレイという兵士が、怒《いか》りにやや表情を硬くして手すりを飛び越《こ》える。彼の向かった先には同じ赤服を身につけた少年の後ろ姿があった。シンと呼ばれた少年は、ゆっくりと振《ふ》り返り、挑むようにカガリを見上げる。彼の目を見たとたん、アスランの憤《いきどお》りは一瞬にして冷めた。

その瞳《ひとみ》は燃え上がるような深紅。怒《いか》りに染まった、忘れようのない色だった。

アスランの隣《となり》で、カガリがたじろぎ、わずかに身を引いた、そのとき——

〈——敵艦捕捉《てきかんほそく》。距離《きょり》八〇〇〇！〉

一触即発《いっしょくそくはつ》の空気を、鳴り響くアラートが打ち破る。

〈コンディション・レッド！　パイロットは搭乗機《とうじょうき》にて待機せよ！〉

「最終チェック急げ！　はじまるぞーっ！」

とたんに、シンの発言に凍《こお》りついていたスタッフが、その空気を消去《デリート》するかのように慌《あわ》ただしく動きはじめる。とらえて叱責《しっせき》しようとしていたレイの手を振り払《はら》い、シンがモビルスーツデッキから飛び出していく。

「シン！」

その後ろ姿に呼びかけたあと、レイはこちらに向きなおり、折り目正しく敬礼した。

「申し訳ありません、議長！　この処分は後ほど、必ず！」

そして自分も戦闘《せんとう》に備えてその場を離《はな》れていく。デュランダルがいまさらながら取りなすようにカガリに弁明した。

「本当に申し訳ない、姫。彼はオーブからの移住者なので……。よもやあんなことを言うとは、思いもしなかったのですが……」

「えっ……？」

わけがわからない表情だったカガリは、その言葉に衝撃《しょうげき》を受けて、シンの消えた方向に目をやる。アスランはかすかな危惧を胸に、深い動揺《どうよう》にさざめく彼女の表情を見つめた。

「イエロー五〇マーク八二チャーリーに大型の熱源！　距離八〇〇〇！」

センサーを読み取っていたクルーが声を上げ、〝ガーティ・ルー〟艦橋《ブリッジ》に緊張《きんちょう》が張りつめた。

「やはり来ましたか」

リーが淡々《たんたん》とつぶやき、ネオは肩《かた》をすくめた。

「ああ、ま、ザフトもそう寝《ね》ぼけてはいないということだ」

飄然《ひょうぜん》と感想を漏《も》らしたあと、彼は声を張った。

「ここで一気に叩《たた》くぞ！――総員戦闘配備、パイロットをブリーフィングルームへ！」

艦橋窓からは、青い地球を取り巻く宇宙塵《デブリ》の帯が目前に見えていた。

――アラートの鳴り響く艦内で、ステラは目覚めた。身を起こし、周囲を見回すと、残りのベッドのなかに仲間たちの姿はない。どうやら自分だけ寝坊《ねぼう》したみたいだ。

目元をこすると、指先が濡《ぬ》れた。自分は眠《ねむ》りながら泣いていたらしい。ステラは不思議そうに、指先についた涙《なみだ》の滴《しずく》を見た。

なんで自分は泣いていたんだろう。なにも泣くようなことなんてないのに。目覚めはこのうえなく快適で、自分は幸せな気分なのに。いつもと同じく。

彼女がパイロットロッカーに入っていくと、すでにほとんど着替《きが》え終わっていたスティングとアウルが楽しそうに会話していた。

「あの新型艦《かん》だって？」

アウルが訊《き》き、スティングはうなずく。

「ああ。来るのはあの合体ヤローかな？」

スティングもアウルも機嫌《きげん》がいい。いつも戦闘の前はこうだ。ステラにしても、これからモビルスーツに乗れると思うとわくわくしてくる。

『合体ヤロー』――そういえば、合体するヘンな新型機がいたな、とステラは思い出した。気にせず黙々《もくもく》とパイロットスーツを着込む。スティングたちは彼女を見もしない。ずっと男も女も関係なく育てられてきた彼らだから、お互いが裸《はだか》で立っていようと何とも感じない。

アウルが不敵に笑いながら言う。

「――なら、今度こそバラバラか、生け捕《ど》るか……」

「どっちにしろ、また楽しいことになりそうだな、ステラ？」

スティングに話を振られ、ステラはそちらに顔を向けたが黙《だま》っていた。話をよく聞いていなかったから、どう返事すればいいかわからなかったのだ。二人の仲間はぼうっとした彼女の顔を見つめ、やれやれといった表情で苦笑《くしょう》した。

「向こうも、よもやデブリの中に入ろうとはしないでしょうけど、危険な宙域での戦闘になるわ。操艦、頼《たの》むわよ」

タリアが念を押すと、操舵士《そうだし》のマリクが「はっ！」と緊張した声を出した。

デブリベルト――宇宙開発がはじまって以来、廃棄《はいき》された宇宙ゴミ、また小惑星《わくせい》のたぐいが、地球の引力に引かれてたどり着く宙域だ。さきの大戦のきっかけになった〝ユニウスセブン〟も、いまは地球を取り巻くこの帯の中に存在する。

「シンとルナマリアで先制します。――準備、終わってるわね？」

「はい！」

メイリンが答え、バートが縮まっていく敵艦との距離を読み上げる。

「目標まで六五〇〇！」

慌ただしい艦橋《ブリッジ》のドアが開いた。タリアは入室してきた人物の予想を立てながら振り返る。

「いいかな、艦長？」

最初に入ってきたのは彼女の予想どおりデュランダル議長だ。だがそのあとに続いてきた二人を目にして、タリアは自分の想像力がまだまだ足りなかったことを知った。

「私はオーブの方々にも艦橋《ブリッジ》に入っていただきたいと思うのだが」

デュランダルはこちらの戸惑《とまど》いなど気づかないかのように言い、一方、同行したカガリ・ユラ・アスハと随員《ずいいん》は、艦橋《ブリッジ》に歓迎《かんげい》しない雰囲気《ふんいき》を感じとって気まずい表情になる。

「あ……いえ、それは……」

他国の人間に艦を見せて回ること自体、タリアは賛成ではないが、さすがにこれはやりすぎだ。戦闘中の艦橋《ブリッジ》に部外者が――まして他国の要人が入り込むなどとんでもない。断固として拒否《きょひ》しようとしたタリアに向かって、デュランダルが言葉を重ねる。

「きみも知ってのとおり、代表はさきの大戦で艦の指揮も執《と》り、数多くの戦闘を経験されてきたかただ。そうした視点からこの艦《ふね》の戦いを見て頂こうと思ってね」

そうした視点からだけは見てほしくない、というのがタリアの切なる願いだ。戦闘経験のないデュランダル一人の方がまだマシだった。前大戦での戦歴がどうであろうと、小娘《こむすめ》の生兵法などにつき合わされてたまるものか。

だが、紹介《しょうかい》された当の本人は、どこか沈《しず》んだ表情で居心地悪そうだ。このままおとなしくしていてくれれば問題ないのだが。

「……わかりました。議長がそうお望みなのでしたら」

タリアはしかたなくそう言った。考えてみればアスハ代表も、少なくとも実戦を経験しているのだ。ならば、指揮官の立場を尊重することくらいは知っているだろう。そうでなければいつでも艦橋《ブリッジ》の外に放《ほう》り出せば――いや、丁重《ていちょう》にお引き取り願えばいいのだ。

「ありがとう、タリア」

デュランダルが親しげな笑《え》みを見せ、部外者《オブザーバー》三人が後部のシートに着く。

「目標まで六〇〇〇!」

「艦橋遮蔽《ブリッジしゃへい》。対艦、対モビルスーツ戦闘《せんとう》用意！」

タリアの声に応《こた》えて、艦橋《ブリッジ》が沈みはじめると、オーブからの客人は遮蔽《しゃへい》システムに驚《おどろ》いた顔になった。

「〝インパルス〟、発進スタンバイ。モジュールはブラストを選択《せんたく》。シルエットハンガー三号を開放します……」

モビルスーツデッキではルナマリアの〝ザクウォーリア〟とシンの〝コアスプレンダー〟の発進準備が進んでいる。

「――目標、進路そのまま、距離《きょり》四七〇〇」

バートの報告を受け、タリアは命じた。

「〝ザク〟、〝インパルス〟、発進」

「〝ガナーザクウォーリア〟、カタパルト・エンゲージ」

メイリンが告げ、赤い〝ザクウォーリア〟がカタパルトから射出された。長砲身《ほうしん》のM1500オルトロス高エネルギー長射程ビーム砲と大容量エネルギータンクを背面に装備した〝ガナーザクウォーリア〟仕様だ。〝ザク〟も〝インパルス〟と同様、背面モジュールを付け替《か》えることによって、一機で複数の戦局に対応できる機体なのだ。

「〝ボギーワン〟か……」

背後で、唐突《とうとつ》にデュランダルが、隣席《りんせき》に座した少年に向かって話しかけるのが耳に入った。

「本当の名前は何というのだろうね、あの艦《ふね》の?」

「は?」

いきなり話しかけられたアスハ代表の随員は、戸惑った声を発した。たしか、アレックス・ディノという黒髪《くろかみ》の少年だ。代表の私的な護衛ということだが、タリアの見たところ軍人上がりだろう。だが護衛と言うには威圧感《いあつ》もなく、物静かそうな容貌《ようぼう》で、話し方も知的だ。

「――続いて〝インパルス〟、どうぞ!」

眼下から白い機体が飛び出す。〝インパルス〟も〝ザクウォーリア〟同様、砲戦《ほうせん》仕様だ。〝コアスプレンダー〟の機首と翼端《よくたん》が折りたたまれ、続けて射出された脚部《きゃくぶ》ユニット〝レッグフライヤー〟、胸部ユニット〝チェストフライヤー〟と合体する。瞬《また》く間にそこには一機のモビルスーツが出現し、その背面に〝ブラストシルエット〟が装着される。モビルスーツの身の丈《たけ》ほどもある太い砲身《ほうしん》のビーム砲とレールガン、その他ミサイルポッドを備えたモジュールだ。機体が色づき、四肢《しし》が白、胸部と肩《かた》が黒と暗緑色に変わる。

〝インパルス〟の装甲《そうこう》は特殊《とくしゅ》なPSシステムを使用しており、装着する背面モジュールによって機体の色に差異が現れる。これはモジュールの機能ごとに消費電力が異なるためで、〝インパルス〟の装甲制御《せいぎょ》システムがモジュールごとにPS機能の最適化を行ない、それによって機体の電力消費量を抑《おさ》える。この最適化によって〝インパルス〟の稼動《かどう》時間は従来より格段に長くなった。これを可変相転移装甲《VPS》と呼ぶ。装甲の彩色《さいしき》変化は最適化の副作用ともいうべきものだ。

「名はその存在を示すものだ……」

〝ザク〟と〝インパルス〟のあとに、〝ゲイツR〟が二機、さらに射出される。宇宙空間を遠ざかっていくモビルスーツを見送りながら、タリアは聞くともなしに背後で交わされる会話を聞いていた。

「……ならばもし、それが偽《いつわ》りだったとしたら？　それはその存在そのものも偽り――ということになるのかな？」

議長はこんな場所でやけに実存主義的な話をしている。タリアが少しおかしく思っていると、彼はいきなり、爆弾《ばくだん》を投げ入れるようなことを口走った。

「アレックス――いや、アスラン、、、、・ザラ君？」

――アスラン・ザラですって⁉

タリアは振《ふ》り向きたいという衝動《しょうどう》をかろうじて抑え込んだ。


〈あんまり成績よくないんだけどね。デブリ戦……〉

ルナマリアが通信機ごしに、ぼそりとつぶやく。シミュレーションでの戦歴の話だ。小惑星《わくせい》やコロニーの構造材らしき破片《はへん》が、ときおり視界をさえぎる。シンは同僚《どうりょう》を低く咎《とが》めた。

「向こうだって、もうこっちをとらえてるはずだ。油断するな！」

ルナマリアが言い返す。

〈わかってる！　レイみたいな口きかないでよ。調子狂《くる》うわ！〉

彼らと二機の〝ゲイツR〟はデブリの海を進む。破壊《はかい》されたコロニーの破片が漂《ただよ》う、前大戦の墓場のような場所だ。戦艦《せんかん》の位置を示す大型の熱量が、手元のモニターに光点として表示されている。これが敵艦《てきかん》――〝ボギーワン〟だ。その光点はさっきから一ヶ所にとどまり、待ち構えるように動かない。

――何でだ？

接近するに従って、シンは徐々《じょじょ》に不審《ふしん》を抱《いだ》きはじめる。敵艦までの距離はすでに一五〇〇を切った。さっきルナマリアに言ったとおり、向こうでもこちらの接近に気づいているはずだ。

――何でまだ、なにも手を打ってこない……？

そのとき、コロニーの残骸《ざんがい》の陰《かげ》でなにかが動いた。

「――ランチャーワンからランチャーシックス、一番から四番、〝ディスパール〟装填《そうてん》！　CIWS、〝トリスタン〟起動！――今度こそしとめるぞ！」

戦闘《せんとう》準備に余念のない艦橋《ブリッジ》で、こちらをにこやかに見つめるデュランダルを、アスランは無言で睨《にら》み返す。この人は、最初から気づいていたのだ――いまになってアスランは悟《さと》る。

「議長、それは……！」

アスランの横で、カガリが腰《こし》を浮《う》かせて声を上げた。するとそれを制するようにデュランダルは穏《おだ》やかに笑いかける。

「ご心配には及《およ》びませんよ、アスハ代表。私はなにも彼を咎めようというのじゃない」

モビルスーツ管制の少女が、こちらの会話が気になるように、ちらちらと盗《ぬす》み見ている。当然、グラディス艦長にも聞こえているだろう。

「——すべては私も承知済みです。カナーバ前議長が彼らにとった措置《そち》のことはね」

カガリがまだ不安げな表情で、座りなおす。だが不問に処すというなら、なぜこの場でアスランの正体を暴露《ばくろ》する必要があるのだろう？

不信の目で見つめるアスランに、デュランダルが目を合わせた。

「ただ、どうせ話すなら——本当のきみと話がしたいのだよ、アスラン君。それだけのことだ」

議長はやわらかな笑《え》みを浮かべたままだというのに、アスランはその視線が痛いように感じられて目をそらした。

——その存在そのものが偽り……。

さっきの言葉がよみがえり、胸を突《つ》き刺《さ》す。

偽りの存在？　自分はなにも偽ってはいない。たしかに便宜上《べんぎじょう》、以前と違《ちが》う名を名乗ってはいるが、それだけのことだ。自分はかつてのアスラン・ザラとなんら変わってはいない。

だがデュランダルの視線は、なにかをほのめかすのをやめない。

「〝インパルス〟、〝ボギーワン〟まで一四〇〇！」

困惑《こんわく》するアスランの耳に、オペレーターの声が入り込む。その報告を聞いた副長が当惑げに首をひねっている。

「いまだ針路も変えないのか……？　どういうことだ。なにか作戦でも……？」

アスランは一拍遅れ《いっぱくおく》て事態を悟った。全身の毛が逆立つ。

「──しまった！」

「囮《デコイ》だっ！」

グラディス艦長とアスランが叫《さけ》んだのは、ほぼ同時だった。

デブリの陰《かげ》から飛び出したのは、〝カオス〟、〝ガイア〟、〝アビス〟の三機だった。シンは息をのみ、とっさに回避《かいひ》運動に入る。こちらの四機は散開し、〝アビス〟のビーム斉射《せいしゃ》がその間を駆《か》け抜《ぬ》ける。第一波はかわした。しかし分離《ぶんり》した〝カオス〟の兵装ポッドが一機の〝ゲイツR〟を押し包み、両側からビームで串刺《くしざ》しにする。戦闘開始後わずか一秒で、味方の機体が一機、炎《ほのお》に包まれた。

〈ショーン！〉

ルナマリアの叫びがシンの耳に突き刺さる。

「散開して各個に応戦っ！」

シンはうわずった声で命じ、赤い〝ザク〟と〝ゲイツR〟がその言葉に従って離《はな》れていく。目まぐるしく動き回る兵装ポッドが前後からビームを射かけてくる。シンは呻《うめ》いた。

「くそっ！　待ち伏《ぶ》せかっ!?」

母艦に何の動きもないからといって油断していた。

交錯《こうさく》するビームをかわしながら、彼は苛立《いらだ》たしげにモニターの光点を睨みつける。と、その光点が画面上から消えた！

「〝ボギーワン〟が……!?」

シンは自分の目が見たものを理解できずに啞然《あぜん》とする。

「〝ボギーワン〟、消失《ロスト》！」

そのころ、〝ミネルバ〟艦橋《ブリッジ》でも同様の事態を観測したパートが当惑の声を上げていた。アーサーが目を剝《む》く。

「なにぃ!?」

「ショーン機もシグナルロストですっ！」

メイリンが悲鳴のような声で叫ぶ。

「イエロー六二ベータに熱紋《ねつもん》三！　これは――　〝カオス〟、〝ガイア〟、〝アビス〟です！」

タリアは唇《くちびる》を嚙《か》んだ。つまり、すでにショーンは例の三機に墜《お》とされたということか！

「索敵《さくてき》急いで！　〝ボギーワン〟を、はやく！」

だが彼女の言葉の残響《ざんきょう》も消えぬうちに、バートがセンサーの表示に反応する。

「ブルー一八マーク九チャーリーに熱紋！――〝ボギーワン〟ですっ！　距離《きょり》、五〇〇！」

「えええっ⁉」

アーサーが驚愕《きょうがく》に腰を浮かし、タリアもその座標に愕然《がくぜん》とする。

――後ろ……⁉

「さらにモビルスーツ、二！」

「測敵レーザー照射、感あり！」

完全にしてやられた……！

タリアは臍《ほぞ》をかみながら、すばやく指示を飛ばす。

「アンチビーム爆雷《ばくらい》発射！　面舵《おもかじ》三〇、〝トリスタン〟照準――！」

「ダメです！　オレンジ二二デルタにモビルスーツ！」

バートが叫び返す。背後をとられて敵にロックオンされ、回頭もままならない。タリアはこの状況《じょうきょう》に憤《いきどお》りながら叫ぶ。

「機関最大！　右舷《うげん》側の小惑星《わくせい》を盾《たて》に回り込んで！」

〝ミネルバ〟は背後から迫《せま》るミサイルを振《ふ》り切るように走り出す。右舷に巨大《きょだい》な岩塊《がんかい》がぐうっと迫る。ミサイルは〝ミネルバ〟に追いすがり、後部の迎撃《げいげき》システムに撃《う》ち落とされ、あるいは小惑星の突き出した岩肌《いわはだ》に激突《げきとつ》して炎の花を咲《さ》かせる。その衝撃《しょうげき》を受けて艦橋《ブリッジ》はシェイクされ、クルーたちの悲鳴が漏《も》れる。タリアは彼らを叱咤《しった》するように命じた。

「メイリン！　シンたちを戻《もど》して！　残りの機体も発進準備を！　アーサー、迎撃！」

「くっそォォッ！」

シンたちはなかなか態勢を立て直せず、敵の砲撃《ほうげき》を避《さ》けて逃《に》げ回る一方だった。目前で敵艦《てきかん》をロストした心理的混乱が尾《お》を引いている。シンには状況がつかめなかった。

――敵艦《ボギーワン》はどこだ!?

その疑問が頭に浮《う》かぶが、敵モビルスーツの猛攻《もうこう》にすぐ押し流される。〝アビス〟がシールド内三連装ビーム砲《ほう》と胸部のカリドゥス複相ビーム砲を同時に放った。七本のビームが、コロニー反射鏡《ミラー》の向こうに隠《かく》れた〝ゲイツR〟をミラーごと蜂《はち》の巣《す》にする。

〈デイル！――あっという間に二機も……そんなバカなっ！〉

ルナマリアが悲痛な声を上げ、シンは苦いものをこらえて歯を食いしばる。

そのとき手元にレーザー通信で送られてきた電文が入った。それに目を走らせたシンは、やっと〝ボギーワン〟の位置を知って呆然《ぼうぜん》とする。電文はその敵艦の奇襲《きしゅう》を受けた〝ミネルバ〟が、帰艦をうながすものだったのだ。

ルナマリアもその電文を見て驚愕の声をあげる。

〈私たち、まんまとハマったたってわけ!?〉

〈〝ミネルバ〟が!?〉

「ああ、そういうことだね！」

ヤケになったようにシンは叫《さけ》び返し、〝カオス〟の兵装ポッドから撃ちかけられたビームを回避《かいひ》する。

自分たちは敵の罠《わな》に引っかかった。敵艦はどこかにエンジンを切って身を潜《ひそ》め、その間自分たちは偽《にせ》のデータを発信する囮《おとり》を追いかけていたのだ。そして主力モビルスーツを引き離したうえで、敵艦は悠々《ゆうゆう》と現れて〝ミネルバ〟を叩《たた》く——。

シンは次々と追いかけてくるビームをよけながら、悔《くや》しげに叫んだ。

「——けどこれじゃ、戻れったってっ！」

焦《あせ》る気持ちと裏腹に、戦況《せんきょう》は一方的に彼らの不利だ。敵機を振り切って帰艦するどころか、いまは撃破《げきは》された〝ゲイツ〟二機のあとを追わずにいるのが精一杯《せいいっぱい》だった。

「粘《ねば》りますな」

イアン・リーは、いちおう評価する、という口調でつぶやいた。

モニターには小惑星上に刻まれた溝《みぞ》に身を潜めた敵艦が映っている。側面から接近していた

〝ダガーL〟二機が、放たれたミサイルを回避して離《はな》れた。〝ガーティ・ルー〟に船尾《せんび》を向けている向こうはもちろんだが、小惑星という遮蔽《しゃへい》物に隠れられたこちらも効果的な砲撃を封《ふう》じられている。

「だが、戦艦《ふね》は足を止められたら終わりさ」

ネオ・ロアノークがせせら笑うように応じたあと、鋭《するど》く命じる。

「敵艦《ヤツ》がへばりついてる小惑星にミサイルをぶち込め！　砕《くだ》いた岩のシャワーをたっぷりとお見《み》舞《ま》いしてやるんだ！　船体が埋《う》まるほどにな！」

リーはひそかにうなずく。なるほど。直接当てる必要はないということだ。周囲のものを間接的に凶器《きょうき》に変えればよい。敵が頼《たの》みとする避難所《ひなんじょ》を。

指示を下したあと、例によってネオは立ち上がる。

「さてと……出て仕上げてくる。後を頼むな」

「はっ」

上官はリーに言い置いて艦橋《ブリッジ》を出て行く。リーもまた例によって、彼のお楽しみに水をさすのはやめた。

「後ろを取られたままじゃどうにもできないわ！　回り込めないの!?」

グラディス艦長が苛立《いらだ》ちもあらわにたずねるが、操舵士《そうだし》は首を振る。

「無理です！　回避だけでいまは……！」

「レイの〝ザク〟を……」

副長が言いかけるが、今度は艦長が一蹴《いっしゅう》する。

「これでは発進進路も取れないわ！」

たしかに小惑星にへばりついたいまの状態では、モビルスーツをカタパルトで射出するだけのスペースは確保できない。

アスランは〝ミネルバ〟が危《あや》うい状況《じょうきょう》にあることを理解していた。遮蔽物を得て敵艦からの直撃《ちょくげき》は避けたものの、側面から〝ダガーL〟の攻撃《こうげき》を受けて身動きが取れない。このままではじわじわと追いつめられるだけだ。

「これではこちらの火器の半分も……！」

艦長が悔しそうに呻《うめ》く。主砲《しゅほう》などの射角では背後の敵をとらえることはできない。ミサイルを放っても、周囲に浮遊《ふゆう》している岩の破片《はへん》やデブリに阻《はば》まれて敵艦まで届くことはないだろう。

「ミサイル接近！　数六！」

そのとき索敵《さくてき》担当兵が敵艦からの砲撃を告げ、「迎撃！」とグラディス艦長が反射的に命じる。が、アスランはミサイル群の予想コースを見て違和《いわ》感をおぼえる。

――直撃コースじゃない……？

当てることはどうせできないからと、やみくもに撃《う》ってきたのか？――そう考えかけた彼の目が、外部の岩壁《がんぺき》に吸い寄せられた。

「——まずい！」

彼は思わず席を立って叫んでいた。

「艦《ふね》を小惑星《わくせい》から離してください！」

「えっ!?」

グラディス艦長《かんちょう》が振《ふ》り返りかける。だがもう遅《おそ》い——！

ミサイルは〝ミネルバ〟が身を寄せている小惑星に次々と命中し、岩壁をえぐり、破片をまき散らした。無数の破片が反動のまま吹《ふ》き飛ばされ、船体に突《つ》き刺《さ》さる。横殴《よこなぐ》りの衝撃《しょうげき》が艦を襲《おそ》った。

「右舷《うげん》がっ……艦長ォッ！」

副長のアーサーが悲鳴のような声で叫び、轟音《ごうおん》にかき消されそうになりながら艦長の声が指示を飛ばす。

「離脱《りだつ》する！　上《あ》げ舵《かじ》一五！」

だがその指示も終わらぬうちに、索敵担当が叫ぶ。

「さらに第二波接近ーっ！」

「減速二〇！」

ミサイルの進路を読み取った艦長が命じる。第二波のミサイル群は艦の前方に命中し、艦は吹き飛ばされた岩の弾幕《だんまく》を今度は正面から食《く》らう。アスランはただシートから振り飛ばされないようにしがみつき、隣《となり》のカガリに目をやることくらいしかできない。岩の破片は恐《おそ》るべき凶器となって船体を襲う。目の前にはじかれて飛来した巨岩《きょがん》が突き刺さる。艦長が減速を命じていなければ、船体は一瞬《いっしゅん》で潰《つぶ》されていたかもしれない。だがこの巨岩によって、〝ミネルバ〟は完全に進路をふさがれてしまった。

「四番六番スラスター破損！——艦長！　これでは身動きがっ……！」

恐慌《きょうこう》の表情でアーサーが告げる。岩の弾丸《だんがん》によって右舷のスラスターが破損したらしい。前へは進めず、右には岩壁、後ろからは敵艦《てきかん》が迫《せま》る。スラスターが潰されては回頭も、左方向への移動もできない。

「〝ボギーワン〟は!?」

「ブルー二二デルタ、距離《きょり》一一〇〇！」

そこへモビルスーツ管制の声が飛び込む。

「さらにモビルアーマー、モビルスーツ接近っ！」

少女の声に、一同は暗然たる表情になる。敵は動けない〝ミネルバ〟に、確実にとどめを刺そうというのだ。カガリが緊張《きんちょう》した表情でこちらを見やり、アスランは唇《くちびる》を噛《か》む。

——このままではやられる！　自分はいい。だがカガリの身になにかあったら……！

なのに自分はここでただ座り、他人が手を打つのを待つしかないのだ。

一瞬の静寂《せいじゃく》に包まれた艦橋《ブリッジ》で、グラディス艦長が艦内通話の受話器を取った。

「エイブス！　レイを出して！」

アスランは彼女を疑わしげに見やる。この状況で発進進路を取ることなど、できはしないだろうに。通話の相手も同じことを言ったのだろう。しかし艦長は怒鳴《どな》りつけるように命じる。

「——歩いてでも何でもいいから！　急いで！」

そして通話を切ると、モビルスーツ管制に鋭《するど》い声を投げる。

「シンたちは!?」

管制の少女はいまにも泣きだしそうな表情で答えた。

「〝インパルス〟、〝ザク〟は依然《いぜん》〝カオス〟、〝ガイア〟、〝アビス〟と交戦中です！」

そちらの掩護《えんご》は期待できないだろう、とアスランは思う。あの三機を相手にしては、墜《お》とされずに戦い続けるだけでも困難のはずだ。そして敵の三機は、こちらのモビルスーツの足止めを命じられているに違《ちが》いないのだから。

頭ではそう理解しながらも、アスランもまた彼らが帰ってこられないことに、どうしようもない苛立ちをおぼえる。

「この艦《ふね》には、もうモビルスーツはないのか？」

突然《とつぜん》、それまで黙《だま》って見守っていたデュランダルが問いを発し、アスランは考えから引き戻《もど》される。艦長が振り返って、無造作に答えた。

「……パイロットがいません」

アスランの心臓がびくりと跳《は》ね上がった。隣のカガリがその言葉にはじかれたようにアスランを見る。

——パイロットならいる……ここに。

後ろめたいような思いにとらわれ、アスランは周囲の視線を避《さ》けてうつむいた。

シンは〝カオス〟と〝アビス〟に挟撃《きょうげき》され、追い込まれるように廃《はい》コロニーのシャフトに飛び込んでいた。

「——これじゃ位置が……！」

シンは猛《もう》スピードでシャフトを突っ切りながら呻《うめ》く。シャフトは片側こそガラス張りだが、三方は完全に密封《みっぷう》された細長いスリット状の空間だ。こんな視界の悪い場所では、敵機がどこからしかけてくるか予想できない。

〈シンっ！〉

ルナマリアの声が耳に飛び込むと同時に、赤い機体がガラスを破って突っ込んでくる。ビームがその機体を追ってシャフトをかすめる。シンはとっさに背面にマウントされた太い砲身《ほうしん》をはね上げ、トリガーを引いた。機体が慣性のまま横滑《よこすべ》りし、ビームの矢が宇宙空間を横薙《よこな》ぎにする。寸前で〝ガイア〟が方向転換《てんかん》し、エネルギーの奔流《ほんりゅう》を避けた。

そのまま〝インパルス〟はシャフトを飛び出し、ルナマリアの〝ザク〟もそれに続いた。

「くそっ……〝ミネルバ〟がっ！」

焦《あせ》りの声がシンの口から漏《も》れ、ルナマリアも叫《さけ》ぶ。

〈戻らないと、やられちゃうわよ！〉

「わかってる！」

〝ミネルバ〟にはレイしか残っていない。一機の〝ザクファントム〟でどれだけ母艦《ぼかん》を守りきれるか……⁉

廃コロニーの陰《かげ》からシンが飛び出したところで、彼の背後をビームが駆《か》け抜《ぬ》ける。ひやりとして振《ふ》り返ったが、ルナマリアは危《あや》ういところで制動をかけていた。上方から〝カオス〟と〝アビス〟が急迫《きゅうはく》する。〝インパルス〟がM２００F〝ケルベロス〟を二門とも腰《こし》だめに構え、同時にMMI－M１６XE２デリュージー超《ちょう》高初速レール砲《ほう》の砲身が肩《かた》で展開する。合計四つの砲口が同時に火を噴《ふ》く。飛びのいた二機を追尾《ついび》して撃《う》ちつづけると、大出力のビームが巨大《きょだい》なコロニー構造体を中途《ちゅうと》から真っ二つに切り裂《さ》いた。

ビームに追われた〝アビス〟を、ルナマリアが遮蔽物《しゃへいぶつ》から飛び出して狙《ねら》う。みごとな連携《れんけい》だったが〝アビス〟はすんでのところでその狙撃《そげき》も外した。まるで後ろに目がついているかのようだ。いつの間にか、シンの背後には〝カオス〟と〝ガイア〟がぴたりとつけている。

「ちッ……！」

シンは足のスラスターを噴射《ふんしゃ》する。逆上がりするように〝インパルス〟がくるりと背面を向いた瞬間《しゅんかん》、背中のバーニアを全開する。追っていた相手に逆に突《つ》っ込まれ、〝カオス〟と〝ガイア〟は左右に散開する。その二機を追って〝インパルス〟は両肩からミサイルを放った。自動追尾するＡＧＭ１４１ファイアーフライ誘導《ゆうどう》ミサイルを、〝カオス〟と〝ガイア〟はあるいは撃ち落とし、あるいは遮蔽物の陰に隠《かく》れてやり過ごす。

シンは悔《く》やしさに歯噛《はが》みする。この敵を振り切って母艦に駆けつけるまでには、まだまだ時間がかかりそうだった。

「艦長、〝タンホイザー〟で前方の岩塊《がんかい》を……」

焦った面持《おもも》ちで見守るアスランの前では、アーサーが艦長に提案している。

「……吹《ふ》き飛ばしても、それでまた岩肌《いわはだ》えぐって、同じ量の岩塊をまき散らすだけよ」

グラディス艦長に一言のもとに却下《きゃっか》され、アーサーは情けない顔で黙り込む。開いたハッチから、白い〝ザクファントム〟がバーニアを噴かしながらふわりと飛び立つ。現在の頼《たの》みの綱《つな》はこの一機のモビルスーツだけなのだ。

だが――と、アスランは考える。レイの〝ザク〟にしても、敵モビルスーツとモビルアーマーの接近を防ぐことしかできまい。一機ではそれも荷が重かろうが、ここで仮にアスランが出ても同じことだ。〝ミネルバ〟はあいかわらず身動きできず、敵艦《てきかん》は背後から着々と迫《せま》っている。艦長もその問題の解決案に頭を悩《なや》ませているのだろう。こちらから見える指が、せわしなくアームを打っている。

ふと、アスランの頭にひらめいたものがあった。

敵はこの小惑星《わくせい》を使って攻撃《こうげき》してきた。ならば同じ発想を用いればどうだ？

「右舷《うげん》のスラスターはいくつ生きているんです？」

唐突《とうとつ》に言葉を発したアスランに、考えを中断されたグラディス艦長が明らかに険悪な目を向ける。当然の反応だ。アスランには操艦に口を挟《はさ》む権限などない。だがそんなことなどかまっていられるときではなかった。

アスランの右に座したデュランダルがうながすように見ると、艦長はしぶしぶといった調子で答えを返す。

「六基よ。——でもそんなのでノコノコ出てっても、またいい的にされるだけだわ！」

そこで話は終わったとばかりに前に向きなおりかける彼女の背に向かって、アスランはたたみかけるように言った。

「同時に右舷の砲をいっせいに撃つんです！　小惑星に向けて！」

とたんに、むこうを向きかけていたグラディス艦長の頭が回り、驚《おどろ》きの表情を浮《う》かべた顔がふたたびアスランを見た。アスランは熱をこめて彼女に訴《うった》えかける。

「爆圧《ばくあつ》で一気に船体を押し出すんですよ！　まわりの岩もいっしょに」

「あ……」

それはグラディス艦長には思いもかけない発想だったのだろう。そして同時に、ひどくリスクの高い方法だ。彼女の形のいい眉《まゆ》がひそめられる。いまその頭の中では、アスランの提案がもたらすものとリスクが秤《はかり》にかけられているに違《ちが》いない。

「バカ言うな!」

リスクの方に目を向けたのは副長のアーサーだ。

「そんなことをしたら、〝ミネルバ〟の船体だって……!」

小惑星を撃つ——それはさきほど敵の砲撃《ほうげき》で受けたのと同じダメージを艦に与《あた》えることになる。すでに傷ついている艦がその衝撃《しょうげき》に耐《た》えられるか?

だがアスランは自分の信じるままに言い放つ。

「いまは状況回避《じょうきょうかいひ》が先です! このままここにいたって、ただ的になるだけだ!」

二人の目が真っ向からぶつかった。しばしの睨《にら》みあいののち、アスランの方から目をそらす。

アーサーの顔にはありありと、部外者が口を出すな——と書かれていた。

たしかに、アスランはこの艦のクルーではない。艦に対する愛着もない自分には、彼らの痛みなど理解できない。だがそれ以上に自分は部外者なのだ。名を偽《いつわ》り、国を棄《す》て、力をふたたび手にすることを恐《おそ》れる自分には、この戦いに口を出す資格などない。

張りつめた空気の中、デュランダルが静かに口をひらいた。

「タリア……」

彼の呼びかけに、グラディス艦長が我に返る。彼女は取り繕《つくろ》うように不興げな表情を作りつつ、こう言った。

「たしかにね……」

アスランは一瞬《いっしゅん》、耳を疑う。艦長は前に向きなおりながら告げた。

「いいわ、やってみましょう」

「艦長っ……！」

「この件はあとで話しましょう、アーサー」

心外そうに声を上げたアーサーを制し、彼女は明瞭《めいりょう》な声で指示を下しはじめる。

「右舷側の火砲《かほう》をすべて発射準備！　右舷スラスター全開と同時に一斉《いっせい》射！——タイミング、合わせてよ」

アーサーが納得《なっとく》いかない表情で押し黙《だま》るのを、アスランは後ろめたい気分で見つめる。さっきまでの高揚《こうよう》は消え去り、いまのアスランは罪悪感に消え入りたい思いだった。

戦いのための力を否定しながら、戦いの中に身を置いて、やはり力を欲《ほっ》する。

——自分は……矛盾《むじゅん》している……。

「〝ミネルバ〟にはギルが乗ってるんだ！　絶対にやらせるものか！」

〝ミネルバ〟から離《はな》れながら、レイはひとりごちた。搭乗《とうじょう》しているのは白い〝ブレイズザクファントム〟――背面モジュールに大型のブースターとミサイルポッドを搭載《とうさい》した、高機動戦用装備《ブレイズウィザード》だ。敵は〝ダガーL〟二機とモビルアーマーと聞いている。〝ダガーL〟の方は、〝ザクファントム〟の性能をもってすれば、たとえ二機だろうと戦えないことはない。問題はモビルアーマーだ。例のヤツだろうか？

ふいに肌《はだ》が粟立《あわだ》つような感覚をおぼえ、レイはその疑問が裏付けられたのを知る。さきの戦闘《せんとう》で対戦したヤツだ。この奇妙《きみょう》な感覚は間違いない。

考えながら、彼は衝動《しょうどう》に突《つ》き動かされるまま機体を急旋回《せんかい》させた。寸前まで彼のいた空間を、左右からビームが貫《つらぬ》く。例の特殊《とくしゅ》兵装だ。レイは〝ザクファントム〟に回避《かいひ》行動を取らせながら、周囲をうるさく飛び回る兵装ポッドをビーム突撃銃《とつげきじゅう》で狙《ねら》う。その〝ザク〟にモビルアーマー本体がレールガンを撃《う》ちながら交錯《こうさく》した。のしかかるような圧迫感《プレッシャー》に、レイは苛立《いらだ》ちをこめて吐《は》き捨てる。

「何なんだ！　こいつは！」

そして〝エグザス〟のコックピットでも、ネオ・ロアノークが同じつぶやきを漏《も》らしていた。

「何なんだい、きみはいったい!?――白いボウズ君っ！」

だがその口調には、面白《おもしろ》がるような響《ひび》きが含《ふく》まれている。ネオはビームガンバレルをすべて展開し、四方から白い機体を攻《せ》める。が、〝ザク〟は見切ることが不可能なはずのビームをすべて避《さ》け、撃ち返してくる。やはりこちらの攻撃を前もって知っているかのようだ。

この戦闘に気づいた味方の〝ダガーL〟が飛び来たり、白い〝ザク〟に対艦《たいかん》用バズーカとビームライフルを向ける。〝ザク〟は無造作に振《ふ》り向きざまビーム突撃銃を放ち、その一射は味方の機体を確実に貫いた。

〈ヨーン!〉

一瞬にして炎《ほのお》にのまれた同僚《どうりょう》の名を呼ぶもう一機のパイロットに、ネオは短く指示を送る。

「下がれミラー! こいつは手強《てごわ》い! おまえは戦艦《ふね》を!」

並のナチュラルに、この〝ザク〟との交戦は無理だ。敵艦《てきかん》へ向かったミラーの〝ダガーL〟を見て、白い〝ザク〟はそちらに機体を向ける。

「おっとォッ!」

ネオはガンバレルをけしかけ、その進路を阻《はば》む。〝ザク〟はそれに気づいて、さきほどの砲撃で散らばった岩塊《がんかい》の間に飛び込む。無数の岩塊を縫《ぬ》って駆《か》け抜《ぬ》ける機体を追い、ガンバレルがビームを射かけるが、岩に邪魔《じゃま》されてとらえることができない。だがこれで敵機も〝ダガーL〟を撃つことはできまい。

しかしネオの思惑《おもわく》は次の瞬間、覆《くつがえ》される。〝ザク〟は背面のミサイルポッドからいっせいにミサイルを放ち、前面に浮《ふ》遊《ゆう》する無数の岩塊を吹《ふ》き飛ばす。その先にはミラーの〝ダガーL〟がいた。

射線は確保された。〃ザク〃の銃口《じゅうこう》からビームが迸《ほとばし》り、まっすぐに〃ダガーL〃へ向かう。一瞬の光輝《こうき》を放って〃ダガーL〃が四散する。ネオはコックピットの中で、不興げに鼻を鳴らした。

またしても自分の判断ミスだ。予測は悪い方へ立てるものだというのに。——とはいえこの敵はなかなか、悪い方へこちらの予測を裏切ってくれるものだ。

これではあの新型艦にとどめを刺《さ》すことは難しい。そろそろリーがしびれを切らすころだ。ネオがかすかな苛立ちをおぼえたとき——

ほとんど岩塊に船体を覆《おお》われていた敵艦が、動いた。いや、爆発《ばくはつ》した——？

「——なにっ!?」

〃ガーティ・ルー〃は砲撃《ほうげき》していない。爆発の閃光《せんこう》に目を灼《や》かれ、ネオは飛来する岩塊をかわしながら後退する。なにが起こったか見定めようとする彼の前に、淡《あわ》いグレイの船体が横滑《よこすべ》りして飛び出してきた。

「右舷《うげん》スラスター全開！」

「右舷全砲塔《ほうとう》、てぇーっ！」

タリアの号令に、アーサーのそれが重なる。すべてのミサイル発射管からミサイルが放たれ、〃トリスタン〃が火を噴《ふ》く。次の瞬間、予期していたものの、凄《すさ》まじい衝撃《しょうげき》が艦を横殴《よこなぐ》りにした。ミサイルが爆発し、熱線が岩を蒸発させ、急激に膨《ふく》れ上がるガスが周囲の岩塊とともに〝ミネルバ〟を押し出す。船体を無数の礫《つぶて》が襲《おそ》い、激しく打ち鳴らす。

「回頭三〇！　〝ボギーワン〟を撃つ！」

いまだ続く轟音《ごうおん》を圧《お》してタリアの声が響き渡《わた》る。ガスと粉塵《ふんじん》に視界を覆われながら、マリクが舵《かじ》を切る。コンソールをつかんで体を支えながら、アーサーが叫《さけ》んだ。

「〝タンホイザー〟照準、〝ボギーワン〟！」

艦首が開き、陽電子砲の巨大《きょだい》な砲口が覗《のぞ》く。艦首砲QZX―1〝タンホイザー〟だ。敵艦との距離《きょり》は八〇〇を切っている。タリアが号令した。

「てーっ！」

その声に応《こた》えて、巨大な砲口から陽電子の奔流《ほんりゅう》が解き放たれた。

ネオの目の前で、太い光条がデブリの海を貫き、走った。敵艦から放たれた陽電子砲は〝ガーティ・ルー〟の右舷をかすめ、一瞬《いっしゅん》にして蒸発した装甲《そうこう》が暗い宙《そら》に光輝を放つ。こうして目にするだけでその威力《いりょく》は歴然たるものだ。敵艦の視界が不全で助かった。直撃《ちょくげき》していたら自分たちは帰る場所を失っていただろう。

遅《おく》れて、ネオは敵艦のやったことを理解する。敵艦は右舷に接した小惑星《わくせい》を砲撃し、その反動と爆発のエネルギーを利用して、失ったスラスター以上の推進力を得たのだ。驚《おどろ》くべき捨て身の戦法だ。

損傷した〝ガーティ・ルー〟の右舷ギリギリを敵艦が通過していく。

「ええい！　あの状況《じょうきょう》から、よもや生き返るとは……！」

ネオは腹立ちまぎれに怒鳴《どな》り、機体をひるがえす。

まったく！　戦場での予測の立て方を、自分はもう一度見なおすべきだ。

白い〝ザク〟が追いすがり、ビーム突撃銃《とつげきじゅう》を乱射する。それをかわしながらネオは〝エグザス〟を駆り、母艦をめざした。

「またいつの日か、出会えることを楽しみにしているよ、白いボウズ君！——そして、ザフトの諸君？」

一方的に別れを告げ、彼は信号弾《だん》を打ち上げた。それは、退却《たいきゃく》を意味するものだった。


信号弾が三つ、打ち上げられて炸裂《さくれつ》し、宇宙の闇《やみ》を彩《いろど》った。

「あー……」

殺気立った表情がステラの顔から跡形《あとかた》もなくぬぐい去られ、彼女はうっとり光を見上げた。この光が彼女はとても好きだ。帰っておいで、という意味だということもあるが、ただ純粋《じゅんすい》にきれいだと思う。

〝ガイア〟のかたわらにいつの間にか〝カオス〟と〝アビス〟の姿があった。通信機からアウルの声が入る。

〈チッ、二点勝ちで終了《しゅうりょう》か！〉

彼は戦闘《せんとう》の結果に不満そうだ。

〈しかたない〉

スティングがさばさばと言い、次にステラに声をかける。

〈ステラ、ネオが呼んでるぜ！『帰ってこい』ってさ！〉

「うん……」

ステラは幸せな気分でうなずく。彼女も戦いの内容には不満だった。白いヤツをまた墜《お》とせなかった。あの赤いのも目障《めざわ》りだ。これまで墜とせなかった敵なんていないのに。

でも、次に会ったときには墜とせるだろう。いまはもう帰る時間。ネオも待っている。

彼女たちは遊び疲《つか》れた子供のように、喜び勇んで母艦をめざした。


「〝ボギーワン〟、離脱《りだつ》します！」

どこかほっとした声で、バートが告げた。メイリンも報告する。

「〝インパルス〟、〝ザク〟ルナマリア機、パワー危険域です」

「艦長《かんちょう》、さっきの爆発でさらに第二エンジンと、左舷《さげん》熱センサーが……」

次々と寄せられる報告は、すべてタリアにひとつの事実を教えていた。これ以上、戦闘は継《けい》続《ぞく》できないと。

〝ミネルバ〟は満身創痍《そうい》だった。起死回生の手段で撃沈《げきちん》こそはまぬかれたものの、〝ボギーワン〟を目の前にしながら、もはや打つ手がない。

「グラディス艦長」

苛立《いらだ》つタリアを制するように、後部座席からデュランダルが声をかけた。

「もういい。あとは別の策を講じる」

その言葉は任務の失敗を意味していた。タリアは悔《くや》しさに唇《くちびる》を噛《か》む。最新鋭《さいしんえい》の戦艦、最新鋭のモビルスーツを与《あた》えられておきながら、艦長としての初任務に自分は無惨《むざん》にも失敗したのだ。

そんな彼女をなだめるように、デュランダルは言葉を重ねる。

「私もアスハ代表を、これ以上振《ふ》り回すわけにもいかん」

そういう表現でタリアの立場を救おうという議長の心遣《こころづか》いが、かえって彼女の胸を刺《さ》した。自国と友好国の元首を、さっきは撃沈の危険にさらしてしまったのだ。しかも、その危機を救ったのは部外者たるアレックス——アスラン・ザラの意見だった。そんな自分のふがいなさが口惜《くちお》しい。

彼女は忸怩《じくじ》たる表情で頭を下げた。

「……申し訳ありません」

ほどなく彼女はデュランダルともう二人の客人に付き添《そ》い、艦橋《ブリッジ》をあとにした。

「本当に申し訳ありませんでした、アスハ代表」

デュランダルの謝罪に対して、カガリ・ユラ・アスハは落ち着いた言葉で返す。

「こちらのことなどいい。ただ、このような結果に終わったこと、私も残念に思う。――早期の解決を心より祈《いの》りする」

その言葉には本当に、心からの懸念《けねん》がこもっている。タリアはこの年若い元首を、少し見なおした。さきほどの戦闘中も取り乱したりせず、よけいな言葉を発することもなくじっと耐《た》えていた。やはり〝ヤキン・ドゥーエ〟の激戦をくぐり抜《ぬ》けた者だけのことはある。いまの発言も、真に国を憂《うれ》える者のものだ。もちろん、彼女の憂えるのはこの事件が世界に投げかける影《えい》響《きょう》であり、その影響をこうむる自国なのだが。

「ありがとうございます」

デュランダルがうやうやしく返し、タリアも言葉を添える。

「本国ともようやく連絡《れんらく》が取れました。すでに〝アーモリーワン〟への救援《きゅうえん》、調査隊が出ているとのことですので、うち一隻《せき》をこちらへ、みなさまのお迎《むか》えとして回すよう、要請《ようせい》してあります」

「ありがとう」

疲れた顔でカガリはうなずき、士官室へ入っていった。続こうとするアスラン・ザラ――いや、その可能性がある人物――を引き留めるように、デュランダルが口をひらく。

「しかし、さきほどは彼のおかげで助かったな、艦長」

「あ……はあ……」

同意を求められたタリアはふたたび複雑な思いになる。

「さすがだね、数多《あまた》の激戦をくぐり抜けてきた者の力は」

だがデュランダルは彼女の表情にも、称賛《しょうさん》された当人のはかばかしくない顔色にも気づかぬかのように、朗《ほが》らかな調子で褒《ほ》めたたえた。黒髪《くろかみ》の少年はうつむいてそれを聞いていたが、ふいにタリアに向きなおる。

「いえ。差し出たことをして……申し訳ありませんでした」

礼儀《れいぎ》正しく告げ、頭を下げる少年を見て、タリアは自分の中のこだわりがあっさりと解け去るのを感じた。彼の同行者に抱《いだ》いた好意も、その原因のひとつだろう。だいたい年少者が頭を下げているというのに、ここでこだわり続けるのも大人げない。

たしかにあれは越権行為《えっけんこうい》だった。だがその越権行為がなければ、自分たちはいまごろ、こうしてはいなかったのだ。

彼女は微笑《ほほえ》み、きっぱりと言った。

「判断は正しかったわ。ありがとう」

タリアの謝辞を受け、少年は戸惑《とまど》ったように目をそらす。

「では」

彼女は敬礼し、その場をあとにした。議長と並んで歩きながらも、少年の悩《なや》み深げな表情が印象に残る。

あれが『伝説のエース』と呼ばれるアスラン・ザラなのだ。タリアにも思いつかなかったような大胆《だいたん》な奇策《きさく》と決断力を見せながら、さっきの表情は若さゆえの脆弱《ぜいじゃく》さをわずかに露呈《ろてい》していた。そんな彼のアンバランスさが、なんとなく気になった。

「アスラン・ザラ？　あいつが!?」

シンは驚《おどろ》きの声を上げた。

帰艦《きかん》した彼やルナマリアたちに、やはり当直を終えたメイリンが艦橋《ブリッジ》で起こったことを告げたのだ。そういえばルナマリアがそういう疑惑《ぎわく》を口にしていたが、まさか本当だったとは。驚《きょう》愕《がく》する彼やルナマリアをよそに、レイだけは眉《まゆ》ひとつ動かさない。だがいちおうの興味はおぼえているのか、黙《だま》ってメイリンの話を聞いている。

「だってぇ、議長が言ったのよ、『アスラン・ザラ君』って。それで彼、否定しなかったんだもの。でもでもっ！　それだけじゃないの、すごかったんだからぁ！」

ルナマリアの妹のメイリンは、姉と正反対の女の子っぽい甘えた口調で話す。危機的状況《じょうきょう》において『アスラン・ザラ』が呈示した起死回生の案を。そして彼の機転によって艦が救われたということを。

メイリンの話を聞くうち、シンはだんだんと不機嫌《ふきげん》な表情になった。

さっき自分がしてきた戦闘《せんとう》がよみがえる。敵にまんまと裏をかかれたまま、仲間を二人も失ったというのに、結局またあの三機を倒《たお》すこともできなかった。〝ミネルバ〟がそんな危機に陥《おちい》っていた間、自分とルナマリアは敵に翻弄《ほんろう》されるばかりだったのだ。その間にヒーローの役目は、外から来た『あいつ』に持っていかれてしまった。

――オーブから来たヤツに……！

子供っぽい腹立ちと、過去の傷に根ざした反感が、シンの中で渦巻《うずま》いていた。

「……でもぉ、ホントに名前まで変えなきゃなんないもんなの？」

みんなでレクリエーションルームに向かう間も、メイリンとルナマリアはなおもアスラン・ザラについての話題を続けていた。女は気楽なものだ――シンは苛《いら》つきながら、ついそう思う。彼女らは、謎《なぞ》の失踪《しっそう》を遂《と》げたかつてのエースパイロット、という伝説的な人物が、同じ艦に乗っているだけで興奮するものらしい。

「だってあの人、以前《まえ》は……」

「なに言ってんのよ、あんたは。いくら昔……」

ルナマリアが妹に言い返しながら、入り口をくぐり、そこでぴたりと足を止める。彼女に並んでいたメイリンが飛び上がり、後ろに続いていたレイの背後にあわてて隠《かく》れる。その理由は、レクルームのベンチに一人腰《こし》かけていた人物だった。黒髪の、自分たちより一、二歳年長に見える青年が、ルナマリアたちの声に気づいてこちらに目を向けたところだった。ルナマリアは彼に気づいて言いかけた言葉を一度はのみ込んだが、すぐ挑戦的《ちょうせん》に微笑みながら歩み出る。

「へえ……ちょうどあなたの話をしていたところでした。アスラン・ザラ」

あっさりと本人に向かって言ってのけてしまうあたりがルナマリアらしい。シンはあらためてベンチに座る青年を見なおす。モビルスーツデッキでちらりと見ただけだったが、たしかにアスハ家の女に付き従っていたヤツのようだ。

これがアスラン・ザラ——シンは内心、意外に感じる。オーブからの亡命者であるシンは、大戦中に軍部のエリートであった彼や、国民的アイドル、ラクス・クラインの婚約者《こんやくしゃ》であった彼をほとんど目にしたことがない。いま、自分の前にいる青年は、たしかに整った顔立ちをしているが、そんな輝《かがや》かしい経歴を持つ人間のようには見えなかった。ついでに言うなら、自分たちの代わりに艦を救った英雄《えいゆう》のようにも。

「まさかというか、やっぱりというか。——伝説のエースに、こんなところでお会いできるなんて、光栄です」

白々しく聞こえるくらい、あっけらかんとルナマリアが言うと、ベンチの青年は目をそらしながらこう返した。

「……そんなものじゃない。俺は、アレックスだよ」

「だからもう、モビルスーツにも乗らない？」

ルナマリアはあくまで挑発的だ。アスランはさすがに気に障《さわ》ったように、彼女をきつい目で見つめ、後ろで見ているメイリンが身をすくめる。そこへ、シンは怒鳴《どな》るように割って入った。

「よせよ、ルナ。オーブになんかいるヤツに！——なにもわかってないんだから」

そしてレクルームには入らず、背を向ける。

「シン……！」

レイが背後から声をかける。その前の事件を含《ふく》めて、無礼な態度を咎《とが》めようというのだろう。シンは無視して早足にその場をあとにした。

あんなヤツに謝るものか。戦いから一人逃《のが》れて、のうのうとオーブの偽善者《ぎぜんしゃ》に仕えてるヤツなんかが、英雄だなんて！

シンは一人で部屋に戻《もど》り、ベッドに腰を下ろす。ベッドサイドに彼には似つかわしくない、愛らしいストラップのついたピンクの携帯《けいたい》電話が置かれていた。シンはそれを手に取り、なじみになった仕草で操作する。携帯から幼い少女の声が流れ出した。

〈はい、マユでーすっ！　でもごめんなさいっ、いまマユはお話しできません。あとで連絡《れんらく》しますので、お名前を……〉

とうの昔にこの世から消えた妹の声が、シンの手元で生き生きとメッセージを告げる。これだけが彼の手に残された、想《おも》い出の品だ。

彼は故郷を憎《にく》んでいた。敵と同じくらいの強さで。耳触りのいい偽善の上にのさばり、ぬるま湯のような架空《かくう》の平和を謳歌《おうか》するオーブを憎む。彼からすべてを奪《うば》った者たちを憎む。

その手が強く、ピンク色の携帯電話を握《にぎ》りしめた。

——許さない。おれは絶対に、あいつらを許さない……！

PHASE 03

〈太陽風速度変わらず。フレアレベルS3、到達《とうたつ》まで予測三〇秒〉

待ちに待った『風』が吹《ふ》いてくる。サトーはいまだ作業を続けている、モビルスーツと作業ポッドの仲間たちに、きびきびした調子で声をかけた。

「急げよ！——九号機はどうか⁉」

〈はっ！　間もなく！〉

返る声も独特の規律正しさを漂《ただよ》わせ、彼らの出自を窺《うかが》わせる。

凍《こお》りついた海、白く立ち枯《が》れた麦の畑、行き交《か》う人波の絶えた街並み——宇宙空間にぽっかりと浮《う》かぶ大地には、どこか侵《おか》しがたい静謐《せいひつ》が漂う。凍った大地の一角に、磨《みが》き上げられた美しいモニュメントがあった。そこに刻まれた文字は、ここで〝ユニウス条約〟が調印されたむねを記している。

そう、ここが悲劇の地〝ユニウスセブン〟の残骸《ざんがい》だった。砂時計の底にあたる大地は、急速減圧によって沸騰《ふっとう》した形のまま凍りついた海に取り巻かれ、外壁《がいへき》を形作っていたハイテンションストリングスが、自己修復ガラスの残骸をわずかにまとわりつかせている。そのストリングスに、びっしりと無数のワイヤーが巻き付けられていた。各所に巨大《きょだい》なテンキーを備えた起動装置が設置され、作業ポッドによる入力がいままさに終わろうとしていた。作業を終えた仲間たちの機体が、ゆっくりと〝ユニウスセブン〟から離《はな》れていく。死者の眠《ねむ》りを妨《さまた》げるような自分たちの行為《こうい》に対して、サトーは心の中で頭を下げた。

だがこれは、必要なことなのだ。死者《かれら》もわかってくれよう。自分たちこそが彼らの無念を、もっとも理解する者たちであることを。

〈放出粒子到達確認《りゅうしとうたつかくにん》。フレアモーター、受動レベルまでカウントダウン、スタート〉

サトーは愛機〝ジン〟ハイマニューバ2型を駆《か》って、凍った大地の上空に離脱《りだつ》し、そこでカウントダウンが刻まれていくのを聞く。

〈——粒子到達。フレアモーター作動……!〉

観測担当者のやや興奮した声が届く。『風』が追いついたのだ。ストリングスに取りつけられた起動装置が次々と作動し、稼動《かどう》ランプが灯《とも》っていく。それはまるで巨大なクリスマスツリーが点灯されていくようにも見え、この場に不つり合いなあたたかい感動がサトーの胸を満たした。だが、電飾《でんしょく》がきらめくプラントの残骸は、その美しさにもかかわらず、この瞬間《しゅんかん》、恐《おそ》るべき力を帯びた凶器《きょうき》へと変じたのだ。

太陽風は太陽フレアと呼ばれる現象によって引き起こされる。太陽黒点上空のコロナに蓄《たくわ》えられたエネルギーが、一気に放出される現象をフレアといい、その現象によって放出されたプラズマが太陽風の正体だ。太陽風内の荷電粒子《りゅうし》は太陽の磁場をも運んでくる。それに磁場に包まれた別の物体をさらせば、その物体を動かす力が生じる。磁石同士が引き合うようなものだ。フレアモーターとはつまり、太陽系全体を巨大なモーターに見立てた装置だった。

まず、〝ユニウスセブン〟の地下発電所から発生させた電力によって、ストリングスに巻き付けたワイヤーに電流を流す。これが電磁コイルの役目を果たし、〝ユニウスセブン〟を強力な磁場で包みこむ。その磁場が太陽風磁場と干渉《かんしょう》しあい、この巨大な墓標を地球に向かって押し出すのだ。その力はわずかではあるが、いったん軌道《きどう》から離れたプラントの残骸は重力に引かれ、優雅《ゆうが》に宇宙空間を滑《すべ》っていくはずだ。サトーらのめざす目標——眼下に浮かぶ青い惑星《わくせい》に向かって。

「アラン……クリスティン……」

サトーの目がコックピットに貼《は》られた数枚の写真に向き、その中で笑う男女の顔にとまる。ザフトの制服に身を包んだ青年と、サトー自身と抱《だ》き合って笑う若い女性……。

「これでようやく、俺もおまえたちに……」

写真の中の愛《いと》しい者たちは答えない。だがその笑顔《えがお》が心底うれしそうに見え、サトーも微笑《ほほえ》んだ。その耳に、この数ヶ月というもの、待ち望んでいた報《しら》せが飛び込んでくる。

〈〝ユニウスセブン〟、移動を開始しました……!〉

虚空《こくう》に浮かぶ巨大な大地が、ゆっくりと、だがたしかに動きはじめる。

「さあ行け。我らの墓標よ……！」

それを見送りながら、サトーは高らかに告げた。

「——嘆《なげ》きの声を忘れ、真実に目をつぶり、またも欺瞞《ぎまん》に満ちあふれるこの世界を、今度こそ正すのだ！」

それは彼の、世界に対する宣戦布告だった。


「気にすることはないよ、タリア」

灯《あかり》を絞《しぼ》った部屋で、男はささやいた。その声はいつもタリアに、口の中で溶《と》けるビターチョコレートを思い出させる。彼女は寝返《ねがえ》りを打って、相手に背を向けた。

「失敗をなぐさめてほしくて、部屋に入れたわけじゃありませんわ」

「ほう？」

バスローブ姿の男はチェックボードから目も上げずに応じる。タリアはシーツ一枚をまとった状態で、ちらりと肩《かた》ごしにその姿を見やった。長い黒髪《くろかみ》を肩に流したデュランダル議長は、すっかりいつもどおりの端然《たんぜん》としたさまで、チェックボードに流れていく退屈《たいくつ》な公式文書に目を走らせている。

どうしてこんなことになったんだろう——その姿を見るたび、タリアの頭に浮かぶ疑問だ。

もし誰《だれ》かに訊《き》かれたら、自分でも「さあ？」と答えてしまうだろう。

タリア・グラディスは色仕掛《いろじか》けで艦長職《かんちょう》を手に入れたなどと、陰口《かげぐち》を叩《たた》かれていることも知っている。もちろん打算がまったくなかったと言っては嘘《うそ》になる。だが彼女にとってデュランダルは、ベッドに誘《さそ》ってみたいと思わせるタイプだった。いつの間にかこういう関係になり、ねだったわけでもないが新型艦の艦長に指名された。たまたま結果がついてきたといってもい い。もっともタリアには、自分がその職務に見あった実力を持ちあわせているという自信があった。

ただ——と、彼女はデュランダルの干渉ぶりを思い起こしながら考えた——せっかく得た艦長の座も、すぐ後ろに提供者が座っているのでは、やりにくいことこのうえない。

——まあいい。これから航海に出るたび、ずっと彼が後ろに座っているわけでもないのだ。

「私はかまいませんから、灯をおつけになったら？　目を悪くなさるわよ」

シーツにもぐり込みながらタリアが言うと、デュランダルはあいかわらず目も上げずに、

「うむ」と生返事をした。

眠《ねむ》りに落ちる寸前の心地よい沈黙《ちんもく》を、無粋《ぶすい》な電子音が破る。タリアはかすかな苛立《いらだ》ちをおぼえながら、シーツをまとってベッドから起き出し、通話を受けた。

〈艦長、デュランダル議長に最高評議会より、チャンネル・ワンです〉

タリアは思わずベッドの上の男を振《ふ》り返る。『チャンネル・ワン』とは緊急《きんきゅう》の場合などに用

いる最優先のホットラインだ。デュランダルの眉《まゆ》がけげんそうにひそめられた。

「なんだって!?」

士官室を訪《おとず》れたデュランダルとタリアが携《たずさ》えてきた報せに、カガリはしばし絶句した。彼女だけでなくどんな人間も——冷静かつ剛胆《ごうたん》であった彼女の父でさえ、おそらく同じ反応を見せただろう。それほど、誰もが予想もしなかったニュースだったのだ。

「……〝ユニウスセブン〟が動いている って……いったいなぜ!?」

それは、月が落ちてくるというのと、ほとんど大差ない事態のようにカガリには思えた。うろたえながら言葉を紡《つむ》ぐ彼女の前で、さすがに硬《かた》い表情のデュランダル議長が答える。

「それはわかりません。——だが、動いているのです。それもかなりの速度で、もっとも危険な軌道を」

その口調は深刻ではあるが、いつもと同様滑《なめ》らかでよどみない。この人もこのニュースを聞いて驚《おどろ》いたんだろうか？——カガリの混乱した頭に、場違《ばちが》いな考えが浮《う》かぶ。なんとなく、デュランダル議長があわてふためくところは想像できなかった。

「それは、すでに本艦でも確認《かくにん》いたしました」

タリア艦長も事実を裏付ける。かたわらに立ちすくんでいたアスランが、動揺《どうよう》もあらわにたずねる。

「しかし、なぜこんなことに!?　あれは百年の単位で安定軌道にあると言われていたはずのものので……」

なぜ――そんな言葉を発しても何の役にも立たないというときなのに、人はつい口にしてしまう。なぜ？　その答えを聞けばなにかが変わるとでもいうように。

「隕石《いんせき》の衝突《しょうとつ》か……はたまたほかの要因か……」

デュランダルは首を振った。

「ともかく、動いているのですよ、いまこのときも。――地球に向かってね」

カガリの背筋が凍《こお》った。プラントの直径はおよそ十キロに及《およ》ぶ。そんなものがいまこのとき、地球にいる人々の頭の上に落ちていこうとしている……？

「落ちたら……落ちたらどうなるんだ!?　オーブ――いや、地球は!?」

彼女は思わず叫《さけ》んだ。するとデュランダルが答える。

「あれだけの質量のものです。申し上げずとも、それは姫《ひめ》にもおわかりでしょう？」

沈鬱《ちんうつ》な調子でありながら、その口調がカガリのささくれた気分を逆撫《さかな》でする。なぜかカガリはデュランダルが口にする、ひとことひとことが癇《かん》に障《さわ》るのだ。姫と呼ばれるのも嫌《きら》いだし、発せられた言葉のすべてになんとなく裏があるように感じてしまう。これは施政者《しせいしゃ》として自分が至らないために感じる劣等感《コンプレックス》のせいなのか？　彼はいつの場面もそつがなく、優雅《ゆうが》だ。そう、まるで完璧《かんぺき》な演技者のように。

「――原因の究明や回避《かいひ》手段の模索《もさく》に、いま〝プラント〟も全力を上げています」

続いたデュランダルの言葉を聞くうち、カガリは一瞬《いっしゅん》とはいえ彼に怒《いか》りを抱《いだ》いた自分が恥《は》ずかしくなる。〝プラント〟の人々は自分たちのことでもないのに、この事態に心を砕《くだ》いてくれているのだ。それなのに自分は取り乱して、目の前の相手に八つ当たりしているなんて。

だが――と、カガリの胸をどこか寒々しいものが通り抜《ぬ》ける――そう、〝プラント〟の人間《コーディネイター》たちにとってこれは、対岸の火事なのだ。〝ユニウスセブン〟が落ちていく先は彼らの頭の上ではない。

「またもやのアクシデントで、姫には大変申し訳ないが、私は間もなく終わる修理を待って、この〝ミネルバ〟にも〝ユニウスセブン〟に向かうよう、特命を出しました」

その言葉に、カガリは我に返る。デュランダルは丁重《ていちょう》に続け、軽く頭を下げる。

「さいわい、位置も近いので。姫にも、どうかそれをご了承《りょうしょう》頂きたいと」

「むろんだ！　これは私たちにとっても――いや、むしろこちらにとっての重大事だぞ！」

カガリは勢い込んでうなずき、焦《じ》れて両手を振り絞《しぼ》った。

「私……私にも、なにかできることがあるのなら……」

そんなカガリをなだめるように、デュランダルがやさしく言う。

「お気持ちはわかりますが、どうか落ち着いてください、姫。お力をお借りしたいことがあれば、こちらからも申し上げます」

　そう言われはしたが、カガリにも、自分にできることなどないということがわかっていた。こんな非常時に、自分は無力だ。飛んでいって〝ユニウスセブン〟を止めることも、国元で対策を立てることも、国民のそばにいてやることさえ、いまの自分にはできない。

「難しくはありますが、お国元とも直接連絡《れんらく》の取れるよう、試みてみます」

　タリア艦長《かんちょう》が彼女の焦《あせ》りを救うよう、そっと言葉を添《そ》える。

「出迎《でむか》えの船とも早急《さっきゅう》に合流できるよう、計らいますので」

「ああ……すまない……」

　カガリは忸怩《じくじ》たる思いで頭を下げた。


「——けど、なんであれが!?」

　レクルームに集まったクルーたちも、〝ユニウスセブン〟のニュースに騒然《そうぜん》としていた。ヴィーノがすっとんきょうな声を出すと、ヨウランがもっともらしく仮説を立てる。

「隕石でも当たったか、なにかの影響《えいきょう》で軌道《きどう》がずれたか……」

「地球への衝突コースだって……ホントなのか？」

　シンも思わず深刻な顔で訊《き》く。メイリンがこっくりうなずいた。

「バートさんがそうだって……」

　この艦で最初に〝ユニウスセブン〟の軌道異常に気づいたのが、当直のバートだ。それと前後して評議会からデュランダル議長に報《しら》せが入ったのだった。

ルナマリアが赤い髪《かみ》をかき上げながらため息をつく。

「〝アーモリー〟では強奪騒《ごうだつさわ》ぎだし！　それもまだ片づいてないのに、今度はコレ!?　どうなっちゃってんの？」

たしかに、どうも妙《みょう》な雲行きだとシンも思った。もちろん二つの間に関連はないが、なんとなく、自分たちのまわりでなにかとんでもないことが起こりつつある予感がする。

「――で、今度はその〝ユニウスセブン〟をどうすればいいの？」

ルナマリアが訊き、みな、一瞬考え込む。するとそれまで黙《だま》っていたレイが、さらりと答えた。

「砕くしかない」

いかにも簡単そうに出されたその案に、ヴィーノとヨウランが顔を見あわせる。

「砕くって……」

「あれを？」

レイはあくまで淡々《たんたん》と言う。

「あの質量ですでに地球の引力にも引かれているというのなら、もう軌道の変更《へんこう》など不可能だ。

――衝突《しょうとつ》を回避したいのなら、砕くしかない」

「で、でも、デカイぜぇ、あれ!?　ほぼ半分に割れてるっていっても、最長部は八キロは……」

思わずヨウランが実際的なことを言い、ヴィーノも叫ぶ。

「そんなもん、どうやって砕くのォ!?」

「だが衝突すれば、地球は壊滅《かいめつ》する」

レイが恐《おそ》るべき可能性を、眉《まゆ》ひとつ動かさない冴《さ》えきった表情で告げる。

「そうなればなにも残らないぞ。——そこに生きるものは」

シンはつい息をのみ、騒《さわ》いでいたヴィーノまでその言葉に黙り込んだ。

直径一キロの小惑星《わくせい》が落下した場合のエネルギーを、TNT火薬の爆発《ばくはつ》力に換算《かんさん》すると十万メガトンに相当すると言われる。核爆弾《かくばくだん》が五十メガトンだから、その二千個分に当たる。その計算でいくと直径十キロ近い〝ユニウスセブン〟衝突のエネルギーは一億メガトン近くになってしまう。もちろん、突入《とつにゅう》速度は小惑星と比べてかなり遅《おそ》いはずだから、単純に換算するわけにはいかないが——。

レクルームに一瞬《いっしゅん》、冷え冷えとした沈黙《ちんもく》が降りる。

「なにも……?」

シンは小さく繰《く》り返した。自分が捨て去ったはずの故郷——オーブのきらめく海、風の匂《にお》いが一瞬よみがえり、なぜか息苦しくなる。あれらがすべて、消えてしまうというのか？

そしてそれとともに、地表に住む何十億もの人々が、すべて……?

その仮定はあまりに壮大《そうだい》で寒々しいものだった。ヴィーノが重苦しい空気に耐《た》えかねたように、おどけた調子で口をひらく。

「……地球、めつぼー？」

「だな」

ヨウランはもっともらしく肩《かた》をすくめたあと、わざとさばさばした口調を作って言い放つ。

「んー……でも、ま、それもしょうがないっちゃ、しょうがないかぁ？　不可抗力《ふかこうりょく》だろ？」

シンは内心、彼の言いように少しひるむ。だがヨウランはしんとした雰囲気《ふんいき》を打ち破ろうとするかのように、さらに言いつのった。

「けど、ヘンなゴタゴタもきれいになくなって、案外ラクかも。俺たち〝プラント〟には——」

彼の毒舌を、そのとき鋭《するど》い声がさえぎった。

「よくそんなことが言えるな！　おまえたちはっ！」

ヨウランは飛び上がり、シンたちも焦《あせ》って声の方を見る。レクルームの入り口に立ち、金の瞳《ひとみ》を怒《いか》りに燃やしていたのは、カガリ・ユラ・アスハだった。シンは思わず顔をしかめ、そっぽを向く。よりによって、いちばん聞かれたくない相手だ。

レイが落ち着き払《はら》って端然《たんぜん》と敬礼し、ほかの者たちも気まずい表情で姿勢を正す。

「しょうがない、だと!?　案外ラクだと!?」

カガリは怒《いか》りのままに言いつのる。

「これがどんな事態か——地球がどうなるか、どれだけの人間が死ぬことになるか！　本当にわかって言ってるのか、おまえたちはっ⁉」

かしこまっていたみなの顔に、うんざりした表情が漂《ただよ》う。彼女の言葉は正論であり、それゆえに退屈《たいくつ》な説教のように、彼らの耳に響《ひび》いた。

「……すいません」

ヨウランがむっつりと頭を下げる。彼としても無責任な放言を後ろめたく思う気持ちはあろうが、あれはただの冗談《じょうだん》だ。それを、場の空気も読まずに頭ごなしに叱責《しっせき》されれば――ことに、他国の人間に――面白《おもしろ》かろうはずもない。カガリは彼らの反抗《はんこう》的な顔つきを見て、さらに顔をこわばらせた。

「やはりそういう考えなのか、おまえたちザフトは⁉」

彼女の決めつけるような言い方が、シンの神経を逆撫《さかな》でした。

「あれだけの戦争をして……あれだけの思いをして……！　やっとデュランダル議長の施政《しせい》のもとで、変わったんじゃなかったのか⁉」

カガリの口調が激すれば激するほど、クルーたちの表情は冷めていく。彼女は気づかないのだろうか。この場にナチュラルは彼女一人だということに。この対立は互《たが》いの立場の違《ちが》いを強く際立《きわだ》たせるものだった。

彼女の後ろで困惑《こんわく》の表情を浮《う》かべていたアスラン・ザラが、そっと彼女の腕《うで》を引く。

「……よせよ、カガリ」

そのとき、彼女に真っ向から刃向《はむ》かうように、シンは口をひらいた。

「べつに、本気で言ってたわけじゃないさ、ヨウランも。そのくらいのこともわかんねえのかよ、あんたは！」

さっきはヨウランの言葉を言いすぎだと感じていたシンも、カガリのあまりに傍若無人《ぼうじゃくぶじん》な糾弾《きゅうだん》に、いまは完全に腹を立てていた。彼から見れば、相手は世界の実情もわからないまま、たださきれいごとを言いつづける無責任なお姫さまだ。

「シン、言葉に気をつけろ」

レイが低く咎《とが》める。シンはその言葉を受けて、軽蔑《けいべつ》したように肩をすくめてみせた。

「あー、そーでしたね。この人、エライんでした。オーブの代表でしたもんね」

「おまえっ……！」

彼の態度に激昂《げっこう》したカガリが食ってかかろうとするのを、アスランが腕をつかんで止める。

「いいかげんにしろ、カガリ！」

シンは少し、その乱暴な物言いに驚《おどろ》いた。伝説のエースも、お姫さまの腰巾着《こしぎんちゃく》に成り下がったのかと思っていたが、彼らの力関係は表向きとは違うらしい。

睨《にら》みあうシンとカガリの間に、アスランが割って入り、鋭い目をシンの顔にすえる。

「きみはオーブがだいぶ嫌《きら》いなようだが、なぜなんだ？」

シンは視線を彼に移し、睨みつける。アスランは動じるようすもなく、抑《おさ》えた——だが不穏《ふおん》な調子の漂う声で続けた。

「昔はオーブにいたという話だが、くだらない理由で関係ない代表にまで突《つ》っかかるというのなら、ただではおかないぞ」

「くだらない……？」

シンの頭がカッと熱くなった。

「くだらないなんて言わせるか……」

その瞼《まぶた》に、袖口《そでぐち》で断《た》ち切られ、土にまみれて転がった小さな手がよみがえる。たった九年で歩みを止めた命、一瞬にしてすべてを奪《うば》った砲火《ほうか》——。

「——関係ないってのも大間違いだね」

彼は眼前に立つ金髪《きんぱつ》の少女を睨み据《す》え、言い放った。

「俺の家族はアスハに殺されたんだ……！」

周囲のみなが、その言葉に凍《こお》りつく。だが、シンの目が見ているのはたった一人——失われた命に責任を負うべき人物だった。

「国を信じて、あんたたちの理想とかってのを信じて、そして最後の最後に、オノゴロで殺された……！」

他国を侵略《しんりゃく》せず、他国の侵略を許さず、他国の争いに介入《かいにゅう》しない——それがオーブの理念だ。口で言うだけなら美しい。だがその理念を貫《つらぬ》くために、国民を犠牲《ぎせい》にする国家とは何だ？

国はそこに暮らす民《たみ》のためにあるものだ。それなのに、掲《かか》げた正義を守るために、無辜《むこ》の国民を殺し、苦しめるのでは本末転倒《てんとう》ではないか。

そのあげく、施政の側に立つ者は自分だけ生き残り、何事もなかったかのように口をぬぐってもとの地位に居座っている。きれいごとの正義を掲げて誤った道に民を導き、一度は国を滅《ほろ》ぼしたくせに、英雄《えいゆう》などと呼ばれてちやほやされ、またもきれいごとを並べて同じ道を歩もうとする。この女を、自分は絶対に許さない。

「――だから俺はあんたたちを信じない！　オーブなんて国も信じない！　そんなあんたたちが言うきれいごとを信じない！　この国の正義を貫くって……あんたたちだってあのとき、自分たちのその言葉で、誰《だれ》が死ぬことになるのか、ちゃんと考えたのかよ⁉」

シンが怒《いか》りに震《ふる》える声でわめくと、カガリは顔色を失ってあとずさった。その体を抱《だ》きとめるアスランの顔にも、ありありと動揺《どうよう》が見てとれた。

「なにもわかってないようなヤツが……わかったようなこと言わないでほしいね！」

シンは最後に吐《は》き捨て、ひとことも返せずにすくんでいるカガリの脇《わき》を荒《あら》っぽい足取りで通り抜《ぬ》け、部屋をあとにした。凍りついたように静まり返った室内から、ヴィーノのあわてた声が追ってくる。

「お、おいっ！　シンっ……！」

シンは足を止めなかった。握《にぎ》りしめた両の拳《こぶし》はまだ小刻みに震えている。

他国を侵略せず、他国の侵略を許さず、他国の争いに介入しない。口で言うだけの正義など何の役に立つ？　力がなければ侵略を拒《こば》むことなどできない。相手がこちらを撃《う》とうとするなら撃ち返すしかない。生き残るためには、守るためには、力が必要なのだ。美麗《びれい》で空虚《くうきょ》な言葉などではなく。

どこまでも続くなだらかな緑の丘《おか》に、森や牧場、歳月を経た美しい家々が点在する、ユーラシア西部のある国。のどかな田園風景の中に、ひときわ壮大《そうだい》なコロニアル様式の邸宅《ていたく》があった。古式ゆかしい狩《か》りの会でも行なわれたのだろうか、その邸宅の一室に、乗馬服姿の男たちが集まっていた。

「さてと、とんでもない事態じゃ」

中でも年配の部類に入る男が、ヴィクトリアン調の椅子《いす》に腰《こし》を下ろし、葉巻をくゆらせながら口をひらく。部屋の中央にはマホガニー製のスヌーカー台が置かれ、周囲には玉を突く者たちも見えた。思い思いにくつろぐ男たちの数は全部で九人だ。

「まさに未曾有《みぞう》の危機。地球滅亡《めつぼう》のシナリオですな」

その内容とは裏腹に、少しも深刻さを感じさせない口調で一人があいづちを打つ。するとキューを構えながらいま一人が鼻を鳴らした。

「ふん！　書いた者がいるのかね？」

白に近い髪《かみ》の色と褪《さ》めたような顔色のせいで、中ではひときわ目立つ三十歳前後の男がそれに答えて言う。

「それは、〝ファントムペイン〟に調査を命じて戻《もど》らせました。いちおう」

男の名はロード・ジブリール。この中ではもっとも若い年代に属し、切れるように鋭《するど》い眼光が印象に残る。彼がこの壮麗《そうれい》な邸宅の持ち主であり、そして現在の〝ブルーコスモス〟盟主だった。

「大丈夫《だいじょうぶ》なのか？」

一人の男がたずねると、ジブリールはゆったりと答える。

「大丈夫ですよ」

だが、最初に口をひらいた老人は懐疑《かいぎ》の声を漏《も》らす。

「いまさら、なんぞ役に立つのかの？　そんなものを調べて」

するとジブリールは苦笑《くしよう》めいた笑《え》みを薄《うす》い唇《くちびる》に浮《う》かべた。

「それを調べるんです」

「しかし、この招集はなんだ、ジブリール？　まあ、大西洋連邦《れんぽう》をはじめとする各国政府が、よもやあれをあのまま落とすとも思ってはおらんが……いちおう、避難《ひなん》や対策に忙《いそが》しいのだぞ、みな」

彼らがさっきから口にしているのは、現在刻々と頭上に迫《せま》りつつある脅威《きようい》――〝ユニウスセブン〟のことだった。まだ世界中のほんの一握《ひとにぎ》りの人間しか知らない事実を、この面々はすでに知りながら、まるで自分たちと関係ない厄災《やくさい》であるかのように語っていた。

「このたびのことには、正直申し上げて、私も大変ショックを受けましてね……」

芝居《しばい》がかった調子でジブリールは言い、天を仰《あお》いだ。

「〝ユニウスセブン〟が？　まさかそんな、いったいなぜ？――まず思ったのはそんなことばかりでした」

大仰《おおぎょう》に手を広げ、訴《うった》える彼を、一人の男が愛想《あいそ》なく制する。

「前置きはいいよ、ジブリール」

ジブリールはかぶりを振《ふ》り、鋭く顔を引き締《し》める。

「いえ、ここが肝心《かんじん》なのです」

「む……？」

けげんそうになる一同に向かい、ジブリールは冷然と語りかける。

「やがてこの事態、世界中の誰もがそう思うこととなるでしょう」

――まさかそんな、いったいなぜ……？

誰もがたしかにそう思う。たとえ答えがあろうとなかろうと、人は必ず問う。なぜ？――と。

「ならば我々は、それに『答え』を与えてやらねば」

ジブリールが言うと、人々の目が細められ、かすかなざわめきが起こった。ジブリールは彼らの注目を受け、さらに一部の人間にしか知り得ない情報を明かす。

「〝プラント〟のデュランダルはすでに地球各国に警告を発し、回避《かいひ》、対応に、自分たちも全力を挙げるとメッセージを送ってきました」

「早い対応だったな。——ヤッらもあわてていた」

「ならばこれは、本当に自然現象と言うことかの？　だが、それでは……」

一人の老人が馬鹿正直に見える感想を漏らした。もっともここにいる誰《だれ》もが馬鹿でも正直でもないのだが。ジブリールはそれを知りつつ、お話にならないというように小さく肩《かた》をすくめた。

「いいえ、そんなことも、もうどうでもいいんですよ。重要なのはこの災難のあと、『なぜこんなことに？』と嘆《なげ》く民衆に、我らが与《あた》えてやる答えの方でしょう」

一同は彼の発言にざわめいた。だがそれは驚《おどろ》きや憤《いきどお》りゆえではなく、どちらかというと苦笑に近いものだ。

「やれやれ、もうそんな先の算段か？」

「むろん」

ジブリールは鋭い目を光らせ、いきなり吐き捨てるように答えた。

「原因が何であれ、あのぶざまで馬鹿な塊が、間もなく地球に、我らの頭上に落ちてくることだけはたしかなんです！」

彼は怒《いか》りもあらわに手を振り回し、激しい調子で言いつのる。

「どういうことです、これは⁉　あんなモノのために！　この私たちまでもが顔色を変えて逃《に》げ回らねばならないとは⁉」

徐々《じょじょ》にその口調は信者を煽《あお》る教祖の激烈《げきれつ》さを帯びていく。

「この屈辱《くつじょく》はどうあっても晴らさねばなりますまい。誰に？——当然、あんなものをドカドカ宇宙に造ったコーディネイターどもにです！　違《ちが》いますか⁉」

ほかの者たちは彼の怒《いか》りを、やや冷笑的な面持《おもも》ちで眺《なが》めながら答えた。

「ふむ……それはかまわんがの」

「だがこれでは……こうむる被害《ひがい》によっては、戦争をするだけの体力すら残らぬぞ？」

口々にそれなりの懸念《けねん》を表明する面々に、ジブリールは冷ややかに告げる。

「だから今日、お集まりいただいたんです」

一同の目が、年少のメンバーの上に集まる。

「避難も脱出《だっしゅつ》もよろしいですが、そのあとには、我らは一気に討《う》って出ます、例のプランで。

……そのことだけは、みなさまにもご承知いただきたくてね」

きっぱりと告げるジブリールを、人々はからかい気味に見ながら感想を漏らす。

「なるほど……強気だねえ」

「コーディネイター憎《にく》しで、かえって力がわきますかな、民衆も？」

「……残っていればね」

「残りをまとめるんでしょう？——憎しみという名の愛で」

一同がいちおうの協議を済ませると、最初の一人がまとめるように言った。

「みな、プランに異存はないようじゃの、ジブリール」

ジブリールはかしこまったように頭を下げる。老人は立ち上がりながら、おっとりと命じた。

「では、次は事態のあとじゃな。——きみはそれまでに詳細《しょうさい》な具体案を」

「はい」

それを機に、ほかの者たちも席を立つ。

「しかし、どれほどの被害になるのかね」

「戦争はいいが、こういうのは困るねえ」

「どちらにしろ、『青き清浄《せいじょう》なる世界のために』さ」

「避難《ひなん》はどちらへ——」

人々はあいかわらず危機感をみじんも感じさせない調子で話しあいながら、邸宅《ていたく》を出て行く。

ジブリールは窓辺に寄り、苛立《いらだ》ちをおぼえながら彼らを見送った。

——あの老人たちは、どうしてああなのだろう……！

これがどういう事態かわかっているのだろうか？　またもコーディネイターどもが——生きる権利も持たないバケモノどもが、自分たち人間の世界を脅《おびや》かしているのだ。そもそもあいつらが宇宙——自分たちの頭上にいるということ自体が気に入らない。まるで神でもあるかのように！　そんなことを許していたのが間違いなのだ！　それなのに、あの老人たちときたら、まるで対岸の火事ではないか。これは人類全体の尊厳にかかわる重大事だというのに！
ジブリールの鋭《するど》い目が怒《いか》りにきらめき、スヌーカーのボールを持った手が一閃《いっせん》する。ボールは片隅《かたすみ》に置かれた精緻《せいち》な細工のマイセン陶器《とうき》を粉砕《ふんさい》し、一瞬《いっしゅん》のうちに無価値な破片《はへん》の山に変えた。

「〝ボルテール〟と〝ルソー〟が〝メテオブレイカー〟を持ってすでに先行しています」

タリアは艦橋《ブリッジ》に入ってきたデュランダルに報告した。

「ああ、こちらも急ごう」

デュランダルはうなずき、後部シートに着く。当然ではあるが、昨夜の情事《こと》はその態度の端《はし》にも匂《にお》わせない。

〝ミネルバ〟もひとまずの修理を終え、〝ユニウスセブン〟への航行を開始していた。ザフト艦《かん》では最高速を誇《ほこ》る〝ミネルバ〟だが、到着《とうちゃく》までの一刻さえも惜《お》しく感じる。

「地球軍側には、なにか動きはないのですか？」

アーサーが控《ひか》えめにたずねる。

「なにをしているのか。まだなにも連絡《れんらく》は受けていないが……だが、月からでは艦船《ふね》を出しても間に合わないか……」

デュランダルは答え、憂鬱《ゆううつ》そうにため息をついた。

「あとは地表からミサイルで撃破《げきは》を狙《ねら》うしかないだろうが……だがそれでは表面を焼くばかりで、さしたる効果は上げられないだろうな……」

おそらく地上からの迎撃《げいげき》など何の役にも立つまい——タリアも考える。

少しでも地表への影響《えいきょう》を軽減しようとするなら、〝ユニウスセブン〟が大気圏《けん》に突入《とつにゅう》する前に、できるだけ小さな破片に砕《くだ》くしかない。

「——ともあれ、地球は我らにとっても母なる大地だ。その未曾有《みぞう》の危機に、我々もできるだけのことをせねばならん」

デュランダルの言葉を、クルーはみな真摯《しんし》な表情で聞いている。現場に駆《か》けつけられるのは自分たちだけなのだ。たとえ地上にいる人々が敵だとしても、この状況《じょうきょう》で彼らを救いたいと思わない者などいない。そんなクルー一人一人の顔を見回し、議長は語りかけた。

「この艦《ふね》の装備ではできることもそう多くはないかもしれないが、全力で事態に当たってくれ」

「はッ！」

クルーは気合いの入った返答をし、操艦に専念した。

「……カガリ」

ドアが開き、入ってきたアスランの両手にはドリンクのパックがあった。カガリはちらりとそちらに目をやったが、すぐに視線を落とす。

シンというあの少年に叩《たた》きつけられた言葉が、彼女の耳から離《はな》れなかった。アスランが歩み寄り、前にドリンクを置いたが、カガリはそちらに手を伸《の》ばそうともしない。するとアスランは彼女の前にかがみ込む。

「考えてもしょうがない……カガリ。わかっていたことだろ？——あんなふうに思ってる人間もいるはずだって」

わかっていた。いいや、わかっていると思っていた。

さきの大戦で父が下した決断により、多くの国民が苦しみを舐《な》めることになったということ。そしてそれゆえに、父や自分たちを恨《うら》んでいる人間もいるに違《ちが》いないということを。

だが結局のところ、カガリはちっともわかっていなかったのだ。自分の目前に立った少年によって糾弾《きゅうだん》の言葉をぶつけられるまでは。

「でも……っ」

カガリは呻《うめ》くようにつぶやく。

「……お父さまのことを……あんなふうに……」

父のことを思い出すと涙《なみだ》があふれそうになり、カガリは唇《くちびる》を嚙《か》んだ。

それは、父の決定によって家族を奪《うば》われたシンにすれば、おまえたちのせいだと責めたくなるのも無理はないだろう。だが――。

「お父さまだって、苦しみながらお決めになったことなのに……それを……！」

父、ウズミ・ナラ・アスハは最後まで国のため、国民のために戦った。世界中が戦火に焼かれる中、オーブだけは最後の最後まで平和の中にあった。それはウズミがどちらの陣営《じんえい》にも加担せず、断固として自国の立場を貫《つらぬ》いたからだ。そしてその努力も虚《むな》しく潰《つい》えさったときは、責任を取って自らの命を断《た》った。それでも信じないと言われるなら、どうやって信じてもらえばいいというのか……？

カガリを脱出《だっしゅつ》させ、自分は死地に赴《おもむ》いた際の父の微笑《ほほえ》みが、最後に髪《かみ》を撫《な》でたその手の感《かん》触《しょく》がよみがえる。誰《だれ》が何と言おうと、父は立派な人だった。血の繋《つな》がらないカガリを本当の娘《むすめ》のように愛し、そして希望を託《たく》した。

こらえきれずに涙をこぼすカガリを、アスランはそっと抱《だ》きしめてくれる。

「だが、しかたない。だからわかってくれ、と言ったところで、いまの彼にはわからない……。きっと、自分の気持ちでいっぱいで……」

アスランはカガリの髪を撫で、そっと目をのぞき込んでささやきかけた。

「きみにはわかってるだろ？　カガリ……」

憎《にく》くて――大切な人を奪った相手が憎くて、憎くて、殺してやりたいとひたすらに思い、その手に武器を取る。

それはかつてカガリ自身もたどった道だ。そして、アスランもまた。

その憎しみを捨て去ることができたのは、いまも目の前にいてカガリを支えていてくれる相手の存在ゆえ——そして、父の言葉ゆえだった。

——撃《う》ち合っていては、なにも終わらん。

父は言った。このまま進めば世界はやがて、認めぬ者同士が際限なく争うばかりのものとなろう——と。

それを止めるために戦い、止めることができたと一度は思った。だが現実はどうだ？

世界はあいかわらず争い合っている。それではダメだといくら声高《こわだか》に叫《さけ》んでも、カガリたちの言葉を聞く者などいない。こんな世界のために父は——そして、自分たちを信じてともに戦った者たちは死んだのか？

もっと自分がちゃんとしていれば——父の半分でも力ある指導者ならば、こんな流れを止められるのではないだろうか？　これでは、父や死んでいった仲間たちに顔向けできない。

カガリはアスランの胸にすがってむせび泣く。アスランは黙《だま》って、そんな彼女を受け止め、強く抱きしめてくれた。

互《たが》いの存在だけが、いまの彼らには唯一《ゆいいつ》のなぐさめだった。

地球の引力に引かれて、後方に長くストリングスをなびかせる〝ユニウスセブン〟は、まるで深海に漂《ただよ》う巨大《きょだい》なクラゲを思わせる。

ザフト軍、ナスカ級艦《かん》〝ボルテール〟――その艦橋《ブリッジ》で、接近しつつあるプラントの残骸《ざんがい》を見つめる者たちがあった。

「……こうしてあらためて見ると、デカイな！」

一般《いっぱん》兵士の制服を着た金髪《きんぱつ》の青年が、しみじみと言った。年齢《ねんれい》はまだ二十歳《はたち》そこそこだろう。浅黒い顔は、いつもは斜《しゃ》に構えた笑《え》みが覆《おお》っていることが多いが、いまはさすがに圧倒《あっとう》されたような真剣《しんけん》な表情が浮《う》かんでいる。

「あたりまえだ。住んでるんだぞ、俺たちは。同じような場所に！」

嚙みつくように返したのは、そのかたわらに立つ指揮官服姿の青年だ。彼もまた同じくらいの年齢で、まっすぐな銀髪《ぎんぱつ》と切れるように端整《たんせい》な顔立ちが、見る者に冷たい印象を与《あた》えるが、その第一印象が裏切られることは間違いない。その口調も叱責《しっせき》というより、気のおけない者に対するぞんざいさを感じさせた。

「それを砕《くだ》け、って今回の仕事がどんだけ大ごとか、あらためてわかったって話だよ！」

金髪の青年が、こちらも上官に対する敬意などかけらもない調子で言い返す。

ディアッカ・エルスマン、それが彼の名だ。

「おまえは先の見通しが甘いんだ。へらへらしてないで、もっと危機意識を持て」

冷たく返した若い指揮官の名は、イザーク・ジュールという。ディアッカは不満げに相手の顔をのぞき込んだ。

「…………なんか、おまえにだけは言われたくないんだけど」

「どういう意味だ!?」

とたんにカッとなるイザークの追及《ついきゅう》を、彼は肩《かた》をすくめてかわす。

「いいえェ、何でもございません、隊長どのォ」

「こんなときだけ『隊長』呼ばわりするなッ!」

彼らのやりとりを艦橋《ブリッジ》クルーは、また始まった、とでもいうように笑みをこらえて見守っている。たまたま目が合った女性クルーに、ディアッカがさりげなくウィンクし、彼女は噴《ふ》き出しそうになりながら、あわてて前へ向きなおった。

こんな二人ではあるが、どちらも大戦中、数知れぬ激戦をくぐり抜《ぬ》けてきた猛者《もさ》だ。

「ま……でもさ」

ディアッカはエレベータに向かいながら、ふと低く言う。

「……こういうことに使うのがいいんだよな。モビルスーツってのは」

兵器として開発されたモビルスーツではあるが、自在に、また精密に動く四肢《しし》と、強い太陽風——生身の人間にとっては致死《ちし》的な宇宙放射線——をものともしない機体《ボディ》はまさに、今回のような作業にうってつけの船外作業機器でもある。彼の言葉の底にあるものを読み取って、イ

ザークはアイスブルーの瞳《ひとみ》に複雑な表情を浮かべた。そして、気分を切り替《か》えるように、最後に鋭《するど》く指示を与える。

「いいか？　たっぷり時間があるわけじゃない。〝ミネルバ〟も来る。手際《てぎわ》よく動けよ！」

「りょーかい！」

ディアッカは片目を閉じ、閉まりかけるドアの間からいいかげんな敬礼を送った。


シンはぼんやりとアラートにたたずみ、モビルスーツデッキに並ぶ〝コアスプレンダー〟を見つめていた。誰《だれ》にも見つかりたくない。これまで仲間たちに自分の過去を話したことはなかった。ああして知られてしまって、下手に同情され、腫《は》れ物に触《さわ》るようにされたらたまらない。

少なくともいまは。

自分がさっきカガリにぶつけた言葉を、カガリがその前に口にした言葉を思い返す。

自分は間違っていないと思う。たしかに戦争などもうたくさんだ。本当にコーディネイターとナチュラルがわかりあい、手を取り合って暮らしていけるならそれがいちばんだということはわかる。

だがこちらが手をさしのべようと、相手がその手を払《はら》いのけ、銃《じゅう》を向けるならどうすればいいというのだ。黙って撃たれろというのか？　カガリが言ったことは結局、現実には即《そく》さないきれいごとにすぎない。オーブにあったことを見てみればわかる。声高《こわだか》に不戦を叫んでも、銃を向けられたら終わりだ。力がなくては結局、力ある者に滅《ほろ》ぼされてしまう。戦争をなくすいちばんの早道は、相手より強大な力を持つことだ。そうすれば敵は恐《おそ》れて向かってこない。自分や同胞《どうほう》を守るためには。

だが――と、シンはここで苦い思いを嚙《か》みしめる――力を手にしたというのに、結局自分はなにもできていないような気がする。あの三機――〝カオス〟、〝ガイア〟、〝アビス〟をなすすべもなく奪《うば》われ、戦うたびに翻弄《ほんろう》される。これでは力を手にした意味がない。

アラートのドアが開き、シンは我に返る。入ってきたのは白に薄紫《うすむらさき》を配したパイロットスーツを着たレイだ。レイはシンがいるのに気づきながら、黙《だま》って壁《かべ》のディスプレイに向かい、データチェックをはじめる。さっきの一幕について、なにか言われるに違《ちが》いないと身構えていたシンは、思わず相手の背中を見つめる。その気配を感じたのか、レイが肩ごしに振《ふ》り返った。

「なんだ?」

「い……いや、べつに……」

シンはうろたえて言葉を濁《にご》す。レイは何事もなかったかのようにディスプレイに向きなおりながら、無造作に言った。

「気にするな。俺は気にしてない」

シンは虚《きょ》を衝《つ》かれてその背中を見やる。一拍《いっぱく》おいて、よくわからないがレイは彼なりに、自分に気を遣《つか》ってくれているらしい、ということがわかった。

「――おまえの言ったことも正しい」

レイはいつもどおりの淡白《たんぱく》な口調で言った。シンの顔にこらえきれない笑《え》みが浮かぶ。同《どう》僚《りょう》の変わりのなさとその気遣いが、そして自分が肯定《こうてい》されたことがひどくうれしかった。

泣き疲《つか》れて眠《ねむ》ってしまったカガリの髪《かみ》を撫《な》でると、アスランは静かに立ち上がった。睫毛《まつげ》に涙《なみだ》の残る寝顔《ねがお》は、まるで幼い子供のようだ。

疲れているんだろう――と、アスランは傷《いた》ましい思いでその寝顔を見下ろす。

このところ、ずっと休む間もなく飛び回っていて、先日来のこの事態だ。カガリは努力している。だがその努力が報《むく》われることはあまりに少ない。それが彼女を、そしてアスランをも消《しょう》耗《もう》させる。

アスランはそっと部屋を出て、エレベータに向かう。そこで、赤い髪の少女が出てくるところに行きあわせる。

「あら」

ルナマリアとかいった少女はすれ違いながら、馴《な》れ馴れしく声をかけてきた。

「大丈夫《だいじょうぶ》ですかぁ、お姫さまは？」

その言葉に含《ふく》まれた皮肉に、アスランは鋭い目で彼女を見返す。なにもわかっていないのは彼女らの方だ。カガリが首長家の人間だというだけで、何の苦労も知らず、人の痛みもわからぬお姫さまだと勝手に決めつけている。

「彼女だって、父親も友だちも亡《な》くしている。あの戦争で」

アスランが低く言うと、ルナマリアは驚《おどろ》いたように振り返った。

「――なにもわかってないわけじゃないさ」

言い捨てて、彼はエレベータのドアを閉じた。

あの少女たちが悪いのではない。彼女たちは戦争を知らない。戦火で家族を失ったシンでさえ、まだ本当の意味では戦争を知らないのだ。一度はじまってしまえば、戦火は憎《にく》しみを巻き込み、坂道を転がり落ちる雪玉のように、際限なく膨《ふく》れ上がっていく。親を殺された子が銃を取り、撃《う》てば、それは誰かの親を殺し、その子がまた銃を取る。国のため、家族のため、平和のためという大義名分など何の役に立とう。それらを思うならけっして戦いなど起こしてはならないのだ。ウズミ・ナラ・アスハが最後までそう信じたように。

オーブに暮らしていた者たちが、ウズミの努力を知っていたとは思えない。人は平和の中にいてそれが貴重なものとは思えぬものだ。それを維持《いじ》するためにどれほどの尽力《じんりょく》が必要か、守られている者たちの多くは思いやりもしない。ウズミを真に信じた者なら、彼の決定を理解できるはずだ。

だがいくらそれを説いても、憎しみに曇《くも》った少年たちの心には届かない。彼らの耳にはカガリの言葉がきれいごとに聞こえるだろう。たしかに誰かから与《あた》えられた耳触《みみざわ》りのいい言葉なら、それはただのきれいごとだ。だがそれは、痛みと喪失《そうしつ》の果てに彼女自身がつかんだ答え――彼女にとっての真実なのだ。

エレベータのドアが開くと、艦橋《かんきょう》内のモニターに〝ユニウスセブン〟が映し出されたところだった。その動きはここから見てとることはできないが、すでにデブリの海からかなり突出《とっしゅつ》し、奥に見える青い惑星《ほし》へ引きつけられるように近づいている。

「〝ボルテール〟との回線、開ける？」

「いえ、通常回線はまだ……」

艦橋《ブリッジ》でのやりとりを聞きながらアスランが進み出ると、デュランダルが気づいて振り向いた。

「どうしたのかね、アスラン――いや、アレックス君か」

その声でタリア艦長《かんちょう》も気づいてこちらに目をやる。アスランはしばしためらった。これから自分が口にすることは、これまでの自分の心情を裏切るものだ。だが、彼は決然と口をひらいた。

「無理を承知でお願いします。私にもモビルスーツをお貸し下さい」

その言葉で艦橋《ブリッジ》中のクルーが、驚きの目を彼の上に集める。タリアは硬《かた》い表情のアスランを見つめた。その目には咎《とが》めるというより、かすかに苦笑《くしょう》のような光があったが、彼女はすぐに明瞭《めいりょう》な口調で答えを返す。

「たしかに無理な話ね。いまは他国の民間人であるあなたに、そんな許可が出ると思って？

――カナーバ前議長のせっかくの計らいを無駄《むだ》にでもしたいの？」

彼がアスラン・ザラであることを暗黙《あんもく》に認めた発言だ。そのうえで彼女は、よけいなボロを出すなと言っている。彼がアスラン・ザラであるなら、軍人である彼女には脱走者《だっそうしゃ》である彼を拘束《こうそく》する義務が生じる。それを回避《かいひ》するためには、オーブの一市民〝アレックス・ディノ〟として遇《ぐう》するしかない。

　タリアの温情を理解しつつも、アスランは頑《かたく》なに言いつのる。

「わかっています。でもこの状況《じょうきょう》を、ただ見ていることなどできません」

　これはカガリのため――彼女の、そして自分の同胞《どうほう》でもある、地上で暮らすすべての人たちのためだ。アスランは深く頭を下げる。

「使える機体があるのなら、どうか……！」

「気持ちはわかるけど――」

　困り果てたタリアの声に、デュランダルの声が重なった。

「いいだろう。私が許可しよう」

　あまりにあっさりと横から言われ、アスランはつい、そちらに目を向ける。デュランダルの切れ長の目が、笑みを含んで彼を見つめていた。

「議長!?」

「――議長権限の特例として」

危《あや》ぶんで声をかけるタリアに、デュランダルはまるで自分の権能を楽しんでいるように言う。アスランはあまり驚かなかった。なんとなく、この人ならわかってくれるという気がしていた。

「ですが、議長……」

タリアは再三の差し出口に、むっとした顔で言い返そうとしたが、デュランダルの反論にあって黙《だま》る。

「戦闘《せんとう》ではないんだ、艦長。出せる機体は一機でも多い方がいい」

デュランダルは柔和《にゅうわ》な笑《え》みをたたえながら、冗談《じょうだん》めかして言った。

「腕が確かなのは、きみだって知っているだろう？」

本当に、彼は楽しんでいるようだ。——だが、なにを？

アスランの頭をなぜか一瞬《いっしゅん》、奇妙《きみょう》な不安がよぎった。

〝ボルテール〟のリニアカタパルトから、次々とモビルスーツが発進する。漆黒《しっこく》の宇宙に飛び込んだ〝ゲイツR〟が、母艦から射出された巨大《きょだい》な作業機器を受け取り、〝ユニウスセブン〟へ向かう。三本足の台座の中央に、ドリルを装着した作業機器は〝メテオブレイカー〟だ。本来、小惑星の破砕《はさい》などに用いられる道具だ。これを〝ユニウスセブン〟の各所に打ち込み、地中で爆発《ばくはつ》させて細かな破片《はへん》に砕《くだ》くというのが、今回の任務だった。

「行くぞ！　ジュール隊長が急げってよ！」

ディアッカは部隊に声をかけ、〝ガナーザクウォーリア〟を駆《か》って先頭に立つ。眼前には触手《しょくしゅ》をたなびかせて泳ぐ巨大なクラゲのように見える、人工の大地が迫《せま》ってくる。

ディアッカの脳裏《のうり》に、一人の少女の顔がよぎった。大戦中に知りあった彼女は、いま地上にいるはずだ。このでかいクラゲが落ちていこうとしているのが、彼女の頭の上でもあるのだと考えると、不快な焦燥《しょうそう》が全身を満たす。

——きっちりこいつを片づけてやるぜ！

彼はひそかに心の中で誓《ちか》う。

先発した工作隊は凍《こお》った大地の各所に舞《ま》い降り、すぐさま〝メテオブレイカー〟の設置に取りかかった。そのとき、作業中の〝ゲイツR〟が続けざまに二機、だしぬけに大破、爆発する。どこかから放たれたビームによって撃破《げきは》されたのだとディアッカが気づいたのは、自身に襲《おそ》いかかったビームの矢から、とっさに飛びすさった瞬間《しゅんかん》だった。

「なにィッ!?」

コックピットにアラートが鳴り響《ひび》き、ディアッカは周囲を見回す。凍った大地のあちらこちらから、自分の部隊ではない機体が、ビームライフルを連射しながら飛び出してくる。

——攻撃《こうげき》されている？

「何だよッ！　これは!?」

黒と紫《むらさき》のカラーリングと機体各部に追加されたブースターが目につくが、それらのモビルスーツの原型を見てとることはたやすかった。〝ジン〟だ。本来、友軍機であるはずの機体が、ディアッカの目前で僚機《りょうき》を次々と屠《ほふ》っていく。

「ええい！　下がれ！　ひとまず下がるんだッ！」

ディアッカはM1500オルトロスで応射しながら、部隊に呼びかけた。工作隊の〝ゲイツR〟は丸腰《まるごし》だ。彼らは対抗《たいこう》手段もないまま、一機、また一機と撃破されていく。

〈〝ゲイツ〟のライフルを射出する！　ディアッカ、〝メテオブレイカー〟を守れ！〉

報告を受けたイザークが、母《ぼ》艦《かん》から叫《さけ》ぶ声がノイズに混じって届いた。

〈――俺もすぐ出るッ！〉

「ちっくしょうッ！」

ディアッカは怒《いか》りと焦燥にわめいた。

こいつらは何者だ!?　なぜ自分たちの邪魔《じゃま》をするんだ!?　早くしなければ〝ユニウスセブン〟はこのまま地球に落下してしまう。そうなれば地球に住む人々は――彼女は……！

そのとき、うそ寒いものが背筋を這《は》い上がり、彼はあらためて改造〝ジン〟部隊を見やった。

――まさか、こいつらが……？

安定軌道《きどう》にあるはずの〝ユニウスセブン〟が、なぜ動き出したか――誰《だれ》もが抱《いだ》いた疑問の答えを、彼はいま得たのだ。

〈モビルスーツ発進三分前。各パイロットは搭乗機《とうじようき》にて待機せよ。繰《く》り返す。発進三分前、各パイロットは――〉

アナウンスの流れる格納庫《ハンガー》を、パイロットスーツを着用したアスランはモスグリーンの機体めざして飛んだ。体を締《し》めつけるようなスーツの感触《かんしよく》が懐《なつ》かしい。

「粉砕《ふんさい》作業の支援《しえん》っていったって、なにすればいいのよォ……」

赤い〝ザク〟の前で技術スタッフと話し合っていたルナマリアが、アスランの姿を目にして驚《おどろ》いた表情になる。

アスランに貸与《たいよ》されたのは例の〝ザクウォーリア〟だ。すでに操作法はわかっていたが、この艦の技術主任というマッド・エイブスが機体の説明をしてくれる。アスランを横目にスタッフと会話を交《か》わす少女の声が、聞くともなしに耳に飛び込んできた。

「へえ……ま、モビルスーツには乗れるんだもんね……」

小生意気な調子で言うと、ルナマリアはコックピットに姿を消した。

〈モビルスーツ発進一分前……〉

レイという少年の搭乗機、白い〝ザクファントム〟がガントリークレーンでカタパルトへ運ばれていく。アスランもハッチから身をくぐらせ、機体を立ち上げる。そのとき、管制の声が慌《あわ》ただしく事態の変化を告げた。

〈――発進停止！　状況《じょうきょう》変化！〉

アスランは不審《ふしん》を抱いて目を上げた。続いて告げられた言葉に、彼は二重の意味で驚く。

〈〝ユニウスセブン〟にてジュール隊が不明機《アンノウン》と交戦中！〉

ジュール隊――彼にとってその名は、忘れようにも忘れられないものだった。

「イザーク……？」

イザーク・ジュールと彼は士官学校を同期卒業し、大戦中、同部隊に配属された仲だ。戦友と言っていいだろう。もっともイザークに言わせると、ライバルということになるらしいが。

〈各機、対モビルスーツ戦闘《せんとう》用に装備を変更《へんこう》してください！〉

――イザークがここに来ている？　そして交戦中だと？　アンノウンとは何者だ？

疑問が頭を駆《か》けめぐるうちに、さらに新たな報告がアスランの耳に飛び込む。

〈さらに〝ボギーワン〟確認《かくにん》！　グリーン二五デルタ！〉

〝ボギーワン〟――つい先日、取り逃《に》がしたばかりの不明艦だ。その艦がなぜここにいるのだ？

まったく状況がつかめない。アスランはつい、声を荒《あら》らげて管制官にたずねる。

「どういうことだ!?」

モニターに映った赤い髪《かみ》の少女も困惑《こんわく》顔だ。

〈わかりません！　しかし、本艦の任務がジュール隊の支援であることに変わりなし！　換装《かんそう》

終了《しゅうりょう》しだい、各機発進願います！〉

対モビルスーツ戦闘——思いがけないことになった。アスランは少しためらいをおぼえたが、すぐに懸念《けねん》の方がまさる。ジュール隊——イザークは無事だろうか？　もちろん彼の腕《うで》は知っていたが、心配なことに変わりはない。

シンの〝コアスプレンダー〟が一足先に発進していく。追って三つのユニットが射出された。高機動戦用の追加装備《ブレイズウィザード》がマウントされたレイの〝ザクファントム〟も発進する。続いてルナマリア機がカタパルトに運ばれ、砲戦用装備《ガナーウィザード》が取りつけられていた。

作業中、ふいに回線が開き、モニターにルナマリアの顔が映る。彼女は挑《いど》むように言った。

〈状況が変わりましたね。危ないですよ。——おやめになります？〉

アスランはむっとしてその顔を睨《にら》みつけた。

「……馬鹿にするな」

彼女らからすると、自分は前時代の遺物にでも見えるのだろうか。そのルナマリアの〝ザクウォーリア〟も発進していく。そして、アスランの機体もカタパルトへ運ばれ、背中にレイと同様の装備が取りつけられた。〝ブレイズザクウォーリア〟ということになる。

目の前にはハッチに切り取られた瞬《また》かない星空が覗《のぞ》く。アスランの胸に、高揚《こうよう》とともに諦念《ていねん》のようなものが入り込む。

——自分はまた、ここへ戻《もど》ってきてしまった。

だがいまは、迷っているときではない。友《イザーク》が戦っている。そして、〝ユニウスセブン〟はいまも地上に向かって落ちているのだ。

ランプがグリーンに変わる。アスランは進路の先をまっすぐに見据《みす》えた。

「……アスラン・ザラ、出る！」


「こんなヒヨッコどもに！」

サトーと仲間たちは〝メテオブレイカー〟を抱《かか》えた工作隊に、ビームを浴びせながら突《つ》っ込んでいく。彼らの〝ジン〟ハイマニューバ2型は追加されたブースターにより、次世代の〝ゲイツR〟に匹敵《ひってき》する機動性を得ていた。しかし乗り手の差はそれ以上だ。昨日今日モビルスーツに乗ったばかりの若造に、後《おく》れをとる者はこの隊にはいない。

そして、背負う信念の重さにおいても――。

サトーは〝メテオブレイカー〟を保持しつつ後退しようとしていた〝ゲイツ〟に迫《せま》り、すれ違《ちが》いざまに無駄《むだ》のない一射を放つ。ビームで機体を射貫《いぬ》かれた〝ゲイツ〟は、彼の背後で一《いっ》瞬《しゅん》の光輝《こうき》に包まれ、四散した。

「我らの思い、やらせはせんわ！　いまさらッ！」

サトーは闘気《とうき》みなぎる叫《さけ》びを上げた。その背後では〝ユニウスセブン〟がゆるやかに滅亡《めつぼう》へのカウントダウンを刻んでいる。この巨大《きょだい》な墓標こそ、守るべき者たちをすでに失った彼らにとっては、現在、唯一《ゆいいつ》守るべき存在だった。

母艦《ぼかん》からライフルが射出され、それをつかんだ〝ゲイツ〟が応戦をはじめる。サトーは目まぐるしく機体をさばき、〝ゲイツ〟が必死に連射するビームはその機体をかすめることさえできない。瞬く間にサトーは相手の懐《ふところ》に飛び込み、腰《こし》に佩《は》いた重斬刀を抜き放《はな》つ。彼が機体を返したときには、〝ゲイツ〟はコックピットを両断され、すでに沈黙《ちんもく》していた。彼の太刀筋《たちすじ》には一点の曇《くも》りもない。

しょせん偽善《ぎぜん》のぬるま湯につかって、安穏《あんのん》としているような者たちだ。自分たちの、死していった同胞《どうほう》たちの思いにも気づかず、〝メテオブレイカー〟など持ち出して、またも偽善を重ねるつもりなのか、こいつらは！

サトーの憤怒《ふんぬ》が銃口《じゅうこう》から迸《ほとばし》り、かつて自分たちが属していた組織の機体を次々と屠《ほふ》っていく。

――ならば、力ずくでその目を覚まさせてやるしかあるまい！

ディアッカは長大な砲身《ほうしん》を構え、エネルギーの矢を迸らせる。が、その一射がたしかにとらえたはずの敵機は寸前で回避《かいひ》し、ビームは虚《むな》しく〝ユニウスセブン〟の残骸《ざんがい》にのみ込まれる。

「くッ！　どういうヤツらだよ、いったい!?　〝ジン〟でこうまで……！」

ディアッカは苛立《いらだ》ちをこめて呻《うめ》いた。

――この俺の砲撃《ほうげき》が、かすりもしないだと!?

それは単なる自惚《うぬぼ》れではない。いまは一般《いっぱん》兵士の待遇《たいぐう》を受けているものの、彼はかつて『赤』を着る資格を持つエースだった。そして隊を率いるイザークと同じく、幾度《いくど》となく死線をくぐってきた経験を持つ。その彼のカンが告げている——こいつらは手練《プロ》れだ。

なんとか〝メテオブレイカー〟を守り続ける一機の〝ゲイツ〟に、またも敵の〝ジン〟が迫っていた。あわやというとき、一条の光が闇《やみ》を貫《つらぬ》く。蒼《あお》い閃光《せんこう》のように飛び来たった機体が、威嚇射撃《いかくしゃげき》を敵機に浴びせかけ、たまらず〝ジン〟は後退する。

〈工作隊は破砕《はさい》作業を進めろ！　これではヤツらの思うつぼだぞ！〉

鋭《するど》い声で指示を下したのは、〝スラッシュザクファントム〟で駆けつけたイザークだ。彼のパーソナルカラー、青で彩《いろど》られた〝ザクファントム〟は両肩《りょうかた》にガトリングビーム砲を負った近接戦向けの装備だ。

その指示を受けて、辛《から》くも命を拾った〝ゲイツ〟が〝メテオブレイカー〟を保持して〝ユニウスセブン〟に向かう。同じくさっき一度は命を拾った敵〝ジン〟は、その命を惜《お》しまず正面からイザークに突っ込んでいく。無造作にさえ見える〝ザクファントム〟の精射は一撃《いちげき》でその機体をとらえ、宇宙に散らせた。

隊長の到着《とうちゃく》によって、浮《う》き足立っていた工作隊は統制を取《と》り戻しつつあった。だが安堵《あんど》もつかの間、ディアッカのコックピットに警告音が響《ひび》きはじめる。熱源探知機に三つの光点が入り込み、凄《すさ》まじい速度で接近してくる。ディアッカの目がそれらの機影《きえい》をとらえるより先に、大出力のビームが驟雨《しゅうう》のように付近の宙域に降りそそいだ。それは所属不明〝ジン〟も、破砕作業中の〝ゲイツ〟も無差別になぎ払《はら》い、設置が進んでいた〝メテオブレイカー〟までも、もろともに灼《や》きつくす。

——また、敵だと⁉

戸惑《とまど》うディアッカの前で熱紋《ねつもん》が照合され、それが友軍機のものであることを教える。正確には、かつてそうだった機体だと。

〈なんだ⁉——〝カオス〟、〝ガイア〟、〝アビス〟⁉〉

イザークが当惑《とうわく》の声を上げ、ディアッカも事態を把握《はあく》しかねて自問する。

「〝アーモリーワン〟で強奪《ごうだつ》された機体か⁉」

その機体がなぜこんな場所に？　〝ミネルバ〟を撒《ま》いて逃《に》げたはずだったのに、いったい何の意図でこんな戦闘《せんとう》に介入《かいにゅう》する？

だが敵が撃《う》ってくる以上、その意図を問う余裕《よゆう》などない。ただでさえ〝ジン〟隊のせいで破砕作業に大きな遅《おく》れが出ている。ディアッカとイザークは作業中の工作隊を守るように展開し、三機に砲口《ほうこう》を向けた。

「〝ジン〟を使っているのか、その一群は？」

カガリが艦橋《ブリッジ》に入ったとき、デュランダル議長の険しい声が響いた。彼女は艦橋《ブリッジ》の殺気立った空気に思わず足を止める。

うっかり寝入《ねい》ってしまい、目覚めたときかたわらにアスランの姿はなかった。たぶん艦橋《ブリッジ》に行ったのだろうと思って来たが、アスランはおらず、思いもしなかった事態が起こっているようだ。

「——ええ、ハイマニューバ2型のようです。付近に母艦は？」

「見当たりません！」

まるで戦闘中のようだ。カガリはおそるおそるデュランダルに近づく。そこで、副長のアーサーが憤然《ふんぜん》と発した言葉に、耳を疑う。

「けど、なぜこんな……〝ユニウスセブン〟の軌道《きどう》をずらしたのは、こいつらってことですか!?」

「えっ……!?」

思わず上げた声に、デュランダルが気づいて振《ふ》り向いた。

——軌道をずらした？　〝ジン〟……？

カガリは混乱し、モニターに映る〝ユニウスセブン〟をただ見つめた。あれの軌道が変わったのは事故ではない——とでもいうのか？

「いったい、どこの馬鹿が!?」

アーサーが毒づくと、タリアが厳しい表情で口をひらく。

「でも、そういうことならなおさら、これを地球へ落とさせるわけにはいかないわ。——レイたちにもそう伝えてちょうだい」

「姫《ひめ》……」

すぐ目の前から声をかけられ、カガリはハッと飛び上がる。デュランダルがこちらを見ていた。まるで間の悪いときに出くわしてしまったかのように、カガリはうろたえ、とっさに当初の目的を口にしていた。

「ア、アスランは……？」

しどろもどろの彼女と対照的に、デュランダルは落ち着いた笑みを返す。

「おや、ご存知なかったのですか？」

「え？」

カガリは思わず目を瞬《またた》かせる。

「彼は自分も作業を手伝いたいと言ってきて——」

デュランダルは説明しながら、視線でモニターを示す。

「——いまはあそこですよ」

カガリは愕然《がくぜん》と息をのむ。

そこには、周囲に戦闘中を示す光芒《こうぼう》を散らした〝ユニウスセブン〟が映っていた。

「ちぃっ！　あいつらっ！」

ジュール隊に襲《おそ》いかかる三機のモビルスーツを見たとたん、シンの頭にカッと血が上った。

〝カオス〟、〝ガイア〟、〝アビス〟――あいつらがまた味方を殺している！

怒《いか》りのままに彼は飛び出した。この機会を逃《のが》すわけにはいかない。彼の頭から地球に迫《せま》った危機は飛び去り、あの三機と決着をつけることのみで占《し》められる。

〈あの三機！　今日こそっ！〉

ルナマリアもシンと同じ思いだったらしく、威勢《いせい》よく叫《さけ》んであとを追ってくる。そのとき、聞き慣れない声が彼らをいさめた。

〈目的は戦闘じゃないぞ！〉

一拍《いっぱく》おいて、それがアスラン・ザラのものであることに気づいた。シンの中に苦いものが広がる。戦いから逃げ出してオーブなんかを選んだヤツが、我が物顔に自分たちの機体を乗り回し、あまつさえ指図しようなんて！

シンは当然のようにその制止を無視し、ルナマリアも反抗的《はんこう》に叫び返す。

〈わかってます！　けど撃ってくるんだもの！　あれをやらなきゃ、作業もできないでしょう!?〉

アスラン機は納得《なっとく》したのかあきらめたのか、それ以上言葉を費《つい》やさず、レイ機とともにそのまま〝ユニウスセブン〟に向かう。シンは嘲《あざけ》るように鼻を鳴らした。

——なにが伝説のエースだ！　ただの臆病者《おくびょうもの》じゃないか！

「〝ユニウスセブン〟、さらに降下角プラス一・五！　加速四パーセント！」

「ジュール隊、〝カオス〟、〝ガイア〟、〝アビス〟の攻撃《こうげき》を受けています！」

〝ミネルバ〟艦橋《ブリッジ》に響《ひび》く報告を聞き、カガリは焦《あせ》りをつのらせてモニターを見つめる。あそこにいまアスランがいるのだ。それは不安をさそう事実だったが、彼女は実のところ、彼の身を心配はしていなかった。戦場で彼を墜《お》とせる敵など存在しない、と自然に思えるほど、カガリは彼の腕《うで》を信頼《しんらい》していた。

ただ、一度は棄《す》てたその力をふたたび手にしてまで、彼があそこへ赴《おもむ》いた、その気持ちが胸に痛かった。

「これでは破砕《はさい》作業などできません、艦長《かんちょう》！　本艦も〝ボギーワン〟を！」

アーサーが焦《じ》れた調子でタリアに攻撃命令を求める。だがさっきから、タリアは難しい顔でなにか考え込んでいる。ややあって彼女は口をひらいた。

「議長、現時点で〝ボギーワン〟をどう判断されますか？」

唐突《とうとつ》に質問され、デュランダルが意味を計るように彼女を見やる。タリアは思いきるように、重ねてたずねる。

「海賊《かいぞく》と？　それとも——地球軍と？」

「難しいな……。私は地球軍とはしたくなかったのだが……」

「どんな火種になるか、わかりませんものね？」

タリアがさらりとあいづちを打つ。カガリもアーサーも、この微妙《びみょう》な会話に固唾《かたず》をのんで聞き入っていた。

「——だが、状況《じょうきょう》は変わった」

デュランダルが心を決めたように言うと、引き取るようにタリアが続ける。

「ええ、この非常時に際し、彼らが自らを地球軍、もしくはそれに準ずる部隊だと認めるのなら……この場での戦闘《せんとう》には、何の意味もありません」

ここまで来てカガリは二人の会話の意味がやっと理解できた。あの不明艦がみなの想像どおり地球連合軍のものだとしたら、彼らに破砕作業を妨害《ぼうがい》する意味などない。おそらく彼らはこちらのやっていることが理解できずにいるのだ。いや、むしろ——

「逆にあの〝ジン〟部隊をかばっているとも思われかねんか……」

カガリがまさに考えていたことを、デュランダルが口にする。

「そんな！」

心外そうにアーサーが声を上げたが、タリアがなだめる。

「しかたないわ。あの機体が〝ダガー〟だったら、あなただって地球軍の関与《かんよ》を疑うでしょう？」

そのとおりだ。こちらが〝ジン〟をかばっているどころか、両者の区別さえできずにいる可能性がある。つまり、事情を知らない者からすれば、ザフトが〝ユニウスセブン〟を落とそうとしているように見えてもしかたのない状況なのだ。

カガリは焦りをおぼえて唇《くちびる》を噛《か》んだ。これが人為的《じんい》に引き起こされた厄災《やくさい》であるだけでもまずいのに、この誤解を放置すれば取り返しのつかないことになる。

デュランダルが決然と口をひらいた。

「〝ボギーワン〟とコンタクトが取れるか？」

「国際救難チャンネルを使えば」

「ならばそれで呼びかけてくれ。我々は〝ユニウスセブン〟落下阻止《そし》のための破砕作業を行なっているのだと」

「はい」

彼らの落ち着いた対応を見ながら、カガリはなおも不安な思いでモニターを見ていた。

〝ボギーワン〟――あの艦にいる者たちが、これで納得《なっとく》してくれるならいいのだが……。

アスランは〝ユニウスセブン〟の上空にいた。眼下では〝ゲイツ〟が〝メテオブレイカー〟を守って凍《こお》った地表へ降下していく。その作業部隊を狙《ねら》って改造〝ジン〟が飛来するところを、アスランはビーム突撃銃《とつげきじゅう》で応射する。ほんの一呼吸の間に放たれたビームは、一機の頭部と左《ひだり》脚部《きゃくぶ》を吹《ふ》き飛ばした。

そんな彼をマークした二機の〝ジン〟が、側面からビームを放ちながら飛来する。とっさにアスランは脚部スラスターに点火する。〝ザク〟は鮮《あざ》やかに宙返りし、射線をかわしながら、間髪容《かんはつい》れずライフルを発射した。そのアクロバティックな動きにそぐわぬ精密な射撃は、一発めで一機のライフルを撃《う》ち落とし、二発めで二機めの頭部を射貫《いぬ》く。なおも一機めが重斬刀を抜き放《はな》とうとするところを、三発めのビームが右腕《みぎうで》ごともぎ取った。

地表へ〝メテオブレイカー〟を設置しようとしている〝ゲイツ〟隊を、今度は逆方向からのビームが襲《おそ》う。上空からビームライフルで狙うのは、背中に巨大《きょだい》な兵装ポッドを負った機体、〝カオス〟だ。

「くそ……！」

アスランは毒づき、機体を返す。すばやくビームの連射を浴びせると、〝カオス〟は兵装ポッドを分離《パージ》した。〝ドラグーン〟システムだ。アスランは前後からポッドが放つビームをかわしながら、襲ってくる光条を頼《たよ》りに瞬時《しゅんじ》に軌道《きどう》を予測し、トリガーを引く。ポッドの一基がその一射に貫《つらぬ》かれる。攻防《こうぼう》の間もその機体は一気に〝カオス〟への距離《きょり》を詰《つ》め、懐《ふところ》に飛び入った。

「やめろっ！」

〝カオス〟は頭部バルカンを放ったが、その前に顔面を〝ザク〟の拳《こぶし》がとらえていた。慣性を乗せた一撃は〝カオス〟を大きく背後へ吹っ飛ばす。

これに乗っているのは地球連合軍のパイロットであるはずだ。ならば、目的は同じはず。こんな戦闘に時間を費《つい》やしている場合ではない。

だがアスランの焦《あせ》りにもかかわらず、〝カオス〟はムキになったように食《く》らいついてくる。振《ふ》り切ることもできず、アスランは応戦するしかない。残った一基の兵装ポッドが敵の執念《しゅうねん》を顕《あらわ》すように、矢継《やつ》ぎ早の攻撃《こうげき》をしかけてくる。アスランはその連射をかわしながらシールドからビームトマホークを抜き放ち、投擲《とうてき》した。回転する光の刃《やいば》が、ポッドに追いつき、両断する。

だが〝カオス〟はなおもビームサーベルを抜き放ちながら突《つ》っ込んでくる。アスランは対象を撃破して戻《もど》ってきたトマホークを受け止め、その刃を敵に向けた。

〈おまえらのせいかよ、〝ユニウスセブン《こいつ》〟が動き出したのはっ!?〉

通信回線を通してアウルの叫《さけ》びを聞いたステラは、怒《いか》りに燃えて眼下に展開するザフト軍を睨《にら》みつけた。

——こいつらのせい……!　悪いヤツら!

赤い〝ザクウォーリア〟がまっすぐに自分に向かってくる。まえに撃ちもらした生意気なヤツ。こいつも悪いヤツの仲間だ!

ステラも〝ガイア〟を駆《か》って赤い〝ザク〟をめざす。彼女がビームライフルを放つと同時に、赤い敵機《ヤツ》も撃ち返してくる。光条が互《たが》いの機体をかすめ、虚空《こくう》にのみ込まれる。ステラは回避《かいひ》運動しながらライフルを連射するが、やはり撃ってくる敵をとらえられない。彼女は苛立《いらだ》つ。

あの白いのといい、コイツといい、なんで墜《お》ちない!?

両者の機体は交錯《こうさく》しながら、いつしか落下を続ける〝ユニウスセブン〟に接近していた。地表の建物を縫《ぬ》って飛ぶ赤い〝ザク〟を追い、ステラは大地に舞《ま》い降りる。〝ガイア〟はくるりと獣型に変じると、四本の肢《あし》で力強く地を蹴《け》り、背中の砲《ほう》と機体肩に装着したライフルをいっせいに放つ。三本のビームに追われて赤い敵機は上空に逃《のが》れ、そこで長砲身のビーム砲をはね上げて腰《こし》だめに構える。だが、敵の砲口から強烈《きようれつ》なエネルギーが迸《ほとばし》ったとき、すでにそこにステラはいない。〝ガイア〟は凍った大地を蹴り、浮遊物《ふゆうぶつ》を蹴って瞬《またた》く間に敵機に迫《せま》り、その勢いを乗せて赤い機体を蹴り飛ばす。〝ザク〟はその慣性を受け止められず、手もなく眼下の大地に仰向《あおむ》けに叩《たた》きつけられ、凍った土に長い溝《みぞ》を刻んでやっと止まった。無防備に漂《ただよ》う機体に向け、ステラは勝ち誇《ほこ》って舞い降りる。

「これで終わりね！　赤いのっ！」

だが彼女がビームを撃ちかけた瞬間《しゆんかん》、赤い〝ザク〟は足をはね上げ、大地を両手で突き上げて加速する。回転する機体がギリギリのところでビームをかわし、その足裏が〝ガイア〟の頭部を蹴り飛ばした。凄《すさ》まじい衝撃《しようげき》が体を押しひしぐ。

「なにィッ!?」

ステラは吹っ飛ばされる機体を制御《せいぎょ》しながら、ビーム砲で〝ザク〟を狙う。間髪《かんはつ》を容《い》れずに敵が放ったトマホークが襲いかかってくる。回転する刃が〝ガイア〟をかすめて、肩のライフルをもぎ取っていき、同時にステラの放ったビームが相手の右足を貫いていた。

――あとちょっとで……！

ステラは仕留めそこねた憤《いきどお》りに燃えながら、片足を失った赤い機体をなおも追い続けた。

戦闘《せんとう》の続く中、〝ユニウスセブン〟地表に降り立ち、作業を開始していた〝ゲイツ〟隊が、〝メテオブレイカー〟の起動に成功した。勢いよく地中に吸い込まれていく本体を見送り、パイロットが歓声《かんせい》を上げる。やがて地中深くで鳴動が起こり、凍った大地が激しく震動《しんどう》した。亀《き》裂《れつ》がその地表を縦横に走る。

イザーク・ジュールは、機体腰部《ようぶ》の後ろから抜き放った、モビルスーツの背丈《せたけ》を超《こ》える長柄《ながえ》のビームアックスを軽々と振り回し、まさに〝ジン〟二機を真っ二つにしたところだった。彼は期待をこめて〝ユニウスセブン〟を見下ろす。が、鳴動はすぐにおさまり、ひび割れた地表はそのまま沈黙《ちんもく》する。

「くそッ！」

やはりこのプラント残骸《ざんがい》は、一発や二発の〝メテオブレイカー〟で砕《くだ》けるような大きさではないのだ。ほかの〝メテオブレイカー〟に取りつき、起動させようとしている〝ゲイツ〟に、例の〝ジン〟が襲《おそ》いかかろうとする。

〈ええい！〉

そうはさせじとディアッカの〝ザク〟が、長大なビーム砲をその〝ジン〟に向ける。強烈なビームは機体をとらえ、〝ジン〟は片足を失って後退する。イザークも地表を守って戦いながら、隊員たちを叱咤《しった》する。

「急げ！　モタモタしてると割れても間に合わんぞ！」

さらに〝メテオブレイカー〟が起動し、地中に打ち込まれる。互いに交錯し、刃を、光弾《こうだん》を交《か》わす彼らの眼下で、大地が衝撃に揺《ゆ》れた。

誰《だれ》もが息を詰《つ》めて見守るうち、凍《こお》った大地に巨大《きょだい》な亀裂が走った。亀裂は見る間に深く空隙《くうげき》を広げていき、やがて、その向こうに星空が覗《のぞ》く。

〈グレイト！　やったぜ！〉

ディアッカが声を上げ、通信回線にみなの上げる歓声があふれた。イザークの顔にも安堵《あんど》がよぎる。

〝ユニウスセブン〟はほぼ真っ二つに裂《さ》け、爆破《ばくは》の衝撃によってわずかに遊離《ゆうり》しながら漂っていく。反動でまき散らされる岩塊《がんかい》を避《さ》け、イザークは機体を後退させた。強奪《ごうだつ》された三機のセカンドステージシリーズも、事態に驚《おどろ》いたのか攻撃をやめてやや退く。

一仕事終えたような達成感を誰もがおぼえていたとき、冷静な声が通信回線に入り込んできた。

〈だが、まだまだだ……〉

イザークは聞きおぼえのある声に一瞬、耳をそばだてる。視界を一機の〝ザクウォーリア〟が横切り、二つに割れた〝ユニウスセブン〟に降下していく。

〈もっと細かく砕かないと……〉

声の主の判断は正しい。半分に割れたとはいえ〝ユニウスセブン〟の直径は十キロメートル近くあるのだ。いまだ地球には充分《じゅうぶん》な脅威《きょうい》を持っている。だがイザークが気をとられたのはその内容にではなかった。

この声は——

〈アスラン!?〉

彼とまったく同じ驚きをこめてディアッカがその名を口にし、ほぼ同時にイザーク自身も反応していた。

「貴様っ……こんなところでなにをやっている!?」

アスラン・ザラ——その声は間違《まちが》いなく、かつて戦友《ライバル》だった男のものだった。士官学校ではほとんどの主席をイザークからかすめ取った、いま思い出しても頭に来るヤツだ。だが彼は、極《ごく》秘裏《ひり》にオーブへ亡命したと聞いている。そのアスランがなぜこんなところで、当然のようにザフトの機体に乗っているのだ？

〈そんなことはどうでもいい！　いまは作業を急ぐんだ！〉

アスランは二年前と同じ、冷静な声でうながす。ディアッカが我に返って〈あ、ああ〉と答え、イザークはむっとして怒鳴《どな》り返す。

「わかっているッ！」

まったく、二年経《た》ってもあいかわらず頭に来るヤツだ！　いきなり現れて何の説明もなしに指図がましい口を利《き》き、いいところを取っていくあたり、まるきり変わらない。

イザークは憮然《ぶぜん》としたまま、一基の〝メテオブレイカー〟を運ぶディアッカ機に並ぶ。反対側にアスラン機がついた。しばらくして、苦笑《くしょう》まじりの声が通信回線を伝わってくる。

〈……あいかわらずだな、イザーク〉

その台詞《せりふ》まで横取りされてしまった。イザークは怒鳴り返す。

「貴様もだッ！」

〈……やれやれ〉

ディアッカが笑《え》みを含《ふく》んだ声で、つき合っていられないというふうにつぶやく。

前方から改造〝ジン〟が二機、彼らをめがけて飛来する。〝メテオブレイカー〟をディアッカにまかせ、イザークとアスランが突出《とっしゅつ》した。アスラン機がすれ違《ちが》いながら一機のライフルを撃《う》ち落とし、すかさずイザークがその反対側の腕《うで》を切り離《はな》す。もう一機が仲間を救おうとこちらを狙撃《そげき》してくる。イザークはそいつに両肩《りょうかた》のガトリングビーム砲《ほう》を食《く》らわせ、弾幕《だんまく》を避けて飛んだ〝ジン〟は、待ち構えていたディアッカのビーム砲に機体を貫《つらぬ》かれて爆散《ばくさん》した。

ひとことも交《か》わす必要はなく、三機の連携《れんけい》はごく自然だった。まるで二年前に帰ったようだ――そんな錯覚《さっかく》が一瞬、イザークを襲う。知らないうちに口元に笑みが浮《う》かんでいたのに気づき、彼はあわてて顔を引き締《し》めた。

アスラン・ザラはやはり頭に来るヤツだ。だが、自分の背後を守らせてやってもいいと思える、数少ない男でもあった。


「しまった……！」

〝ユニウスセブン〟破砕《はさい》によって飛び散った岩塊によって、シンはそれまで対戦していた〝アビス〟を一瞬見失った。その間に〝アビス〟は〝メテオブレイカー〟を運ぶ〝ザク〟に迫《せま》り、その胸部から放たれた太い熱線が周囲の大地を融《と》かす。敵機に追いすがるシンの前で、〝メテオブレイカー〟を守っていた二機の〝ザク〟が、パッと左右に展開する。

〈イザーク！〉

〈うるさいッ！〉

通信回線を伝ってアスラン・ザラの警告が聞こえ、間髪《かんはつ》を容《い》れずイザーク・ジュールが怒鳴り返す。アスランの〝ザク〟が巧《たく》みに〝アビス〟の射線をかいくぐり、ライフルの連射を浴びせかける。そちらに〝アビス〟が気をとられた一瞬の隙《すき》を衝《つ》き、背後にイザーク・ジュールの

〝ザクファントム〟が滑《すべ》り込む。

〈いまは俺が隊長だッ！　命令するな、民間人がァッ！〉

言い放つとイザーク機がビームアックスを一閃《いっせん》させ、防ごうと上げた〝アビス〟のビームランスを真っ二つに叩《たた》き斬る。機を逸《いっ》さず飛び込んできたアスラン機がすれ違いざまに光刃《こうじん》をきらめかせ、〝アビス〟の左足が宙を舞《ま》う。見ていたシンが息をのむ間もない、ほんの一瞬《いっしゅん》のことだった。

いかにも不仲そうな語調にもかかわらず、二機の〝ザク〟は素晴《すば》らしい連携を見せ、今度は加勢に駆《か》けつけた〝カオス〟に向かっていく。アスランの正確な連射が〝カオス〟を翻弄《ほんろう》し、その間にイザーク機は凄《すさ》まじいスピードでその機体に肉薄《にくはく》した。振《ふ》り下ろされたアックスがアンチビームコーティングされたシールドをも断《た》ち切る。たじたじと後退しながら応射しようとする〝カオス〟を、次の瞬間にはアスランが投擲《とうてき》したビームトマホークが襲《おそ》い、ビームライフルをその右腕《みぎうで》ごともぎ取る。

シンは唖然《あぜん》として、華麗《かれい》にさえ見える二機の戦闘《せんとう》に見入っていた。彼ら二人は、シンたちがこれまでどれほど戦っても疵《きず》ひとつつけることができなかった敵機を、わずか数秒のうちにほぼ戦闘不能にまで追い込んだのだ。

「あれが〝ヤキン・ドゥーエ〟を生き残ったパイロットの力かよ……」

その口から知らず知らず、賛嘆《さんたん》の声が漏《も》れる。イザーク・ジュール隊長といえば〝ヤキン・

ドゥーエ〟で大きな戦功を上げた名パイロットとして、シンたちの間でも名高い。そのイザーク・ジュールと旧知の仲というのも驚《おどろ》きだったが、アスラン・ザラの技術はこう見るに、彼にまさるとも劣《おと》らない水準だ。アスランが伝説のエースと呼ばれる理由を、いまシンは思い知った。そんな相手を知りもせず、見下していた自分が恥《は》ずかしい。

〈シン！　なにをしている!?〉

ふいに飛び込んできた声に、シンは我に返る。〝ユニウスセブン〟で黙々《もくもく》と作業を続けるレイからの通信だ。

〈作業はまだ終わっていないんだぞ！〉

シンはようやく当初の目的を思い出し、そんな自分に後ろめたい思いを抱《いだ》いた。だがうながされて〝ユニウスセブン〟に向かいながらも、彼はもう一度、背後で繰《く》り広げられる戦闘を見ずにはいられなかった。

そのとき、彼方《かなた》に見える青鋼色《スチールブルー》の戦艦《せんかん》から信号弾《だん》が打ち上げられ、シンは意外の念を抱いてそちらを振り返る。色とりどりの光が宇宙の闇《やみ》を照らし、〝ユニウスセブン〟の破片《はへん》を白々と照らし出した。

〝ミネルバ〟艦橋《ブリッジ》でもその帰還《きかん》信号を目撃《もくげき》していた。デュランダルが安堵《あんど》の滲《にじ》む声を吐《は》き出す。

「ようやく信じてくれたのか……」

するとタリアがドライな口調で返す。

「そうかもしれませんし、別の理由かもしれません」

「別の理由？」

デュランダルが聞き返し、彼女は短く答えた。

「高度です」

その目は計器の数値を見つめている。彼女たちの会話を聞いていたカガリは我に返り、窓外に目をやった。〝ユニウスセブン〟に気をとられていたうちに、いつの間にか眼下の青い惑星《わくせい》は視界を覆《おお》いつくすほどに近づいている。

「〝ユニウスセブン〟とともにこのまま降下していけば、やがて艦《ふね》も地球の引力から逃《のが》れられなくなります」

カガリは焦燥《しょうそう》と不安の入り混じった目をモニターに向ける。〝ユニウスセブン〟はモビルスーツ隊の尽力《じんりょく》によって、すでにいくつかの破片に砕《くだ》かれていた。だが、そうはいってももともとがあの大きさだ。カガリの目には砕かれた断片も充分《じゅうぶん》に脅威《きょうい》として映る。

モビルスーツ隊はなおもそれらの破片に〝メテオブレイカー〟を打ち込み、細分化しようとしていた。しかしこれ以上の作業は彼らにとっても危険を伴《ともな》う。地球に近づきすぎれば、巨大《きょだい》すぎるその質量に引かれ、〝ユニウスセブン〟ともども地表へ落下してしまう。そして作業中のモビルスーツ隊の中には、アスランもいるのだ。

「我々も、命を選ばねばなりませんわね……」

タリアが淡白《たんぱく》に続ける。

「……助けられるものと、助けられないものと」

カガリは彼女の言葉を理解しかねて、その顔を見た。デュランダルも不審《ふしん》げに声をかける。

「艦長……？」

呼びかけられたタリアは、こちらに顔を向ける。その顔には女性らしからぬ、不敵な笑《え》みが浮《う》かんでいた。

「こんな状況下《じょうきょうか》に申し訳ありませんが、議長がたは〝ボルテール〟へお移りいただけますか？」

「え？」

いきなりの要請《ようせい》にデュランダルが聞き返し、カガリもわけがわからずに眉《まゆ》を寄せる。ほかの艦に、いまこのときに乗り換《か》えろとは、どういう意図だろう？

彼女らの無言の問いかけに答えるように、タリアはその意図を明かした。

「〝ミネルバ〟はこれより大気圏《けん》に突入《とつにゅう》し、限界までの艦首砲《かんしゅほう》による対象の破砕《はさい》を行ないたいと思います」

彼女の凛《りん》とした声が告げたとたん、カガリたちだけでなく、クルー全員が息をのんだ。

「ええっ⁉」

副長のアーサーが棒立ちになり、操舵士《そうだし》のマリクが顔を引きつらせる。

「か、艦長……それは……」

カガリは目を丸くして、自分の前に平然と座す女性を見つめた。タリアは部下たちの躊躇《ちゅうちょ》にもかまうことなく、さばさばした仕草で肩《かた》をすくめる。

「どこまでできるかはわかりませんが——でも、できるだけの力を持っているのに、やらずに見ているだけなど、後味悪いですわ」

カガリの胸に熱いものがこみあげる。地上《あそこ》にいるのは、おそらくタリアたちには何のかかわりもない人々——いや、むしろ敵対する立場の人々だ。その敵を、彼女は自ら体を張って救おうとしている。

カガリは最前、ザフトの少年たちにぶつけた言葉を悔《く》やんだ。地球など滅《ほろ》びてしまえと言われたあのときは、彼らが自分とは相容《あいい》れない、永遠に理解しあえない者たちであるのかと疑った。だが違《ちが》う。タリアをはじめ、いまも〝ユニウスセブン〟に残って作業を続けるパイロットたちはみな、敵の命さえ救いたいと願っているのだ。もし立場が逆なら、自分も迷わずそうするだろう。自分と彼らはやはり、相容れない別の種などではない。同じ心を持つ同胞《にんげん》なのだ。

「タリア、しかし……」

デュランダルが気づかわしげに声をかける。彼の懸念《けねん》することはわかる。〝ミネルバ〟はおそらく、かつてオーブの造った地球連合軍艦〝アークエンジェル〟級と同様、大気圏突入可能なスペックを持つのだろう。だが実際に試《ため》したことはないはずだ。しかも修理がすんだとはいえ、さきの戦闘《せんとう》でかなりのダメージを受けている。スペック上の耐熱値《たいねっち》を当てにはできない。つまり、これはかなりのリスクを伴う行為《こうい》なのだ。だがタリアは明るい笑顔で返す。

「私はこれでも運の強い女です。おまかせ下さい」

「……わかった」

デュランダルは彼女の意気を讃《たた》えるように微笑《ほほえ》み、小さく息をついた。

「すまない、タリア……ありがとう」

「いえ、議長もお急ぎください。——〝ボルテール〟にデュランダル議長の移乗を通達！　モビルスーツに帰還信号！」

タリアは別れのしるしに敬礼したあと、時を移さずクルーに指示をはじめる。デュランダルも慌《あわ》ただしく立ち上がり、カガリをうながす。

「では、代表」

カガリは差し出された手を前に、あわててかぶりを振《ふ》った。

「私は、ここに残る……」

デュランダルと、一度前に向きなおったタリアがあっけにとられて彼女を見つめるが、カガリは断固として告げる。

「アスランがまだ戻《もど》らない。——それに、〝ミネルバ〟がそこまでしてくれるというのなら、私もいっしょに……!」

「しかし、為政者《いせいしゃ》の方には、まだほかにお仕事が……」

タリアの言うことも理解できる。だからこそデュランダルはほかの艦に移るのだ。為政者は自分の身を危険にさらしてはならない。その者一人が失われるだけで国は混乱する。

カガリにもわかっている。だが、〝ミネルバ〟クルーが、アスランが力を尽《つ》くしているというのに、いま自分にできることなど何ひとつない。ならばせめて、彼らと同じリスクをおかしてでも、最後まで彼らの努力を見届けたい。

彼女の意志の固さを見てとったのか、デュランダルはあきらめたようにため息をついた。

「代表がそうお望みでしたら、お止めはしませんが……」

それに——と、カガリは心の隅《すみ》で思い、ひそかに顔を曇《くも》らせる——デュランダルと自分は違う。いまデュランダルを失ったら〝プラント〟にとっては多大なる損失だろう。だが、自分は……。

為政者の仕事——果たして自分のしていることに意味があるのだろうか。このところずっと彼女を悩《なや》ませていた疑問が、こんな時にも頭をもたげ、彼女は忸怩《じくじ》たる思いで目を落とした。

〝ミネルバ〟と〝ボルテール〟から帰還《きかん》信号が打ち上げられ、シンはハッとして計器を見た。限界高度に近づいているのだ。

すでに〝ユニウスセブン〟は幾片《いくへん》かの破片に砕《くだ》かれていた。とはいえ砕ききれなかった部分は一辺数キロメートル以上の大きさを残している。たしか直径二十メートル以上の物体は大気圏《けん》で燃えつきることはないと聞いたことがあった。当初ほど壊滅《かいめつ》的ではあるまいが、このままでは地上の被害《ひがい》は目を覆《おお》うものとなるだろう。あの〝ジン〟部隊と〝カオス〟たちがよけいな邪魔《じゃま》さえしなければ、事態はもう少しマシなものになっていたはずなのに……！

だがこれが限界だ。最後まで残って作業していたレイやジュール隊の作業班もあきらめて離《り》脱《だつ》していく。

帰還信号に遅《おく》れてレーザー通信が入った。〝ミネルバ〟からのものだ。

——本艦《かん》はモビルスーツ収容後、大気圏に突入《とつにゅう》しつつ、艦首砲《かんしゅほう》による破片破砕《はさい》作業を行なう——。

地球に降下？——シンは艦長の決定に驚《おどろ》きつつ、少し安堵《あんど》する。〝タンホイザー〟でどれだけの破片が砕けるかはわからなかったが、それで少しでも地上への被害は減るだろう。

もっとも下方に散った破片はすでに、炎《ほのお》のように灼熱《しゃくねつ》したガスに包まれていた。今度こそシンは見切りをつけて、自分も離脱しようとする。視線を転じようとしたとき、中でも巨大《きょだい》な破片の上でなにかが動いた。シンは驚いてモニターを見なおし、一機の〝ザクウォーリア〟がその上に〝メテオブレイカー〟を設置しようとしているのに気づく。機体識別コードを確認《かくにん》すると、それは〝ミネルバ〟所属の機体——アスラン・ザラだ。

シンは彼の蛮勇《ばんゆう》に怒《いか》りをおぼえながら、〝インパルス〟を引き返させた。

「なにをやってるんですっ！」

遠慮会釈《えんりょえしゃく》もなく怒鳴《どな》りつける。

「帰艦命令が出たでしょう⁉ 通信も入ったはずだ！」

だがアスランは彼に一顧《いっこ》を与《あた》えるようすもなく、一人で作業を続けようとする。

〈ああ、わかっている。きみは早く戻れ〉

「いっしょに吹《ふ》っ飛ばされますよ！ いいんですか⁉」

シンは唖然《あぜん》として叫《さけ》ぶ。それでもいちおう敬語なのは、目の当《ま》たりにした相手の力量に敬意を抱《いだ》いていたからだ。アスランは焦《あせ》りの滲《にじ》む声で叫び返す。

〈〝ミネルバ〟の艦首砲といっても、外からの攻撃《こうげき》では確実とはいえない！ これだけでも……！〉

そして黙々《もくもく》と作業を続ける。シンは苛立《いらだ》ちをこめて相手の機体を睨《にら》みつけた。

――モビルスーツの操縦はすごいかもしれないが、こいつは馬鹿だ。

こんなふうに言われて、自分だけすごすご逃《に》げ帰れるとでも思ってるんだろうか⁉

〝インパルス〟が設置作業を手伝いはじめると、アスラン機は驚いたように一瞬《いっしゅん》だけ動きを止めた。シンは作業を続けながら、低く吐《は》き捨てる。

「あなたみたいな人が、なんでオーブになんかっ……」

ただ命が惜《お》しくて逃げ出した臆病者《おくびょうもの》だと思っていた。だが自分の命も顧《かえり》みずに他人を救おうとしているアスランの姿を見て、シンの中で相手のイメージがさらに書き換《か》えられる。アスランに対しての敬意が増すとともに、逆に苛立ちもつのる。なぜ彼はオーブを選んだのだ？　あんな、嘘《うそ》で塗《ぬ》り固《かた》めた偽善《ぎぜん》の国を？

焦りながら作業を続けていたシンは、すでにここには自分たちしかいないと思いこんでいた。だが、その考えは間もなく否定される。一条のビームが〝インパルス〟をかすめ、同時にアラートが鳴り響《ひび》く。驚いて振《ふ》り仰《あお》ぐと、あの改造〝ジン〟が三機、ビームライフルを放ち、腰《こし》の刀を抜《ぬ》き放って襲《おそ》いかかってきた。あるものは足、あるものは腕《うで》を失い、破損していない機体は一機もなかったが、三機ともためらいも見せずに突《つ》っ込んでくる。

「こいつらっ、まだ……！」

シンの頭にカッと血が上る。すでにビームライフルは失っていたが、彼は背中からサーベルを抜き放ちながら、〝ジン〟に向かっていく。やはり突撃銃《とつげきじゅう》を持たないアスランも、シールドからビームトマホークを抜き放ち、すばやく〝メテオブレイカー〟の前に立ちふさがった。

戦闘《せんとう》に入ったシンの耳に、突然、怨嗟《えんさ》の声が飛び込んできた。

〈――我が娘《むすめ》のこの墓標、落として焼かねば世界は変わらぬ！〉

目の前に迫《せま》った〝ジン〟のパイロットのものだ――そう気づいたときには、すでにシンの光《こう》刃《じん》はその胴《どう》をなぎ払《はら》っていた。

「娘……？」

勢いのますれ違《ちが》い、背後で爆発《ばくはつ》した〝ジン〟を振り返ったシンは、唖然としてつぶやく。

〈──なにを……？〉

アスランも通信回線を通じてその声を聞いたに違いない。やはり驚きの声を上げながら、斬《き》りかかってきた〝ジン〟の刃《やいば》をシールドで受け止める。今度は別のパイロットの声が叩《たた》きつけられる。

〈ここで無惨《むざん》に散った命の嘆《なげ》き忘れ……！　撃《う》った者らと、なぜ偽《いつわ》りの世界で笑うか、貴様らはッ!?〉

その糾弾《きゅうだん》はシンの胸に突き刺《さ》さった。

〈──軟弱《なんじゃく》なクラインの後継者《こうけいしゃ》どもに騙《だま》され、ザフトは変わってしまった……！〉

〝ジン〟のパイロットはなおも恨《うら》みの言葉を吐き出す。シンは攻撃することも忘れ、呆然《ぼうぜん》と彼の言葉を聞いた。

こいつら──この人たちは、ザフトの……？

なぜこんな馬鹿なことを、なぜこんなひどいことを？──と、ずっとこの部隊に憤《いきどお》りと疑問を抱《いだ》いていた。いま、シンは悟《さと》る。

──彼らには〝ユニウスセブン〟を落とす正当な理由があったのだ……。

アスランもまた、対峙した敵の言葉に衝撃を受けていた。彼自身も"ユニウスセブン"で母を亡くした者だった。いま向きあった者たちは、いわばアスランの分身のようなものだ。だが、だからといってこの行為が許されるはずもない。これらの破片が落ちれば、"ユニウスセブン"で撃たれた者以上の命が失われる。アスランは断固として"メテオブレイカー"を守る構えで、斬りかかる敵を待ち受けた。

〈なぜ気づかぬか!〉

"ジン"ははしゃにむに打ち込みながら、叫んだ。

〈——我らコーディネイターにとって、パトリック・ザラのとった道こそが、唯一正しきものと!〉

まるで頭を殴られたような衝撃だった。一瞬から空きになったアスランの右方に、敵の刃がきらめく。重斬刀が"ザク"の右腕を叩き斬った。我に返ったように"インパルス"がこちらへ飛び出そうとする。その隙をついて、背後の一機が"インパルス"に躍りかかった。シンがその腕を切り飛ばすが、それでもなお、がむしゃらに追いすがり、"ジン"は"インパルス"の動きを封じるように組みつく。シンが呻く。

〈くっ……!〉

次の瞬間、閃光がアスランの目を灼いた。"インパルス"にしがみついた"ジン"が自爆したのだ。衝撃で白い機体は吹き飛ばされ、宙を舞う。

「シン!?」

アスランはとっさにその機体を追おうとする。そのとき、爆散した〝ジン〟の破片が〝メテオブレイカー〟に叩きつけられた。設置が不十分の〝メテオブレイカー〟に衝撃でスイッチが入り、本体が地中にのみ込まれる。

——しまった……!?

破砕《はさい》作業を阻止《そし》しようとしていた〝ジン〟にとっても、これは思わぬ事態だったはずだ。両者は固唾《かたず》をのんで〝メテオブレイカー〟の作動を見守る。切り取られた大地が大きく跳《は》ね上がる——だが、それだけだった。最後の〝メテオブレイカー〟は無駄《むだ》に費《つい》やされてしまったのだ。破片は割れず、じりじりと地球へと落ちていく。すでにその下端《かたん》は灼熱《しゃくねつ》しはじめていた。

希望が潰《つい》えさったいま、これ以上ここにとどまっているわけにはいかない。〝インパルス〟を見やり、離脱《りだつ》しようとしたアスランは、だしぬけに上がった雄叫《おたけ》びのような声に振り返る。

〈我らのこの思い……今度こそナチュラルどもにィィィッ!〉

残った一機の〝ジン〟が突進してくる。アスランは飛び上がってかわそうとしたが、その両手が〝ザク〟の足に巻きついた。

「くっ……!」

機体ががくんと引きずられる。まるで過去の怨念《おんねん》にしがみつかれたような気がして、アスランは腹の底が冷たくなるような戦慄《せんりつ》をおぼえた。最後に見た父の狂信《きょうしん》的なまなざし、腕に食い込む指の感触《かんしょく》がまざまざと脳裏《のうり》によみがえる。

——自分は結局、父の呪縛《じゅばく》から逃《のが》れることができないのか……？

次の瞬間、飛来した〝インパルス〟の光刃《こうじん》がその重みから彼を解放する。取りついた〝ジン〟ごと、〝ザク〟の足を切り離《はな》したのだ。間髪《かんはつ》を容《い》れずサーベルを投げ捨てた〝インパルス〟の手が〝ザク〟の腕をつかみ、バーニアを全開して上昇《じょうしょう》しようとする。アスランも我に返ってバーニアを吹《ふ》かした。

眼下を見下ろすと、灼熱した破片に亀裂《きれつ》が走り、構造材が赤化していた。原初の地球を思わせるその大地の上、〝ジン〟がこちらを見上げるようにして両手を広げる。見るうちにその機体も赤く熱せられ、推進剤《すいしんざい》が爆発して四散し、燃えつきた。

アスランは一瞬、瞑目《めいもく》した。

——彼らもまた、あの戦争によって生み出された犠牲者《ぎせいしゃ》だったのだ……。

だがこのときアスランとシンも、〝ジン〟を引き込んだ巨大《きょだい》な重力の顎《あぎと》にしっかりとつかまってしまっていたのだ。二機のバーニアの力でも、機体を上昇させることはすでに不可能だった。まるですり鉢《ばち》の底へ滑《すべ》り落ちるかのように、機体はじりじりと引力によって引きずり込まれていく。やがて〝インパルス〟の手が離れ、二機は抗《あらが》うすべもなく、大気の底へと落下していった。

「降下シークエンス、フェイズ・ツー」

マリクが告げ、タリアは歯ぎしりした。

「〝インパルス〟と『彼』の〝ザク〟は？」

語気も荒《あら》くたずねると、メイリンが泣き出しそうな顔で強く首を振《ふ》る。

「ダメです！　位置特定できません……！」

「アスラン……！」

後部シートに着いていたカガリ・ユラ・アスハが、モニターを見つめ、祈《いの》るように呻いた。

もはやモビルスーツを収容することはできない。だが、それよりタリアにとって深刻な問題があった。大気との摩擦《まさつ》熱によって、センサーが障害を起こしているこの状態では、小さなモビルスーツの位置をつかむことができないのだ。

「間もなくフェイズ・スリー！」

アーサーが困惑《こんわく》した表情をタリアに向ける。

「……砲《ほう》を撃《う》つにも限界です、艦長《かんちょう》！」

「しかし、〝インパルス〟と〝ザク〟の位置が……！」

バートがかぶりを振り、火器管制官のチェン・ジェン・イーも切れ長の目に焦慮《しょうりょ》を滲《にじ》ませる。

「特定できねば、巻き込みかねません！」

問題はそこだ。タリアは唇《くちびる》を噛《か》んだ。やみくもに撃って、その射線上に僚機《りょうき》がいたら無事ではすまない。タリアの号令が、二人の若者の命を奪《うば》うことになる。その者の身を案じる少女の目の前で。

だが——この一射によって救われるであろう人々の数は、何万——いや、もしかすると何百万になるかもしれないのだ。

タリアは振り切るように顔を上げ、決断を下した。

「〝タンホイザー〟起動」

艦橋《ブリッジ》にいた者すべてが、鋭《するど》く息をのんだ。

「〝ユニウスセブン〟の落下阻止は、なにがあってもやり遂《と》げねばならない任務だわ」

タリアはあえて冷徹《れいてつ》な声で宣言する。

「照準、右舷《うげん》前方、構造体！」

それは彼女にとって、二人の若者の死刑執行書《しけいしっこうしょ》にサインするような行為《こうい》だった。チェンが苦しげな声で復唱する。

「〝タンホイザー〟照準、右舷前方、構造体」

ことによると泣き叫《さけ》ぶかと思われたカガリは、ひとことも発せず、かたく唇を引き結ぶ。その心中は、いまにも涙《なみだ》をあふれさせそうに見ひらかれた大きな目と、かたく組み合わされた両手を見れば察せられる。この艦に乗船してからのわずかな間にも、彼女とアスランの間に結ばれた絆《きずな》の強固さは見てとれた。だが彼女もまた間違《まちが》いなく、この一射のもつ意味をよく理解しているのだ。

艦首が開き、陽電子砲QZX—1〝ダンホイザー〟の砲口が覗《のぞ》く。ノイズの入ったモニターには灼熱《しゃくねつ》する巨大な塊《かたまり》が映し出されている。タリアは決然と号令した。

「——てーっ！」

巨大な砲口から、陽電子の渦《うず》が迸《ほとばし》り、灼熱する大地のかけらを撃った。破片の中央が蒸発し、見る間に太い光条が分厚い塊を貫《つらぬ》く。そこから破片《はへん》が四方へ吹き飛ばされ、見る間に炎《ほのお》に包まれていく。

二人の若者がその炎の中にいないことを、タリアは心の中で祈った。


〈繰《く》り返しお伝えします。〝ユニウスセブン〟の破砕《はさい》は成功しましたが、その破片の落下による被害《ひがい》の脅威《きょうい》はいまだ残っています——〉

誰《だれ》もいない部屋のなか、消し忘れたものらしいテレビ画面から、アナウンサーがたったいま届いたばかりのニュースを読み上げている。部屋は乱雑に散らかり、食卓《しょくたく》の上には食べかけたまま放置された食器が残る。

〈——現在、赤道を中心とした地域が、もっとも危険と予測されています。沿岸部にお住まいの方は海からできる限り離《はな》れ、高台へ避難《ひなん》してください——〉

住宅地から人の姿は消え、妙《みょう》に白々とした朝日が人声の絶えた町並みを照らし出している。

が、そこからほど近い幹線道路には避難の車があふれ、ドライバーたちが動かない車に業《ごう》を煮《に》やして互《たが》いに怒鳴《どな》りあっていた。

街の各所に設けられたシェルターには人があふれ、それでもなお無理やりその入り口をめざす者たちで、周囲には人の渦が蠢《うごめ》く。倒《たお》れた者が踏《ふ》みつぶされ、整理に当たっている警官が別のシェルターへ誘導《ゆうどう》しようとするが、その声も悲鳴と怒号《どごう》にかき消される。

高台をめざす車列は動かず、人々は車を乗り捨てて走り始める。彼らの頭上を、炎に包まれた物体が無数に通り過ぎていく。砕《くだ》かれた塊の小さなものは光を放って大気圏《けん》中で燃えつきたが、残りは長く白煙《はくえん》の尾《お》をたなびかせて、まっすぐに地表をめざした。そのさまは、まるで編隊を組んだ天使が空を横切るかのように美しく、そして恐《おそ》ろしい。

やがて、そのときがついに訪《おとず》れた。巨大な火の玉が次々と地表をとらえ、ジャングルに、砂《さ》漠《ばく》に、海に、そして街に降りそそぐ。落下地点は一瞬《いっしゅん》のうちに膨《ふく》れ上がる火球にのまれ、衝《しょう》撃波《げきは》が円形に広がって周囲にあるすべてを吹《ふ》き飛ばしていく。激突《げきとつ》のエネルギーに、大地は水面のようにさざ波を立て、その上にあるすべてをなぎ倒し、攪拌《かくはん》する。巨大なキノコ雲が立ちのぼり、灼熱したガスを大気中にまき散らした。海面は水蒸気と化し、巻き起こされた高波が獲物《えもの》を求める蛇《へび》のように鎌首《かまくび》をもたげて岸をめざす。

轟音《ごうおん》ははるか地中深くにも伝わった。一人ブランデーグラスを傾《かたむ》けていた、血色の悪い銀髪《ぎんぱつ》の男が、ビリビリと壁《かべ》を震《ふる》わせる衝撃《しょうげき》に目を上げる。ここは〝ブルーコスモス〟の盟主、ロード・ジブリール専用のシェルターだった。広々とした円形のフロアには、巨大《きょだい》な書棚《しょだな》が並び、マントルピースがしつらえられて、まるで一人のためのシェルターとは思えない。

いつまでも続く震動《しんどう》と、腹の底に響《ひび》く轟音を聞きながら、ジブリールは苛立《いらだ》ちに目を細めた。その手の下にいた黒猫《くろねこ》が、急に爪《つめ》を立てられ、驚《おどろ》いて逃《に》げ出す。

いまこの瞬間《しゅんかん》、地上では何千、何万もの人々が惨禍《さんか》をこうむっているだろう。だが、彼の苛立ちは地上の被害を思ってのものではなかった。自分がまるでカヤネズミのように、こんな穴の中に追い込まれ、息をひそめていなければならないという屈辱《くつじょく》に対してだった。


「うっわ、マジすげえ……」

〝ガーティ・ルー〟の展望室で地表を見ていたアウルが目をみはり、呆然《ぼうぜん》とつぶやく。軌道《きどう》上からも落下のようすはまざまざと見てとれた。いや、むしろここから見るしか、その全体像をつかむことはできなかっただろう。

「くっそォ……！」

スティングは悔《くや》しさに呻《うめ》き、掌《てのひら》を拳《こぶし》で殴《なぐ》りつける。

薄雲《うすぐも》のたなびく青い惑星《わくせい》に、無数の炎の筋が縞模様《しまもよう》を描《えが》く。大地に、海に、いくつもの火球が生まれ、膨れ上がっていく。まるい火は次々と連なり、あたかも地球を取り巻く黄玉《トパーズ》の首飾《くびかざ》りのようだ。これほど離れると美しくも見える光景だが、あの炎の中では数知れぬ命が、いままさに焼きつくされようとしているのだった。その恐るべき火を、やがて生き物のように立ちのぼる煙《けむり》が覆《おお》い隠《かく》す。

目を大きく見ひらき、ガラスに顔を押しつけて眼下を見つめていたステラが、怯《おび》えた子供のように高い声で訊《き》く。

「死ぬの？……みんな死ぬの？」

――死んだ。みんな死んだ。あいつらの落とした火に焼かれて！

スティングは憎《にく》しみに奥歯を噛《か》みしめた。コーディネイターは悪だ。彼らはずっとそう教えられてきた。眼下の火はその証明だった。

「突入《とつにゅう》角度調整、排熱《はいねつ》システム、オールグリーン……自動姿勢制御《せいぎょ》システムオン、ＢＣＳニュートラルへ……」

シンの指はせわしなくキーボードを叩《たた》いていた。額に滲《にじ》みはじめた汗《あせ》をぬぐおうとして、彼は無意識に手を挙げ、ヘルメットに阻《はば》まれて憮然《ぶぜん》とした表情になる。〝インパルス〟の機体は灼熱し、コックピット内の温度もじわじわと上昇《じょうしょう》しつつあった。だがもともと、単体での大気圏降下を可能とする機体だ。シンの操作により、〝インパルス〟は安定した突入姿勢に入っていた。

「あの人は……？」

気になっていたのはアスラン・ザラの〝ザク〟だ。スペック上では〝ザク〟も、大気圏突入時の高熱に耐《た》えうる装甲《そうこう》をもつはずだ。だがもしあれに乗って地球に降りてみるかと訊かれたら、正直誰《だれ》もがごめんこうむると答えるだろう。しかもアスランの〝ザク〟は損傷している。この高温の中、果たして保《も》つだろうか。

シンは熱で干渉《かんしょう》を受けている計器を調整し、僚機《りょうき》の位置を懸命《けんめい》に探《さぐ》る。

——いた！　かなり離《はな》れている。下方だ。

アスランの〝ザク〟はやはり降下姿勢を取り、〝インパルス〟より下方を落下している。機体に異常はなさそうだ——いまのところは。

「アスラン……アスランさんっ！」

シンは必死に呼びかけながら、機体を操《あやつ》って〝ザク〟に近づこうとする。高温には耐えているが、問題はこのあとだ。〝ザク〟のバーニアではこの降下スピードを殺せまい。このまま降下していけば海上に着水ということになりそうだが、減速できなければ、水面に叩きつけられた衝撃で、モビルスーツなど粉砕《ふんさい》されてしまう。

〈——シン……きみか!?〉

呼びかけに気づいたらしいアスランの声が、ひどいノイズに混じって届いた。シンは少し安堵《あんど》する。彼は無事だ。

「待ってください！　いまそっちに……」

彼はスカイダイビングの要領で〝ザク〟に向かって降下する。だがアスランは彼の努力に対して叫《さけ》び返す。

〈よせ！……くら〝インパルス〟の……でも、二機ぶんの落下エネルギーは……〉

シンはまたもその台詞《せりふ》に苛立ちながら、無視して目の前に迫《せま》った機体をとらえた。〝ザク〟を両腕《りょううで》に抱《かか》えるようにして姿勢を制御し、バーニアを全開しながら、彼は怒鳴《どな》った。

「どうしてあなたは、いつもそんなことばっかり言うんですか!?」

ようやくクリアになったモニターの中に、アスランの顔が映る。彼は苦笑《くしょう》しながら聞き返した。

〈じゃ、なにを言えばいいんだ？〉

シンは少し考えた。

「……『俺を助けろ、コノヤロー』とか」

〈…………その方がいいのか？〉

馬鹿正直に相手がたずねるので、シンはむっつりと言い返した。

「いいえ！　ただのたとえですっ！」

アスラン・ザラはたしかに『伝説のエース』と呼ぶにふさわしい男だった。でもそれがなければ、ただの大馬鹿ヤローだ！

「艦長、空力制御が可能になりました！」

艦《おそ》を襲うビリビリという振動《しんどう》を圧して、タリアは声を高める。

「主翼《しゅよく》展開！　操艦、あわてるな」

「主翼展開します。大気圏内推力へ！」

〝ミネルバ〟の両翼が開き、艦が大気の中、ゆっくりと減速していく。タリアは内心、ほっと息をついた。マリクはなかなかよくやっている。初の大気圏突入も無事に成功させた。〝アーモリーワン〟をあとにしたときは、まさかこんなことになるとは思わなかっただろう。それはタリア自身もそうだったが。

彼女はメイリンを見上げた。

「通信、センサーの状況《じょうきょう》は？」

「ダメです。破片《はへん》落下の影響《えいきょう》で電波状態が……」

タリアは小さく舌打ちした。大気中に巻き上げられた多量のガスや粉塵《ふんじん》のせいだろう。

「レーザーでも熱センサーでもいいわ！　〝インパルス〟と〝ザク〟を捜《さが》して！」

指示すると、沈鬱《ちんうつ》な表情でうなだれていたカガリが、後方でパッと顔を上げた。アーサーも驚《おどろ》いて振《ふ》り返る。

「彼らも無事に降下していると……？」

タリアはしばしためらった。カガリには徒《あだ》な希望を持たせることかもしれない。

「平気で〝タンホイザー〟を撃《う》っておいて、なにをいまさらと思うかもしれないけれど……信じたいわ……」

あの二人の運を。そして彼らがベストを尽《つ》くし、突入時《とつにゅう》に大気によって焼きつくされていないという確率を。実のところタリアは、あの二人が生きているような気がしていた。二人とも、運にも腕《うで》にも充分《じゅうぶん》に恵《めぐ》まれているように見えたからだ。

だが、もし彼らがあの過酷《かこく》な条件下で生き延びているとしたら、急がなければならない。いまこのときにも彼らが、最悪の危険に瀕《ひん》しているかもしれないのだ。

「センサーに反応！」

しばらくして上がったバートの声に、期待の目を向けない者はいなかった。カガリがすがるような表情で両手を握《にぎ》りしめる。

「七時の方向、距離《きょり》四〇〇！　これは――〝インパルス〟？　いや……」

「光学映像、出せる!?」

せわしなくタリアがたずね、メイリンが「はい！　待ってください！」と答えてあわててモニターを操作する。モニターが灯《とも》り、そこに現れた映像を見たとたん、艦橋《ブリッジ》に歓声《かんせい》が満ちた。

モニターの中には〝ザク〟を抱え、減速しようとしている〝インパルス〟が映し出されていたのだ。

「アスランっ……！」

カガリが声をつまらせ、両手で口元を覆《おお》った。

「〝ザク〟も無事だ！」

アーサーが安堵《あんど》の滲《にじ》む声で叫び、タリアはちらりと彼を見やる。先日の遺恨《いこん》などすっかり忘れているようだ。この人柄《ひとがら》のよさは評価してやってもいい。考えながらも、彼女は矢継《やつ》ぎ早に指示を飛ばしていた。

「アーサー、発光信号で合図を！　マリク、艦を寄せて。早くつかまえないと、あれじゃいずれ二機とも海面に激突《げきとつ》よ」

マリクの操艦により、〝ミネルバ〟は二機のモビルスーツに向かって空中を滑《すべ》っていく。発光信号に気づき、〝インパルス〟もこちらに進路を取った。

「ハッチ開け！　〝インパルス〟、〝ザク〟、着艦するわよ！」

モビルスーツデッキに向かってタリアが報《しら》せると同時に、カガリが艦橋《ブリッジ》から飛び出していく。

タリアは一瞬《いっしゅん》、目元をわずかに和《なご》ませてその背中を見送った。

「アスラン！」

コックピットから降り立ったとたん、カガリの声が耳を打った。シンはとたんにむっとして顔をそむけたが、キャットウォークの上に彼女の姿を認め、アスランの顔には笑《え》みが浮《う》かびかける。そのとき、ドオンという衝撃《しょうげき》が艦を襲い、周囲にいたクルーが色めき立つ。

「な、なに!?　まだなにか……!?」

「地球を一周してきた、最初の落下の衝撃波《しょうげきは》だ。おそらくな」

年齢《ねんれい》に似合わぬ冷静な声で指摘《してき》したのはレイだ。シンは無意識にハッチの向こうを見やり、愕然《がくぜん》とする。空気を伝わってきた衝撃波だけで、地球を一周してなおこれほどの力を残しているのだ。いまごろ地上はどれほどの被害《ひがい》に見舞《みま》われていることか……。

その間にも〝ミネルバ〟は降下していた。海上に落ちた影《かげ》がみるみる大きくなり、近づくにつれて対地効果《グランドエフェクト》で水面が盛大な水しぶきを上げはじめる。

〈警報！　総員着水の衝撃に備えよ！〉

船体が大きく傾《かたむ》き、ついで、水によるものとは思えない硬《かた》い衝撃に突《つ》き上げられる。クルーは近くのシートに着き、衝撃に耐《た》えた。艦は艦尾《かんび》で水を切りながらしばし前進し、両側に高く水しぶきが上がる。やがて水の抵抗《ていこう》によって減速した〝ミネルバ〟の巨体《きょたい》は、倒《たお》れ込むように完全に着水した。

〈着水完了《かんりょう》、警報解除〉

アーサーの声がスピーカーから流れると、クルーたちの間に安堵の空気が漂《ただよ》った。

〈——現在、全区画浸水《しんすい》は認められないが、今後も警戒《けいかい》を要する。ダメージコントロール要員は下部区画へ〉

つづいて指示がアナウンスされると、格納庫《ハンガー》にいた技術スタッフの一部が道具を取り、通路へ向かう。

「けど、地球かあ……」

感慨《かんがい》深げにヨウランがつぶやき、ヴィーノが大仰《おおぎょう》に目を丸くして応じる。

「太平洋って海に降りたんだろ、俺たち？　あの、すんげーデカイ」

その声にはさっきまでの懸念《けねん》などかけらもなく、ただ子供っぽい興奮があった。たしか彼にとってははじめての地上だったはずだ。ヨウランもそのはずだが、彼の方は相棒のお気楽さにあきれて咎《とが》める。

「そんな呑気《のんき》なこと言ってられる場合かよ！　どうしてそうなんだ、おまえは！」

たしかに、そんなことを言っている場合ではない。地上に降り立つまでは先のことなど考えていられなかったが、シンも漠然《ばくぜん》とした不安に襲《おそ》われた。太平洋の真ん中にたった一隻《せき》で漂い、これから自分たちはどうすればいいんだろう？

「大丈夫《だいじょうぶ》か、アスラン……？」

彼らの横では疲《つか》れた表情のアスランに、カガリが心配そうに声をかけていた。アスランは無理に微笑《ほほえ》み返す。

「ああ……大丈夫だ」

アスランは立ち上がり、カガリはほっとしたようすで、飼い主にまとわりつく犬のようにそのあとを歩きながら話しかける。

「けど、ホント驚《おどろ》いた。心配したぞ。モビルスーツで出るなんて聞いてなかったから……」

「すまなかったな、勝手に……」

アスランがわびると、カガリは強くかぶりを振《ふ》った。

「いや、そんなことはいいんだ！　おまえの腕《うで》は知ってるし……私はむしろ、おまえが出てくれてよかったと思ってる」

シンは彼女の言葉に少し意外の念を抱《いだ》く。自分たちだけ安全な場所に隠《かく》れ、それを当然とするお姫《ひめ》さまには似つかわしくない言葉のようにも思えたからだ。だが、そのあとがいけなかった。

「ホントに……とんでもないことになったが、〝ミネルバ〟やイザークたちのおかげで、被害の規模は格段に小さくなった」

それを聞くアスランの表情は暗い。その心中がシンには理解できた。しかしカガリは遠慮《えんりょ》もなく、明るい声で話しつづけている。

「そのことは、地球のみんなも――」

上滑《うわすべ》りに響《ひび》く偽善《ぎぜん》の言葉を聞くにたえなくなり、ついにシンは怒《いか》りを爆発《ばくはつ》させた。

「やめろよ！　このバカ！」

カガリは彼の声にびくっと飛び上がり、はじめて気づいたようにこちらを見る。わけがわからないといったように目を見ひらいたその顔を睨《にら》みつけ、シンは歩み出る。

「あんただって艦橋《ブリッジ》にいたんだろっ⁉　なら、これがどういうことだったか、わかってるはずだろう！」

「え……」

カガリは怖《お》じけたような表情で一歩下がる。その表情がさらにシンの怒《いか》りをかき立てる。

結局、こいつはなにもわかっていないのだ。アスランの葛藤《かっとう》も知らず、その命を惜《お》しむそぶりさえ見せない。ただそういうことなのだ。

「〝ユニウスセブン〟の落下は自然現象じゃなかった……！　犯人がいるんだ！　落としたのはコーディネイターさ！」

その言葉にアスランが痛みをこらえるような表情になり、ルナマリアやヴィーノたちまで衝《しょう》撃《げき》を受けて凍《こお》りついた。シン自身も苦い思いを噛《か》みしめて告げる。

「——あそこで家族を殺されて……そのことをまだ恨《うら》んでる連中が、『ナチュラルなんて滅《ほろ》びろ』って落としたんだぞ！」

それが、現実だ。カガリの口にする上滑りな言葉になど真実はない。

シンには〝ユニウスセブン〟を落とした者たちの気持ちが痛いほどわかった。自分だってもしかしたら、ああしていたかもしれない。少なくとも、家族を殺したヤツらに、その負債《ふさい》を払《はら》わせてやりたいという気持ちは同じだ。

カガリが憤然《ふんぜん》として反論しようとする。

「わ……わかってる、それは……でも！」

「でも、なんだよ!?」

「お、おまえたちはそれを、必死に止めようとしてくれたじゃないか！」

「あたりまえだっ！」

必死に訴《うった》えるカガリを、シンは怒鳴《どな》りつける。

そのとき、うなだれて聞いていたアスランが、低く言葉を発した。

「だが、それでも破片《はへん》は落ちた……」

その顔には深い自責の念が漂《ただよ》っている。カガリが切なげな目を彼に向けた。

「アスラン……」

「俺たちは止めきれなかった……」

アスランの言葉に、シンも唇《くちびる》を噛み、目を落とす。

「一部の者たちのやったことだと言ったって、俺たち――コーディネイターのやったことに変わりはない……」

アスランが重い現実を突《つ》きつける。

――俺たちの、やったこと……。

その言葉はシンたちみなの胸に戦慄《せんりつ》を呼び起こした。

「許してくれるのかな……それでも……」

アスランがつぶやき、背を向けた。カガリはなにか言いたげに、だがやるせない表情で黙《だま》り込む。シンは遠ざかっていく背中を見つめる。アスランは自分を責めている。彼の背には口にした以上の事実が重くのしかかっていた。シンは冷たくカガリを睨み、口をひらく。

「自爆《じばく》したヤツらのリーダーが、最後に言ったんだ」

不審《ふしん》げにこちらを向いたカガリの顔に、叩《たた》きつけるようにシンは言葉を吐《は》き出す。

「俺たちコーディネイターにとって、パトリック・ザラのとった道こそが、唯一《ゆいいつ》正しいものだ――ってさ！」

カガリの表情にようやく理解が浮《う》かぶ。彼女はあわててアスランに目を戻《もど》すが、その姿はすでに通路に消えていた。

「アスラン……」

やりきれないつぶやきがその口からかすかに漏《も》れる。だがシンは、彼女に同情などしなかった。

「あんたってホント、なにもわかってないんだよな！」

シンは吐き捨てると、冷ややかに背を向ける。

「――あの人がかわいそうだよ！」

取り残されて立ちすくむカガリに、もはや一顧《いっこ》も与《あた》えず、シンは怒《いか》りを全身にみなぎらせてその場を立ち去った。

「ローマ、上海《シャンハイ》、ゴビ砂漠《さばく》、ケベック……」

男が壁面《へきめん》モニターに映る地名を、歌うように数え上げる。白い指がティーカップを取り上げ、優雅《ゆうが》な仕草で口元に運んだ。

「……フィラデルフィアに、大西洋北部にもだ」

ソーサーにティーカップを置き、組んだ足をほどいて立ち上がったのは〝プラント〟最高評議会議長デュランダルだ。壁面モニターに点で記されているのは、〝ユニウスセブン〟の破片が落下した地点だった。彼はため息をつき、窓辺に歩み寄る。

〝プラント〟、アプリリウス市に置かれた行政府の執務室《しつむしつ》から、彼は眼下に広がる風景を見やった。整然と区画された町並み、行き交《か》う身ぎれいな人々、その向こうには地中海を思わせる海がきらめいている。

「死者の数もまだまだ増えるだろうと言うのだから、傷《いた》ましいことだ……」

独り言のようにデュランダルは話し続けた。その言葉にはほどよい分量の哀惜《あいせき》が加えられている。だがなぜかやはり、その滑《なめ》らかすぎる語調のせいか、誰《だれ》かに対して完璧《かんぺき》な演技を行なっているかのような印象が漂う。

部屋の中には彼以外にもう一人の人物がいた。その表情にあどけなさを残す少女は、デスクの横に座り、さっきからチェスボードに気をとられているようすだ。クリスタルを刻んで形作られた美しい駒《こま》のひとつひとつを手に取り、感嘆《かんたん》したようすで眺《なが》めている。その肩《かた》にピンクの髪《かみ》が波打ち、流れ落ちる。

デュランダルは彼女の存在も忘れたように、窓の外を眺めやったまままつぶやいた。

「これからだな……本当に大変なのは……」

地上の惨禍《さんか》に対する同情の言葉であったはずだが、それを口にした彼の顔には、言葉に不似合いな微笑《びしょう》が、ほんの一瞬《いっしゅん》だけ漂った。

PHASE 04

〈やれやれ、やはり大分やられたな〉

テレビには各地の被害状況《ひがいじょうきょう》が映し出されていた。いまも黒煙を上げ続ける巨大《きょだい》なクレーターの中にはなにも残らず、周辺地域も衝撃波《しょうげきは》でやられ、すべてが瓦礫《がれき》の山と化している。沿岸部は高波によってほぼ例外なく被害を受け、こちらも倒壊《とうかい》、流失した建物が目立つ。住む場所や財産をすべて失った人々が、呆然《ぼうぜん》と瓦礫の間に座り込んでいた。しかし、彼らは幸運な方の人々なのだ。避難《ひなん》が間に合わず、あるいは避難したシェルターごと、天から降りそそいだ火に焼かれた者もけっして少なくはないのだから。もっとも、大気圏《けん》内に巻き上げられた大量の粉《ふん》塵《じん》などによる、長期に及《およ》ぶ影響《えいきょう》や、今後の復興について考えると、生き延びたことがただ幸運であるとは、たやすく口にできない状態なのだが。

しかし通話スピーカーから届く声に危機感はなく、モニターに映し出された男たちの風体《ふうてい》も、先日別れたときと変わらず身ぎれいで満ち足りたようすだ。

〈パルテノンが吹《ふ》っ飛んでしまったわ〉

憤慨《ふんがい》してみせる男たちの一人に、ジブリールはせせら笑うように答えた。

「あんな古くさい建物、なくなったところでなにも変わりはしませんよ」

彼はシェルターの壁面にずらりと並んだモニターの前に、ワイングラスを片手にたたずむ。モニターのいくつかには〝ユニウスセブン〟落下の爪痕《つめあと》がまざまざと映し出されているにもかかわらず、ジブリールはどこか上機嫌《じょうきげん》のように見えた。

〈——で、どうするのだ？　ジブリール〉

八つ並んだモニターの中から、一人の男が渋《しぶ》い顔でたずねる。

〈デュランダルの動きは早いぞ。ヤツめ、もう甘い言葉を吐きながら、何だかんだと手を出してきておる〉

たしかに〝プラント〟議長の打った手はすべてにおいて迅速《じんそく》だった。今回の事態を各国に通達し、破砕《はさい》作業を曲がりなりにも成功させていることもそうだが、事後の対応もまた如才《じょさい》ない。すでに地上のザフト関連施設《しせつ》から被災地域へ、救援《きゅうえん》物資や救助要員などを乗せたヘリが次々と到着《とうちゃく》し、さらに〝プラント〟本国からの増援も予定されている。モニターのひとつには、まさにそのデュランダルが映り、端整《たんせい》な顔に悲痛な表情を浮かべて、市民に語りかけていた。

〈——受けた傷は深く、また悲しみは果てないものと思いますが……でも、どうか地球の友人たちよ、どうかこの絶望の今日から立ち上がってください。同胞《どうほう》の想像を絶する苦難を前に、我らも援助の手を惜《お》しみません……〉

これはジブリールやこの男たちには面白《おもしろ》くない事態だ。デュランダルの打つ手があまりに的確で、市民感情が〝プラント〟に傾《かたむ》いてしまえば、反〝プラント〟感情をあおり、開戦に持ち込むというシナリオは空振《からぶ》りに終わってしまう。しかしジブリールは悠然《ゆうぜん》として、デスクトップのディスプレイに歩み寄る。

「もうお手元に届くと思いますが……〝ファントムペイン〟がたいへん面白いモノを送ってきてくれました」

〝ファントムペイン〟——それは地球連合軍内部にありながら、その命令系統に属さず、ジブリールらの意志を直接受けて動く遊撃《ゆうげき》部隊だ。軍内部にもその実情を知る者は、ごく少数しか存在しない。

ジブリールと通話していた男たちは、転送された映像を目にして唸《うな》った。

〈む……これは……〉

〈やれやれ、結局はそういうことか……〉

彼らの元には、現在ジブリールのディスプレイにあるものと同じ映像が映し出されているはずだ。画素数がやや低く、充分《じゅうぶん》な明るさのもとで撮影《さつえい》されたものではないが、それでもそこに映るモビルスーツがザフトの〝ジン〟であることは見てとれる。その〝ジン〟が戦闘《せんとう》する場面、またべつに、〝ユニウスセブン〟に設置された装置やストリングスに巻き付けられたワイヤーのようなものを撮《と》った映像も含《ふく》まれていた。

「思いもかけぬ、最高のカードです」

彼らのざわめきがおさまるのを待って、ジブリールは盤石《ばんじゃく》の自信を胸に、得々として告げた。

「これを許せる人間など、この世のどこにもいはしない。そしてそれは、このうえなく強き我らの絆《きずな》となるでしょう。今度こそ、コーディネイターのすべてに、死を——です」

モニターの中に居並ぶ面々は、取り澄《す》ました表情で彼を見守っている。だが誰《だれ》の口からも反論の言葉は出ない。これが乗るに足る賭《かけ》だと、彼らが認めたということだ。

最後にジブリールは、手にしたワイングラスを高く掲《かか》げて、締《し》めくくった。

「——青き清浄《せいじょう》なる世界のためにね」


艦橋《ブリッジ》から見える空は、鉛色《なまりいろ》をしていた。海面もまるで夕暮れのようにぼんやりと薄暗《うすぐら》い。破《は》片《へん》が衝突《しょうとつ》した衝撃《しょうげき》で舞《ま》い上がった大量の粉塵が、青い空を厚く覆《おお》っているのだ。太陽光線を断《た》たれたことによる気候の寒冷化、また植生への影響、オゾン層の破壊《はかい》や酸性雨、二酸化炭素放出による温暖化の進行など、衝突の副産物ともいえる長期にわたる影響は、この先どれだけ続くのか、まったく見当がつかない。

まるで自分の心を映したような空の色から、カガリは目を離《はな》し、通信機を調整しているバートに目を戻《もど》した。横にはタリア・グラディスの姿もある。

「……やはりダメです」

やがてバートが困惑《こんわく》の表情でかぶりを振《ふ》り、後ろに立つ二人に顔を向けた。

「粉塵濃度《ふんじんのうど》が濃《こ》すぎて、いまはレーザー通信も……」

「そうか……すまない」

カガリは重苦しい表情で頭を下げた。オーブと連絡《れんらく》が取れないか、試《ため》してもらっていたのだ。横にいるタリアも苦い顔だ。彼女ら〝ミネルバ〟クルーも、カーペンタリアやジブラルタル――現在、地上に残っているザフトの監視《かんし》用拠点《きょてん》との連絡が取れず、今後の行動に迷っている。

「艦《かん》のチェックと各部の応急措置《そち》がすみしだい、オーブへは向かわせていただきますが……」

「ああ、わかっている……」

カガリはタリアの言葉にうなずき、自嘲《じちょう》するようにつぶやいた。

「いまさらこんなところから話をしたって、もうあまり意味はないことも、わかっているのだがな……」

カガリはこんな大切なときに、国を離れていた自分を呪《のろ》う。タリアがやさしく同情の言葉を口にした。

「島国ですものね、オーブは……。ご心配は当然ですわ」

オーブは果たしてどれほどの被害《ひがい》を受けているのだろう。この状況《じょうきょう》ではそれを知るすべもない。海に囲まれた群島から成る国は、ほぼ間違《まちが》いなく高波の被害をこうむっているはずだ。それどころか、もし首都のあるヤラファス島が破片の直撃を受けていたら――オーブは事実上、壊滅《かいめつ》したも同然だ。

カガリは深くため息をつき、目を上げてタリアを見つめる。

「到着《とうちゃく》したらその勇気と功績に感謝して、〝ミネルバ〟にはできるだけの便宜《べんぎ》を図《はか》るつもりでいたが……これでは軽く約束もできないな。許してくれ、艦長」

「いえ、そのようなことは……」

タリアが困惑ぎみにかぶりを振るが、カガリは目礼してその場を去った。

たとえこの災禍《さいか》を引き起こした者がコーディネイターであっても、彼女やシン、アスランたちがしてくれたことに対する感謝に変わりはない。カガリは身近に彼らの行動を見て、知っている。彼らが地球を救うためにしてくれたことを。

それとも——自分はやはり、なにもわかっていないのだろうか？　アスランの気持ちさえわかってやれなかった自分には、コーディネイターたちの気持ちなど理解できるものではないのだろうか？

殺された者の抱《いだ》く憎《にく》しみは知っている。だが、他人に向かってそれを棄《す》てろというのは、間違っているのだろうか？　たとえばシンに向かって、もう恨《うら》むな、父を、自分たちを許せと、そう言えるか？

——言えはしない……！

カガリは迷っていた。日々、迷いは大きくなるばかりだ。こんな自分にはやはり、施政者《しせいしゃ》の地位などふさわしくはないのだ。彼女は苦く、そう思った。

アスランは一人、士官室で、あの〝ジン〟パイロットの言葉を思い返していた。

——なぜ気づかぬか！　我らコーディネイターにとって、パトリック・ザラのとった道こそが、唯一《ゆいいつ》正しきものと！

あの大戦で、父パトリック・ザラは多くの人命を奪《うば》った。敵はもちろん、その命令を信じて戦った味方の命をも。そんな父をアスランは、たとえ殺してでも止めようとした。結果的に自分が手にかけることはなかったものの、その死に安堵《あんど》したことは否定しない。父の死によって、これ以上誰かの命が奪われることはなくなったのだと——。

だがアスランは間違っていた。死してもなお、父は殺し続けているのだ。その誤った理念によって背を押された者たちが、〝ユニウスセブン〟——彼の妻が眠《ねむ》る墓標をもって、多くの人たちを殺した……。

この災禍によって奪われた数多《あまた》の命——それは、父が奪ったようなものだった。

アスランは深々と息をつき、頭を振って立ち上がる。考えてもしかたのないことだ。かつてはこんなとき、カガリがやってきて怒鳴《どな》りつけてくれたものだった。『頭、ハツカネズミになってないか？』——と。一人でぐるぐる考えてたって同じだと。

いまは彼女も怒鳴ったりしない。いや、怒鳴る力さえ失っているのだろう。彼女も多くのことに心を痛めている。シンの心ない言葉に、オーブの現状に、この厄災《やくさい》に、これから世界が向かおうとしている未来に、そして——アスラン自身の懊悩《おうのう》に。

アスランは自分が情けなくなった。そんなカガリを支えるのが、せめてもの自分の務めだというのに、逆に自分のことでまで彼女を苦しめている。

彼は物思いを振り捨てるように部屋を出た。気分を切り替《か》えなければ。こんな暗い顔をまたカガリに見せるわけにはいかない。

通路を行くと、遠くから銃声《じゅうせい》が聞こえ、一瞬《いっしゅん》、反射的に全身が緊張《きんちょう》する。だが警報もなければ、騒然《そうぜん》とした雰囲気《ふんいき》もない。艦内で戦闘《せんとう》が起きたとは思えない。不審《ふしん》を抱いて音の方に向かった彼は、開いたままだったドアから外を覗《のぞ》き、見たものに頬《ほお》をゆるめた。若い兵士たちが甲《かん》板《ぱん》に標的を設置して、射撃《しゃげき》訓練にいそしんでいたのだ。アスランはその光景に懐《なつ》かしさをおぼえて、甲板に歩み出た。レイ、ルナマリア、そしてモビルスーツ管制を担当しているメイリンという少女の姿もある。ルナマリアが弾倉《だんそう》ひとつぶん撃《う》ち終わり、その結果に不満そうに舌打ちしながら弾倉を替えようとしていた。そして後ろに立ったアスランに気づき、振り返る。

「あら」

アスランは彼女に微笑《ほほえ》みかけた。

「訓練規定か」

軍籍《ぐんせき》にあるものは週に何時間か、規定の訓練をこなす義務がある。自分がザフトにいたときも、同期の仲間たちと並んで銃の腕《うで》を競《きそ》い合ったものだ。ときにはムキになったイザークとケンカになったこともあった。

「ええ、どうせなら外の方が気持ちいいって。でも調子悪いわ」

ルナマリアは弁解するように笑い、標的に向きなおりかけて、思いついたようにまた振《ふ》り向いた。

「――いっしょにやります？」

「いや、俺は……」

アスランは少し戸惑《とまど》う。ルナマリアの態度には以前のけんか腰《ごし》なところがなくなり、愛想《あいそ》よくさえ感じられる。彼女はにっと笑い、言った。

「ホントーは私たちみんな、あなたのことよーく知ってるわ」

「え？」

「もとザフトレッド、クルーゼ隊。戦争中盤《ちゅうばん》では最強と言われた〝ストライク〟を討《う》ち、その後、国防委員会直属特務隊〝フェイス〟所属、ＺＧＭＦ－Ｘ０９Ａ〝ジャスティス〟のパイロットの――アスラン・ザラ、でしょ？」

自分の経歴をすらすらと言われ、アスランは鼻白む。いつの間にかメイリンも射撃をやめ、彼を見つめていた。レイも弾倉を取り替えながら、ちらりとこちらに目をやる。

「お父さまのことは知りませんけど……その人は私たちの間じゃ英雄《えいゆう》だわ。〝ヤキン・ドゥーエ〟戦でのことも含《ふく》めてね」

ルナマリアが褒《ほ》め上げるので、アスランはついうろたえて目を泳がせる。そんなふうに持ち上げられるのも妙《みょう》に居心地が悪い。

「射撃の腕もかなりのもの、と聞いてますけど？」

自分の銃をさし出し、少女は邪気《じゃき》のない笑顔《えがお》を見せる。

「お手本。——じつは私、あまりうまくないんです」

さし出された銃を、アスランはためらいながら受け取った。懐かしい重み。ザフトの制式拳《けん》銃《じゅう》だ。彼は手元で設定を変えると、海の方に設置された標的に向かい、ポイントする。ほんの手慰《てなぐさ》みのつもりだったが、トリガーに指をおいたあとは、体が記憶《きおく》のとおり勝手に動いていた。立て続けに放たれた銃弾《じゅうだん》はすべて、次々と現れる的の中心に吸い込まれる。

「うっわァ！」

少女たちの歓声《かんせい》が上がった。

「同じ銃撃《う》ってるのに！　え、なんで？」

ルナマリアが寄ってきて、本気で不思議そうにアスランの手に握《にぎ》られた銃を睨《にら》むように見る。拳銃に向かって裏切り者とでも言いたげな顔だ。そういえばイザークも一度、銃を取り替えろと要求したことがあった。

「銃のせいじゃない。きみはトリガーを引く瞬間に手首をひねる癖《くせ》がある。だから着弾《ちゃくだん》が散ってしまうんだ……」

アスランは苦笑《くしよう》しながらルナマリアにコツを教え、メイリンも興味があるのかじっと彼の言葉に聞き入る。

熱心に彼女らにレクチャーしていたアスランは、ふと視線に気づいて目をやる。いつの間にかドアのところにはシンの姿があった。我に返ったとたん、急に後ろめたい気分に襲《おそ》われ、彼は銃をルナマリアに返しながら、自嘲《じちよう》した。

「……こんなことばかり得意でも、どうしようもないけどな」

「そんなことありませんよ」

ルナマリアは勢いよく反論する。

「敵から自分や、仲間を守るためには必要です！」

アスランはしばし、少女の真摯《しんし》な瞳《ひとみ》を見やった。彼女はかつての自分だ。アスランは過去の自分に、静かに問いかける。

「敵って……誰《だれ》だよ？」

「え……？」

ルナマリアはその言葉に意表を衝《つ》かれ、目を瞬《また》かせる。

ザフトレッド、クルーゼ隊。最強と言われた〝ストライク〟を討ち、そののち国防委員会直属特務隊〝フェイス〟所属——アスランはさっきルナマリアが並べ立てた経歴に思いを馳《は》せる。

あのとき――〝ストライク〟には友が乗っていた。アスランは仲間を殺された怒《いか》りに突《つ》き動かされるまま、友に銃口《じゅうこう》を向けたのだ。仲間を守れず、友を倒《たお》した彼に、祖国は勲章《くんしょう》を与《あた》え、英雄と讃《たた》えた。隊長であったラウ・ル・クルーゼは巧妙《こうみょう》に立ち回って戦火を広げ、父であったパトリックはナチュラルをすべて滅《ほろ》ぼそうと〝ジェネシス〟を地球に向けた。それを止めようとともに力を尽《つ》くしたのは、敵として戦ったナチュラルのカガリ、そして一度は殺したいほど憎《にく》んだかつての友だ。

敵である、味方であるなどという見方には、結局のところ意味などない。戦争の中で学んだことはそれだった。アスランは一度捨て去った力に、また背を向けて歩み去ろうとする。

「〝ミネルバ〟はオーブへ向かうそうですね」

シンの横を通り過ぎようとしたとき、唐突《とうとつ》に彼が口をひらいた。

「あなたも、また戻《もど》るんですか、オーブへ？」

「ああ」

シンの問いかけに、アスランはうなずく。するとシンは重ねてたずねた。

「何でです？」

アスランは思わず足を止めた。少年の赤い瞳がまっすぐに彼を刺《さ》し貫《つらぬ》く。シンはまるで責めるように言った。

「そこでなにをしてるんです、あなたは？」

その問いに、アスランは答えられなかった。強い風が吹《ふ》きつけ、彼らの髪《かみ》をはためかせる。それはまるでなにかを運んでくるような、不吉《ふきつ》な重さを持った風だった。

淡《あわ》いグレイの巨艦《きょかん》が波を切り裂《さ》き、ひとつの島に近づきつつあった。整然と延《の》びる桟橋《さんばし》を抜《ぬ》け、巨艦はしずしずと港の奥に進入する。ゲートの内部は広々としたドックになっており、巨艦の受け入れを報《しら》せるアナウンスが流れ、作業員が慌《あわ》ただしく動き回る。プラットフォーム上に、明らかにドックの作業員とは一線を画した集団が並んでいた。ドックに入ってくる疵《きず》だらけの巨艦を見やり、前列に立った壮年《そうねん》の男が苦い顔でつぶやく。

「ザフトの最新鋭艦《さいしんえいかん》〝ミネルバ〟か……姫《ひめ》もまた、面倒《めんどう》なときに面倒なモノで帰国される……」

オーブ首長の一人、ウナト・エマ・セイランだ。小太りな体に紫《むらさき》の首長服をまとい、頭頂がはげ上がった福々しい顔に似合わぬ、大きなオレンジ色の眼鏡《ゴーグル》をかけていた。現在、若年のカガリを補佐《ほさ》する宰相《さいしょう》の地位にある。横に立った若い男がそれに応《こた》えて言う。

「しかたありませんよ、父上。カガリだって、よもやこんなことになるとは思ってもいなかったでしょうし？」

とりなすような台詞《せりふ》だが、軽薄《けいはく》そうな口調はどこかカガリを侮《あなど》ったような響《ひび》きをもっている。彼はユウナ・ロマ・セイラン、ウナトの息子《むすこ》にして閣僚《かくりょう》の一人だ。彼もまた紫の上下にすらりと丈《たけ》高い体を包んでいる。その顔は整ってはいるが、なに不自由なく育った青年特有の、独善的な甘ったるさをかすかに漂《ただよ》わせていた。彼は自己を過剰《かじょう》に意識したような笑みを浮《う》かべながら、かたわらの父に話しかける。

「国家元首を送り届けてくれた艦《ふね》を、冷たくあしらうわけにもゆきますまい。いまはオーブにおいてはいまだ、首長たちの権威《けんい》は揺《ゆ》るぎない。南海の群島から成るこの島国が、近代国家の仲間入りをしたとき、決定機関である議会が開かれ、主権は国民に委譲《いじょう》されたが、国家元首である代表はいまだに最大首長であるアスハ家が代々務めている。その技術力は地球においては随一《ずいいち》と言われ、また、宇宙と地上の交易中継地《ちゅうけいち》として栄えてきた。

ウナトはドックに入ってくる〝ミネルバ〟を見上げ、意味ありげに息子に和した。

「ああ、いまはな……」

昇降《しょうこう》用のハッチが開かれたとたん、焦慮《しょうりょ》を顔いっぱいに浮かべたカガリが待ちかねたように飛び出した。タリアはその姿を微笑《ほほえ》ましく見送ったが、出迎《でむか》えらしき一団に気づいてすぐ、厳しく顔を引き締《し》める。彼女とアーサーは、カガリとアスランに続いてタラップを降りる。そのとき政府関係者らしき紫衣《しい》の一団の中から、一人の青年が飛び出した。

「カガリ！」

「ユウナ？」

タラップを駆《か》け下りたカガリは、青年の姿を認め、驚《おどろ》いたように足を止める。青年はそんな彼女に駆け寄り、人目もはばからず、ひしと抱《だ》きしめた。

「よく無事で……！　ああ、本当にもうきみは！　心配したよ！」

「あ、あ、いやっ、あのっ！　す、すまなかったっ！」

ぐりぐりと髪に頰《ほお》をすり寄せてくる青年を、カガリが辟易《へきえき》したようすで引き離《はな》そうとする。

アスランがどことなく不快そうな顔つきになり、タリアたちはあっけにとられて『感動の再会』を見つめる。

「これ、ユウナ。気持ちはわかるが場をわきまえなさい。ザフトの方々が驚かれておるぞ」

オレンジ色の大きな眼鏡をかけた男が、やや苦笑《くしよう》するような面持《おもも》ちで歩み出る。

「ウナト・エマ！」

カガリがようやく抱擁《ほうよう》から逃《のが》れ、その男に顔を向ける。ウナトとほかの政府関係者が彼女にそろって礼をとった。

「お帰りなさいませ、代表。ようやく無事なお姿を拝見することができ、我らも安堵《あんど》いたしました」

「大事のときに不在ですまなかった。留守の間の采配《さいはい》、ありがたく思う」

カガリは彼らをねぎらったあと、せき込んでたずねる。

「被害《ひがい》の状況《じようきよう》など、どうなっているか？」

彼女をかばうようになおも離れないユウナという青年が、ちらりとアスランに目をやるところを、タリアは見てしまった。その目には明らかに敵意と優越感《ゆうえつ》がこもっている。

おやおや——と、ひそかにタリアはアスランに同情する——恋敵《ライバル》登場、というところか。

「沿岸部などはだいぶ高波にやられましたが、さいわいオーブに直撃《ちょくげき》はなく……」

ウナトはここで鋭《するど》い目をカガリの背後に投げ、声を低めた。

「——くわしくは後ほど、行政府にて」

他国の人間の耳があるところでは話せないということだろう。タリアは彼の視線に応えるように敬礼して名乗った。

「ザフト軍〝ミネルバ〟艦長、タリア・グラディスであります」

「同じく、副長のアーサー・トラインであります」

「オーブ連合首長国宰相、ウナト・エマ・セイランだ。このたびは代表の帰国に尽力《じんりょく》いただき、感謝する」

ウナトはタリアを値踏《ねぶ》みするように見つめながら、礼の言葉を口にした。たっぷりした頬は穏和《おんわ》そうな笑《え》みを浮かべているが、眼鏡の奥にある目は笑っていない。これはなかなかの曲者《くせもの》だろう。カガリのぶんを補って余りあるほど、いかにも政治家らしい人物だ。

「いえ。我々こそ不測の事態とはいえ、アスハ代表にまで多大なご迷惑《めいわく》をおかけし、たいへん遺憾《いかん》に思っております」

　タリアは腹で思ったことをおくびにも出さず、きびきびした口調で応じる。

「また、このたびの災害につきましても……お見舞《みま》い申し上げます」

「お心遣《こころづか》い痛み入る。ともあれ、まずはゆっくりと休まれよ。事情は承知しておる。クルーの方々も、さぞお疲《つか》れであろう」

　タリアは用心深くうなずき返す。

「……ありがとうございます」

　なにも約束しない言葉だ。どのみち政治家の言葉などあてにはできない。肌《はだ》を合わせたデュランダルの言葉にしても、タリアはその九割は真に受けないようにしているのだ。

「ひとまず行政府の方へ……」

　ウナトがカガリをうながす。

「ご帰国そうそう申し訳ありませんが、いまはご報告せねばならぬことも多くございますので……」

「ああ、わかっている」

　カガリはうなずいて、うながされるまま男っぽい足取りで歩き出す。それに従おうとしたアスランの前に割り込むように、ユウナが彼女の背に手を回し、エスコートする。カガリは背中に置かれた手にびくっとして、やや引きぎみにユウナを見上げたあと、肩《かた》ごしにアスランを捜《さが》した。するとユウナは思い出したようにアスランに視線を向け、わざとらしく微笑《ほほえ》んだ。

「ああ、きみも本当にご苦労だったね、アレックス。よくカガリを守ってくれた。ありがとう」

まるで彼女の正当な所有者であるかのような口ぶりに、アスランは苦虫《にがむし》を噛《か》み潰《つぶ》したような表情で頭を下げる。

「……いえ」

「報告書などはあとでいいから、きみも休んでくれ。後ほどまた、彼らとのパイプ役など頼《たの》むかもしれないし」

ユウナはさらに微妙《びみょう》な蔑《さげす》みを語調に漂《ただよ》わせて言った。暗にアスランがコーディネイターであることを当てこするような台詞《せりふ》だ。

カガリはアスランに気がかりそうな視線を投げたが、逆らうこともできずに連れて行かれる。アスランは姿勢を戻《もど》し、切なげな表情でそんな彼女を見送った。アーサーは完全に同情のまなざしを彼の上に投げている。タリアにしても、あの少年たちの間にある深い絆《きずな》を感じとってはいたが、これはどうしてやることもできない問題だ。代表首長とコーディネイター、しかも戦犯の息子《むすこ》とのロマンスなど、もってのほかということだろうから。

「しかし、本当のところはどうされるおつもりなんですか、艦長？」

艦内に戻りながらアーサーはたずね、タリアが「ん？」と彼を見やる。女ながら剛胆《ごうたん》な彼女には、この状態で他国のドックにいるという事態もこたえているようには見えない。

「ゆっくり休めって言われても……。そりゃ、アスハ代表はいろいろとおっしゃってくださいましたが……」

アーサーは困惑《こんわく》ぎみに具申する。

「補給はともかく、艦の修理などはやはり、カーペンタリアに入ってからの方がいいのではないかと、自分は思いますが」

艦の補修、補給をカガリは約束してくれたが、修理となれば他国の人間が〝ミネルバ〟に触《ふ》れることとなる。この艦そのものが機密である以上、望ましくないことだ。

「ま、彼女はねえ……」

タリアがエレベータに乗り込みながら、首をかしげて言う。

「こう言っちゃ失礼だけど、子供で単純というか、とりあえず気持ちだけはまっすぐな方のようだけど……さすがにそれじゃあ国は治まらないとばかりに、やっぱり後ろに大ダヌキ——って感じかしらね」

国家元首とその重鎮《じゅうちん》を言下にスパスパと切っていくさまは、胸がすくというのを通りこしてやや不安だ。だがさっき会った宰相《さいしょう》とかいう男を思い浮《う》かべると、アーサーもげんなりした表情になる。たしかにあのタヌキの言葉には、カガリと違《ちが》って一片《いっぺん》の真実味も感じられなかった。

「でも、〝アーモリーワン〟から一気にここだもの。正直こっちもボロボロよ」

他人《ひと》ごとのようなタリアの言葉に、アーサーはこっそり彼女を睨《にら》む。いったいそれは、誰《だれ》のせいだというのだろう。進水式を前に飛び出し、めちゃくちゃな操艦《そうかん》をして、しかもいきなり大気圏突入《けんとつにゅう》だ。どんな艦だってボロボロになるだろう。

「情勢は微妙だし、久しぶりの入港で、クルーの期待値は上がっちゃってるし……」

エレベータが止まり、タリアは開いたドアから出て行きながら、いつもどおりさばさばした口調で言い放つ。

「ま、とりあえず臨機応変にいくしかないんじゃないの？」

アーサーはひそかに脱力《だつりょく》した。〝アーモリーワン〟からこっち、艦長の決断が臨機応変でなかったことなどあるだろうか？

不満そうな彼の顔色を見てとったのか、タリアが足を止めて言う。

「何なら、いちおう日誌にも残しましょうか？」

副長が艦長の決断に不賛成の場合、艦長日誌にその旨《むね》を残すよう要求できる。そうしておけば、のちにその決断が上層部によって問題とされたとき、副長の経歴には傷がつかない。しかしアーサーは飛び上がって辞退の言葉を口にした。

「いえっ、そんなっ！」

自分にはこの艦長に逆らうような根性《こんじょう》はない。

最初からその答えを予測していたのだろう。タリアは不敵に笑い、悠々《ゆうゆう》と立ち去った。アーサーはさらにぐったりする。

艦だけでなく、自分も近々ボロボロにされそうな気が、なんとなくした。

「なんだとっ！」

カガリは叫《さけ》び、思わず両手で机を叩《たた》いて立ち上がった。

「大西洋連邦《れんぽう》との新たなる同盟条約の締結《ていけつ》？——いったいなにを言っているんだ、こんなときに!?　いまは被災地《ひさいち》への救援《きゅうえん》、救助こそが急務のはずだろう！」

そう。国に帰ったカガリが真っ先に突《つ》きつけられたのは、思いもかけない提案だった。

「こんなときだからですよ、代表」

居並ぶ閣僚《かくりょう》が冷ややかに彼女の驚愕《きょうがく》を見守る。首長の一人、タツキ・マシマが代表するように口をひらいた。

「それにこれは、大西洋連邦との、ではありません。呼びかけはたしかに大西洋連邦から行なわれておりますが、それは地球上のあらゆる国家に対してです」

カガリはその言葉に不穏《ふおん》なものを聞き取り、背筋がざわつくような気分になる。マシマは続けた。

「約定の中にはむろん、被災地への援助、救援も盛り込まれておりますし、これはむしろ、そういった活動を効率よく行えるよう、結ぼうというものです」

「いや、しかし……」

被災地への援助、救援など、条約を締結することなく行えるだろう。それは表面を飾《かざ》る、ただの言い訳のようなものだ。カガリが反論しようとすると、ウナトが深々と息をつく。

「……ずっとザフトの戦艦《ふね》に乗っておられた代表には、いまひとつご理解いただけてないのかもしれませぬが……地球がこうむった被害《ひがい》は、それはひどいものです」

ウナトはデスクのコンピュータを操作して、ディスプレイに各地の映像を呼び出す。カガリは手元のディスプレイに次々と現れる、〝ユニウスセブン〟落下の生々しい爪痕《つめあと》を目にしてたじろいだ。

「――そして、これだ」

ウナトの苦い言葉とともに映し出されたものを目にしたとき、カガリは全身が凍《こお》りついたように感じる。それは〝ユニウスセブン〟を落とした、あの改造〝ジン〟の映像だった。

「我ら……つまり地球に住む者たちはみな、すでにこれを知っております」

カガリは震《ふる》えながら、ディスプレイに見入る。切り変わっていく映像はいずれも克明《こくめい》に、あのテログループがやったことを証拠《しょうこ》づけていた。

「こんな……こんなものが、いったいなぜ……!?」

問いを発してから、彼女はあの宙域にいた一隻《せき》の戦艦に思い当たり、戦慄《せんりつ》する。〝ボギーワン〟だ。彼らがこれを公開したのだ……！

なぜ!?――カガリは心の中で怨嗟《えんさ》する。この事実は何としても秘《かく》しておきたかった。生来、隠《かく》し事の嫌《きら》いな彼女でさえ、かたく口を閉ざして語りたくない事実だったのに。

「大西洋連邦から出た情報です」

居ずまいを正して口をひらいたのはユウナだった。さっきまでの軽薄《けいはく》さは、その物腰《ものごし》のどこにも窺《うかが》えない。

「だが、〝プラント〟もすでにこれは真実と大筋で認めている。――代表もご存知だったようですね？」

「だがっ！……でも、あれはほんの一部のテロリストのしわざで、〝プラント〟はっ……！」

カガリは泣きそうになりながら、必死に訴《うった》えた。

「現に、事態を知ったデュランダル議長や〝ミネルバ〟のクルーは、その破砕《はさい》作業に全力を挙げてくれたんだぞ！　だから……だからこそ地球はっ……」

彼らが力を尽《つ》くしてくれたから、地球は全滅《ぜんめつ》の危機から救われた。なのに感謝するどころか、救ってくれた恩人を徒党を組んで非難する気なのか？　そんな恩知らずな話があるだろうか！

「それも、わかってはいます」

ユウナが冷ややかに言った。

「だが、実際に被災した何千万という人々に、それが言えますか？　通じますか？」

カガリは愕然《がくぜん》として言葉をのんだ。たたみかけるようにユウナは言葉を継《つ》ぐ。

「あなた方はひどい目に遭《あ》ったけど、地球は無事だったんだから、それで許せ——と？」

カガリは唇《くちびる》を嚙《か》んで黙《だま》り込む。同じだ。

それは間違《まちが》っている。だから恨《うら》むなと、嘆《なげ》く人々に言えるだろうか？　言えるはずがない——。

「これを見せられ、怒《いか》らぬ者など、この地上にいるはずもありませぬ」

ウナト自身、憤《いきどお》りをこめて吐《は》き捨てた。

——だが、みんなわかっていないのだ。〝ミネルバ〟のクルーやシン、アスランがどれほどの思いで、自分たちの身まで危険にさらしながら地球を救おうとしたか。そして実際に、そのために命を落とした者たちもいる。ユウナは、そんなことはわかっていると言った。だが違う。わかっていたら平然とそんなことを言えるはずがない。人は自分の見えぬところで起こっていることを、いともあっさり見ずにすませてしまう。

「さいわいにして、オーブの被害は少ないが」

しんと静まった室内に、ウナトの重々しい声が響《ひび》き渡《わた》った。

「だからこそなお、我らはより慎重《しんちょう》であらねばなりません……」

つまり、これでオーブが〝プラント〟を擁護《ようご》したら、おまえたちは無事だったから他者の痛みに無関心なのだ、というそしりを受ける。そういうことだ。

「——我らは誰と痛みを分かち合わねばならぬ者か……。代表もどうかそれを、くれぐれもお忘れなきように……」

カガリは呆然《ぼうぜん》と宰相《さいしょう》を見つめた。こうして世界は徐々《じょじょ》に二分されていく。敵と味方に——その間にあるものすべてを巻き込んで。急速に時代が動きはじめたさまを、彼女は身をもって感じとっていた。

「ええ、そうね。スラスターや火器は、できればここで完全に直してしまいたいところだわ」

タリアは〝ミネルバ〟の舷側《げんそく》を見上げながら、マッド・エイブスにうなずきかけた。技術スタッフのチーフであるエイブスは三十代半ばのいかつい男だ。無愛想《ぶあいそ》でぶっきらぼうなところはあるが、いざというとき頼《たよ》りになる腕《うで》と判断力を持っている。

「せっかく少し時間あるんだし、モルゲンレーテから資材や機器を調達できれば、何とかなるでしょう？」

いつものように、無理を承知でタリアが要求を口にすると、エイブスは難しい顔になる。

「ええ、まあそれは……しかし問題は装甲《そうこう》ですねェ……」

タリアはエイブスの視線を追って、愛する母艦《ぼかん》の装甲を見上げた。

「……だいぶ、ひどい？」

エイブスは横目でじろりと彼女を睨《にら》む。

「そりゃ。〝ミネルバ《こいっ》〟にナニさせてきたか、いちばんよくご存知なのは艦長でしょう？」

タリアは憮然《ぶぜん》とする。アーサーといいエイブスといい、まるでタリアが好きで無茶をするかのように言う。自分だって必要がなければ、あんなアクロバットを艦にさせるわけではないのだ。まあ……無茶をしてない、とは自分でもさすがに言えないが……。

「モビルスーツの方もありますから、さすがに全部となると……」

エイブスの言葉を聞き、タリアはあきらめてため息をつく。なにを優先させるかはわかりきっているからだ。

「じゃ、しょうがないわ。装甲は損傷のひどいところだけに絞《しぼ》って。あとはカーペンタリアに入ってから——」

「それはお手伝いできると思いますけど？」

彼女の言葉にかぶせるように、やわらかな女性の声がかかった。タリアとエイブスは振《ふ》り向き、少し離《はな》れた場所で彼らを見ていた女性に気づく。栗色《くりいろ》の長い髪《かみ》を肩《かた》に流したタリアと同年配の女性は、モルゲンレーテの制服に身を包み、もの柔《やわ》らかな中にも毅然《きぜん》としたものを感じさせる笑《え》みをたたえている。

「船……戦闘艦《せんとうかん》はとくに、つねに信頼《しんらい》できる状態でないと、お辛《つら》いでしょう、指揮官さんは？」

彼女は無造作に言ったが、その言葉にはまるで自分の経験に裏打ちされたような確たる響き

がこもっていた。タリアは警戒《けいかい》半分、興味半分の視線で相手を値踏《ねぶ》みしながらたずねる。

「あなたは？」

「失礼しました。モルゲンレーテ造船課Bのマリア・ベルネスです。こちらの作業を担当させていただきます」

マリア・ベルネスは歩み出て、すっと手をさしのべる。さわやかな物腰《ものごし》と気持ちのいい笑顔に魅了《みりよう》されたものか、エイブスが小さく息をついて見とれている。タリアも反射的に相手への好感をおぼえながら、さし出された手を握《にぎ》った。

「〝ミネルバ〟艦長のタリア・グラディスよ」

「よろしく」

握った手は、その笑顔と同様あたたかかった。タリアはこの瞬間《しゅんかん》すでに、ベルネスの申し出に従おうという気になっていた。おそらくアーサーが聞いたら、また唖然《あぜん》とするだろうが。

ベルネスが差配しはじめたあとは早かった。モルゲンレーテの技師や作業員がみるみるうちに〝ミネルバ〟の周囲に足場を組み、必要な資材が運び込まれてくる。その態勢は、まるで全社を挙げてこの艦に取り組もうとしているかのようだ。おそらくカガリの意志を受けてのものだろう。この先どうなるかはともかく、タリアはその厚情だけは疑いないものと受け取った。

プラットフォームの上から並んで作業を見上げながら、マリア・ベルネスが苦笑するように言う。

「〝ミネルバ〟は進水式前の艦《ふね》だと聞きましたが……何だかすでに、だいぶ歴戦という感じですわね」

「ええ、残念ながらね」

たしかにこう見ると、滑《なめ》らかだった装甲にはひどく傷がつき、さらに大気圏突入時の熱にやられて見る影《かげ》もないありさまだ。これでよく突入時に保《も》ったものだと、いまさらながらタリアはぞっとする。この新鋭艦《しんえいかん》を造ったスタッフが、現在の姿を見たらたいそう嘆《なげ》くだろう。

一週間前には、自分が今日こんなところにいることになるとは夢にも思わなかった。だがタリアはそれを気に病《や》むこともなく、さっぱりした口調で言い放つ。

「私もまさか、こんなことになるとは思ってもなかったけど……ま、しかたないわよね。こうなっちゃったんだから」

そもそも〝カオス〟以下〝インパルス〟などのセカンドステージシリーズを試験運用するために設計され、進水式後の配属先さえ未定だった艦だ。現実に就航するのはまだまだ先のことと、タリアだけでなく誰もが考えていた。平時には、軍艦などお飾《かざ》りの意味しかない。しかし現在、情勢は急激に動いている。

「いつだってそうだけど、まあ、先のことはわからないわ。——いまはとくに、って感じだけど」

「そうですわね……」

タリアが口調に厳しさを漂《ただよ》わせて言うと、ベルネスもやさしげな顔立ちを少し曇《くも》らせた。タリアはその顔に探《さぐ》るような目を向ける。

「ホントはオーブも、こうやってザフト艦の修理になんか、手を貸していられる場合じゃないんじゃないの？」

ベルネスはその言葉に驚《おどろ》いたように目を上げる。が、タリアの鋭《するど》い目に出会うと、まっすぐに見返してきた。

「まあ、そうかもしれませんけど……でも同じですわ。やっぱり先のことはわかりませんので、私たちもいまは、いま思って信じたことをするしかないですから」

彼女はやわらかな印象からは窺《うかが》えなかった、凛《りん》とした口調で答える。

「……あとで間違《まちが》いだとわかったら、そのときはそのときで、泣いて怒《おこ》って……そしたら、また次を考えます」

その横顔には侵《おか》しがたい芯《しん》の強さがかいま見え、タリアはつい、相手の言葉に聞き入った。

ベルネスはその視線に応《こた》えるようにこちらに目を向け、静かに微笑《ほほえ》む。タリアも彼女に笑みを返した。まるでずっと昔から知る者同士のような親密感が、二人の間に流れた。

アスランは車を走らせ、海沿いの道をたどっていた。夕刻の空は血のような赤に染まりつつある。この先当分は、晴れ渡《わた》った空など拝めないかもしれない。

道路の下には波の打ち寄せる砂浜《すなはま》が広がっている。そこにいくつかの人影《ひとかげ》を見て、アスランは車の速度をゆるめた。遊ぶ子供たちのものらしい小さな影に混じって、長いピンクの髪をなびかせる人影が見えた。そして、少し離れて、海を眺《なが》めて座る少年の後ろ姿がある。アスランはそれらの人影に近づいたところで、路肩《ろかた》に車を寄せて停《と》めた。軽くクラクションを鳴らすと、子供たちが彼の姿に気づき、歓声《かんせい》を上げて駆《か》け寄ってくる。

「あ、アスラン！」

「違うよ！　アレックス！」

「アスランだよっ！」

「ねえっ、カガリは!?」

口々に言いあいながら、彼らは車から降りたアスランに飛びつき、まわりを取り囲む。アスランはもみくちゃにされながら、子供たちの向こうからゆっくりと近づいてくる二人に目をやった。風《ふ》で吹き流されるピンクの髪を片手で押さえ、微笑む少女と、その後ろからやってくる、まだ幼さを面影《おもかげ》に残した、やわらかな表情の少年。――その口元が笑《え》みにほころぶ。

「アスラン……」

友に名を呼ばれたとたん、アスランはやっと肩から力が抜《ぬ》け、これまで自分がずっと緊張《きんちょう》したままだったことに気づいた。

キラ・ヤマト――アスランとは幼なじみの彼は、さきの大戦では地球連合軍に属し、ともに相手が友と知りながら戦うことになった。ルナマリアの言う、『最強と言われた〝ストライク〟』のパイロットだ。その彼とわかりあい、こうして穏《おだ》やかに向きあえる、こんな日が来るとは、あのときの自分には想像もつかなかった。

「お帰りなさい。たいへんでしたわね」

軽《かろ》やかな声で迎《むか》えたのは、ラクス・クラインだ。パトリック・ザラ議長の政策に異を唱え、穏健派《おんけんは》をまとめて戦争終結へ導いた歌姫《うたひめ》として、いまもなお〝プラント〟本国でその人気は高い。しかし本人は戦後、地球の宗教家マルキオのもとにこうして身を寄せ、ひっそりと暮らしている。

「きみたちこそ……。家、流されてこっちに来てるって聞いて……大丈夫《だいじょうぶ》だったか？」

アスランが言葉を返すと、子供たちがとたんに口々に訴《うった》える。

「そー、おうち、なくなっちゃったの！」

「見てないけど、たかなみってのが来て、壊《こわ》してっちゃったって！　バラバラ！」

「しばらくひみつきちに隠《かく》れてたんだぜっ！」

「あたらしいのできるまで、おひっこしだって」

『ひみつきち』とは、シェルターのことだろう。シェルターに避難《ひなん》して、家を失い、オノゴロ島へ居を移してと、彼らにとっても大事件の連続だ。子供たちの多くは戦災孤児《こじ》で、オーブから ほど近い孤島に作られたマルキオの伝道所で暮らしていた。興奮して報告する子供たちに押

された、困惑《こんわく》ぎみのアスランを見、ラクスが笑い声を立てる。

「あらあら、ちょっと待ってくださいな、みなさん。これではお話ができませんわ」

彼女は気を利《き》かせて、子供たちを連れてアスランとキラから離《はな》れた。アスランは遠ざかっていく彼女らを、あらためて安堵《あんど》の目で見やる。子供たちもみな、無事でよかった。

二人きりになったキラが、いきなりたずねる。

「——マルキオさまに？」

アスランは表情を硬《かた》くしてうなずく。

「ああ。……もう遅《おそ》いのかもしれないけど」

二人の間に多くの言葉は必要ない。キラにはアスランの憂慮《ゆうりょ》がすでにわかっているようだった。二人はしばし、笑いさざめきながら浜へ降りていく子供たちを見送る。ラクスが振《ふ》り返って手を振った。

「キラはさきに行ってくださいなー。わたくしは子供たちと浜から戻《もど》りますわー！」

二人は彼女たちに手を振り返し、車に向かった。どこかからメタリックグリーンの小鳥が、翼《つばさ》を広げて舞《ま》い降《お》り、キラの肩に留まった。子供のころ、アスランがキラに造ってやったペットロボット、トリィだ。

「……カガリは？」

車の中でキラはたずねた。

「行政府だ。仕事が山積みだろう」

アスランが答えると、キラは苦笑《くしょう》した。二人とも、カガリがじっと座っていられない性格であることをよく知っていたのだ。キラと彼女は双子《ふたご》の姉弟《きょうだい》なのだから。

彼らはアスハ家の別邸《べってい》に向かっていた。離島《りとう》の伝道所を流されたマルキオに、アスハ家の者が提供したのだ。ややあってアスランは訊《き》いた。

「あの落下の真相は、もう、みんな知ってるんだろ？」

キラも表情を曇《くも》らせる。

「うん……」

コーディネイターが〝ユニウスセブン《あれ》〟を落としたのだ——その事実が世界中に広まってしまったいま、事態は彼らがもっとも恐《おそ》れていた方向へ加速度的に向かっていた。

「……連中の一人が言ったよ」

アスランは苦い言葉を吐《は》き出す。

「撃《う》たれた者たちの嘆《なげ》きを忘れて、なぜ、撃った者たちと偽《いつわ》りの世界で笑うんだ、おまえらは——って」

その言葉に助手席のキラが驚《おどろ》いてこちらを見る。

「戦ったの？」

「〝ユニウスセブン〟の破砕《はさい》作業に出たら、彼らがいたんだ」

アスランはまた後ろめたいような気分になりながら、低く吐き捨てた。キラはその気持ちを察したように口を閉ざす。

車は私道に入り、木立の間をゆっくりと進む。ほどなく閑静《かんせい》な邸宅《ていたく》が見え、アスランはその手前に車を停めた。だがしばし、ハンドルに手を置いたまま黙《だま》り込む。エンジンの冷えていく音が、カチッ、カチッと静寂《せいじゃく》を刻む。しばらくしてアスランは口をひらいた。

「あのとき……俺訊いたよな。やっぱり、このオーブで……」

同じように沈黙《ちんもく》に身を浸《ひた》していたキラが、顔をこちらに向ける気配を感じた。

「――俺たちは本当は、なにとどう戦わなきゃならなかったんだ？って……」

「うん」

キラの、かすかに吐かれた声には、懐《なつ》かしむような響《ひび》きがあった。

二年前――もう遠い昔に思える日のことだ。アスランも、脳裏《のうり》に映るその日がまぶしく感じられるかのように、目を細めた。

大西洋連邦《れんぽう》に包囲されたオーブで、はじめて父から与《あた》えられた任務に背《そむ》き、ともにオーブを守って戦ったあの日。アスランは迷いながら、その言葉を発した。

「そしたら、おまえ言ったよな。――それもみんなでいっしょに探せばいい、って……」

「うん……」

あのときは、仲間がいれば何とかなると思った。答えは必ず見つかると信じた。絶望の中にも希望のかすかな光を見いだして、それに向けていっしょに走った。

アスランは悄然《しょうぜん》と目を落とす。

「でも……やっぱりまだ、見つからない……」

いまも仲間はそばにいる。それなのに、互《たが》いの存在さえなぐさめにならない、この状況《じょうきょう》はなぜなのだろう。あのときと違《ちが》って、走っていくべき方向さえ見えない。このままではいけないということだけはわかるのに、進むとそこが壁《かべ》でふさがれているのに気づく。

キラの手がそっと肩にかかった。二人は痛みを分かち合うように、しばらくそのまま、じっと動かなかった。


シンはベッドに寝転《ねころ》がり、ピンクの携帯《けいたい》電話を開いていた。メモリーに入った写真が、小さな画面に映し出されている。自分、両親、妹の友だち、妹が奮闘《ふんとう》して焼き上げたクッキー、妹のおどけた顔——この島で流れていた日常の断片《だんぺん》だ。

——おれは、オーブに戻ってきた……。

そう考えると意志に関《かか》わりなく、体の奥がざわつくような感じになる。

こんな形で帰ることになるとは思っていなかった。二度とその土を踏《ふ》まないと誓《ちか》った祖国——だがこうして戻ってみると、郷愁《きょうしゅう》としかいいようのない感情がわき上がり、シンは自分の気持ちを扱《あつか》いかねていた。

ドアが開き、レイが入ってくる。レイは寝転がっているシンを見やったあと、声もかけずに自分のスペースに向かう。はじめて同室になったときは、なにか怒《おこ》っているのかと気を揉《も》んだのだが、いまはこれが彼の標準《デフォルト》だとわかって慣れた。慣れれば干渉《かんしょう》されることもなく、煩《わずら》わしくなくて楽な相手《ルームメイト》だ。

だがやはり、ときには無意味な言葉のやりとりが欲しくなる。シンは独り言のようにつぶやいた。

「上陸……できんのかな?」

レイは一度外した視線を戻《もど》し、表情を変えることもなく「さあ」と答えたあと、中断された動作を完成させるように、制服を脱《ぬ》ぎ捨ててシャワールームに向かった。会話は終了《しゅうりょう》だ。シンはごろりと転がって同室者に背を向け、また携帯を見つめる。画面の中から、妹が笑いかけていた。

カガリはまだ帰っていないようだ。

家の前に車を停《と》めながら、アスランは灯《あかり》のない窓を見上げ、かすかな苛立《いらだ》ちをおぼえた。行政府の連中ときたら、やっと帰ってきた代表首長の体を、少しはいたわってやろうとは思わないのだろうか。それこそユウナ・ロマあたりが。

そう思ったせいでさらに憤《いきどお》りがかき立てられ、アスランは険しい表情で車を降りた。

自分がほかの首長たちの目には、好ましからざる存在として映っていることはわかっている。コーディネイターであるだけでも問題なのに、あのパトリック・ザラの息子《むすこ》では、それも無理はない。先を危《あや》ぶむ声もあろうし、そんな彼がカガリに悪影響《あくえいきょう》を与えているとも言われているらしい。

エントランスを入ったところで、一室のドアが開き、マーナが顔を出した。アスハ家に仕える侍女《じじょ》だが、幼いころ母を亡《な》くしたカガリには、母親同然ともいえる人物だ。

「おかえりなさいませ、アスランさん」

「すまない。起こしてしまったか？」

「カガリさまの元気なお顔を拝見するまでは眠《ねむ》れませんよ！」

マーナは憤慨《ふんがい》して、ここぞとばかりに語った。

「政府のお仕事だか何だか知りませんけどね！　やっとお戻りになったその日に家にも帰さず、こんなに遅《おそ》くまでお引き留めするなんて！　姫《ひめ》さまは女の子であらせられるのに！」

いつもは、ややよそよそしい態度を取る彼女だが、敵の敵は味方というところだろう。そもそもアスランだけでなく、マーナの『だいじな姫さま』に近づく男はすべて、厳重なチェック対象者なのだ。アスランはしばらく彼女の愚痴《ぐち》につき合ったあと、小さく頭を下げ、階段に向かった。

カガリはいまも、難しい立場におかれて戦っているのだろう。たった一人で……。

アスランはぐったりと疲《つか》れた気分で自室に入り、灯もつけずにベッドに腰《こし》を下ろした。

せめて自分にできることを模索《もさく》して、マルキオ師とキラたちに会いに行った。マルキオ師は前大戦中も、ナチュラルとコーディネイターの仲立ちをして、和平に尽力《じんりょく》した人物だ。彼と話をしたが、自分のとるべき道はやはり見えてこなかった。彼のもとでも、アスランにできることなどなさそうだ。それこそ、ボディガードとしての役にしか立つまい。それでは結局、ここにいるのと同じだ。

キラはなにも言わなかったが、その意志はわかっている。戦ってはいけない――ということだ。世界も、そして自分たちも。だがいまこの状況下において、非戦という沈黙《ちんもく》の手段はなにかを変えるものにはなり得ない。

なにかがしたかった。いや、しなければならない。

世界は急な坂道を転がりはじめている。このまま放置すればとんでもないことになる。それが目に見えているのに、こんなふうにじっとしていられるはずがない。なにかをしなければ。これは自分にも責任のあることなのだ。

自分は、あのパトリック・ザラの息子なのだから――。

足にまといついたあの重み、テロリストの叫《さけ》んだ最後の言葉が、アスランを責め立てて離《はな》そうとしない。まるでともに奈落《ならく》へと引きずり込もうとするかのように。

焦《あせ》りにさいなまれる彼の脳裏《のうり》に、そのときふと、柔和《にゅうわ》に微笑《ほほえ》む人物の顔が思い浮《う》かんだ。

「アスラン！」

朝食を終え、ニュースを切り替《か》えては目を走らせていたアスランは、うろたえた呼びかけに振《ふ》り返った。カガリが寝起《ねお》きを感じさせないあわてた動作でダイニングルームに入ってきたところだ。

「おはよう」

アスランは淡白《たんぱく》に声をかけたあと、すぐコンピュータ画面に目を戻す。

「昨日はすまなかった」

カガリは弁解しながら、パタパタとテーブルを回り込んで彼に近づいてくる。

「——あのあともずっと行政府で……ああ、今日も朝からずっと閣議になるから、ゆっくり話もしてられないが……あのっ……」

彼女なりに昨日のことを気にしているらしい。ユウナ・ロマ・セイランは彼女の幼なじみで、現在は婚約者《こんやくしゃ》だ。カガリの方は気乗り薄《うす》なのだが、父を失い、ウナトに執政《しっせい》を見てもらっている身としては、むげに断ることのできない相手でもある。

「いいよ、わかってる。気にするな」

朝から汗《あせ》をかいて気を揉むカガリを見ていたら、なんとなくかわいそうになってきて、アスランは言った。

だいたい——と、彼はわずかに優越感《ゆうえつ》をおぼえながら考えた——ユウナがどうがんばっても、あんな軟弱者《なんじやくもの》にカガリがなびくはずがないのだから。

「それより、どうなんだ？　オーブ政府の状況《じようきよう》は……」

気分を切り替えるようにアスランがたずねると、直前まで大騒動《そうどう》だったカガリが、ぴたりと黙《だま》り込む。アスランは彼女を見やり、その顔に釈然《しやくぜん》としない表情が浮かんでいるのに気づき、事態を悟《さと》った。

「……そうか」

カガリは悄然《しようぜん》と彼に背を向け、昨日の閣議のようすを語った。

「……いまは情勢がああ動くのも、しかたないかとも思う。ほかと比べれば軽微《けいび》だろうが、オーブだって被害《ひがい》はこうむった……。首長たちの言うことはわかる」

カガリはやりきれない思いを込め、両手を握《にぎ》りしめる。

「けど！　痛みを分かち合うって——それは、報復を叫ぶ人たちといっしょになって、〝プラント〟を憎《にく》むってことじゃないはずだ！」

アスランもやりきれない気分になる。カガリの言っていることは正しい。彼女はいつだって正しいのだ。その正論が、どういうわけか通らない。だが自分になにができる？　一介《いつかい》のボディガード、『アレックス・ディノ』に。

アスランはニュースを切り、テーブルを回ってカガリの前に立った。カガリのいまにも泣き出しそうな目が上がる。

「俺は、〝プラント〟に行ってくる」

唐突《とうとつ》なアスランの言葉に、カガリの目が見ひらかれる。アスランは静かな決意をこめて、告げた。

「オーブがこんなときにすまないが……俺も一人、ここでのうのうとしてるわけにはいかない」

「アスラン……けどおまえ、それは……」

カガリが困惑《こんわく》して言葉をとぎれさせる。アスランはたたみかけるように言った。

「〝プラント〟の情勢が気になる。デュランダル議長なら……よもや最悪の道を選んだりはしないと思うが……」

「アスラン……」

今度はカガリの目がはっきりと不安をたたえる。その不安は理解できる。こんなとき、そばにいて彼女を支えてやりたい。

「だが、ああやっていまだに父に――父の言葉に踊《おど》らされている人もいるんだ。俺が……俺でも、なにか手伝えることがあるのなら……アスラン・ザラとしてでも、アレックスとしてでも――」

アスランの思いつめた表情に、カガリは反論の言葉をのみ込む。重ねてアスランは激しい口調で言った。

「このまま〝プラント〟と地球がいがみ合うようなことになってしまったら……俺たちはいったい、いままでなにをしてきたのか、それすらわからなくなってしまう！」

世界は危険な方向へ転がりはじめている。それを止めることなどできないかもしれない。だがこのまま何をなすこともなく、手をつかねて見ているだけなんてごめんだ。

カガリはアスランの決意を見てとり、かたく唇《くちびる》を嚙《か》んだ。その目から涙《なみだ》があふれそうになり、あわてて目を瞬《またた》かせる。アスランはそっと手を伸《の》ばし、彼女の体を抱《だ》き寄せた。申し訳ないと思いはしたが、自分の決定を変えることはできない。

彼らはずっとともに戦ってきた。これからもそれは変わらない。ただ、戦う場所がしばらく離《はな》れるだけだ。


アスハ家の私設ヘリポートに、ヘリが着陸した。アスランはわずかな身の回り品をブリーフケースに詰《つ》め、部屋を出る。エントランスにはカガリが立ち、アスランの旅装を目にして少し目を翳《かげ》らせる。アスランは彼女の前で立ち止まった。

「……ユウナ・ロマとのことは、わかってはいるけど」

突然《とつぜん》切り出されてカガリがきょとんとする。アスランは目をそらし、ポケットから手を出しながら続ける。

「やっぱり、面白《おもしろ》くはないから」

そしてカガリの左手を取り、薬指にポケットから出した指輪をすばやくくぐらせた。カガリはぽかんと手を上げて、たっぷり五秒はそれを見つめたあと、大声を張り上げる。

「っ……ええええっ!?」

アスランは目をそらしたままだ。ややあってそっとカガリの表情を窺《うかが》い、相手が唖然《あぜん》とした顔で食い入るように自分を見つめているのに気づく。彼は急に気恥《きは》ずかしくなり、あわててまた目をそむけた。

「おっ……おまっ、いやっ、あのっ……」

カガリも口をぱくぱくさせるばかりで、なかなか返事にならない。やっとその口からまともに出た言葉はこうだった。

「こっ……こういう指輪の渡《わた》し方って、ないんじゃないかっ!?」

アスランは憮然《ぶぜん》として返す。

「……………悪かったな」

あまりにシチュエーションに合わないやりとりだった。二人はやっと顔を見あわせると、つい噴《ふ》き出す。アスランにはロマンチックな口説き文句など吐《は》けないし、カガリにもそんな返事は期待できない。自分たちにはこういうのが似合いだ。

カガリはそれでも頰《ほお》を染めて指輪を見つめたあと、アスランを見上げて微笑《ほほえ》んだ。

「……気をつけて。連絡《れんらく》よこせよ」

「カガリもがんばれ」

アスランは彼女を強く抱きしめたあと、軽くキスして体を離した。鞄《かばん》を取り上げ、ヘリに向かって歩き出した彼を、カガリがじっと見送る。ローターが回り、地面に風を吹《ふ》きつける。アスランが最後に見たカガリは、強い風に髪《かみ》を巻き上げられながら、不安げにこちらを見上げている姿だった。その右手は大切そうに、胸に当てた左手の指輪を包み込んでいた。


シンは港への道を、一人歩いていた。海から吹きつけてくる風は、記憶《きおく》より重い。

艦長《かんちょう》からクルーに対して上陸許可が出たのだった。ヴィーノやヨウランたちは喜んで街に出かけ、レイは興味ないとばかりに艦で射撃《しゃげき》訓練などやっている。シンだけがためらっていた。上陸することに抵抗《ていこう》はおぼえたが、艦にそのままとどまっているのも、一秒ごとにじりじりと灼《や》かれるような苦しみだった。どうせ後悔《こうかい》するのなら、行動して後悔した方がいい。シンはそう心を決め、そしてこの道をたどったのだ。

あの日、爆撃《ばくげき》を受けた軍港は、すっかり趣《おもむき》が変わっていた。アスファルトは石畳《いしだたみ》の遊歩道に変わり、港への斜面《しゃめん》は芝生《しばふ》に覆《おお》われ、規則的に花が植えられた公園になっている。シンはなんだか肩《かた》すかしを食《く》らったような気分で、きれいに整備された一帯を見回す。しばらく見るうち、いまはなだらかな丘《おか》に変わったそこが、あの日自分が転がり落ちた斜面だとわかった。あそこにマユの……両親の、無惨《むざん》な遺体が転がっていたのだ。

シンの胸にどうしようもない怒《いか》りと憎《にく》しみがこみあげ、ふつふつと煮《に》えたぎる。

あいつらは、この場所まできれいな仮面をかぶせ、まるでなかったことのように覆い隠《かく》してしまったのだ……！

シンはうずくまり、握《にぎ》りしめてきた携帯《けいたい》電話を開いた。

〈はい、マユでーすっ！　でもごめんなさいっ、いまマユはお話しできませーん。あとで連絡しますので……〉

あどけない少女の声が、誰《だれ》もいない公園に流れ、風に運び去られる。胸の痛みはいまもあのときと変わりなく強い。この痛みを忘れる日がいつか来るのだろうか？

風に混じって、かすかな声が届いた。歌声――？

シンは涙《なみだ》を振《ふ》り切るように立ち上がった。植え込みを回り込んで進むと、海辺に小さな石碑《せきひ》があり、その前に人の姿があった。その人物がシンに気づいて振り返る。褐色《かっしょく》の髪と、東洋の血が混じったやわらかな容貌《ようぼう》、年齢《ねんれい》はシンより少し上に見える。少年の肩にはメタリックグリーンの鳥が留まり、首をかしげて〈トリィ……？〉とさえずった。よくできているが、ペットロボットだろう。少年はシンが近づいていくと、石碑が見えるように横に寄った。その肩から鳥の形のロボットが飛び立つ。

「……慰霊碑《いれいひ》……ですか？」

なんとなく、シンは少年に話しかけた。相手は静かな声で答える。

「うん……そうみたいだね……」

シンはあやふやな答えに、相手を見やる。

「よくは知らないんだ。ぼくもここへははじめてだから……自分でちゃんと来るのは……」

少年は周囲を見回す。その物腰《ものごし》には、若さにそぐわない落ち着きと、どこか静謐《せいひつ》な雰囲気《ふんいき》が漂《ただよ》っていた。彼はなんとなく悲しげに言う。

「せっかく花と緑でいっぱいになったのに……波をかぶって、また枯《か》れちゃうね……」

言われてみると、なだらかな丘を覆った芝生は赤茶け、花も色褪《いろあ》せている。ここも高波の被《ひ》害《がい》を受けたのだろう。シンはその風景を見つめ、低く言った。

「ごまかせない、ってことかも……」

少年がその言葉の意味を問うように、シンを見た。シンは冷めた調子で吐き捨てる。

「いくらきれいに花が咲《さ》いても、人はまた吹き飛ばす……！」

「き……み……？」

気づくと少年が不審《ふしん》げに見つめていた。歌声が近づいてくる。どこかで聞いたような、透《す》き通ったきれいな声だ。坂を上がってきた少女が、少年と向きあうシンを見て歌をやめた。色白の肌《はだ》によく似合う、ピンク色の髪をしている。

「すいません。ヘンなこと言って」

シンは気まずくなり、あわてて踵《きびす》を返した。

だが、自分の言ったことは間違《まちが》っていないと思った。いくら緑で覆っても、きれいな花で飾《かざ》り立てても、そんなもので隠すことなんてできないのだ。ちっぽけな碑《ひ》をひとつ立てて、忘れてしまおうなんて虫がよすぎる。

自分は絶対に忘れてやらない。あそこで起こったことを、奪《うば》われた命を！


「まったくもって話にならん！ いったい、なにをどう言ってやれば、彼らにわかるのかね⁉」

一人の評議員が憤《いきどお》りもあらわに叫《さけ》んだ。すると一人が嘲《あざけ》るように応じる。

「なにを言ったってわからないんじゃないんですかね？ そもそも最初から、そんな気などなかったようにも思えます、これでは！」

〝プラント〟において、緊急《きんきゅう》議会が招集されていた。ついさきほど、大西洋連邦《れんぽう》、ならびにユーラシアをはじめとする連合国によって、一通の文書が送りつけられたのだ。

円座の中央にはデュランダルの沈痛《ちんつう》な顔もある。

「——なにをいまさら、『テログループの逮捕《たいほ》、引き渡《わた》し』などと……」

一人が連合国の突《つ》きつけた要求書を叩《たた》きながら、憤慨《ふんがい》の声を上げた。

「すでに全員死亡しているとの、こちらからの調査報告を、大西洋連邦も一度は了承《りょうしょう》したではありませんか！」

「そのうえ、賠償金《ばいしようきん》、武装解除、現政権の解体、連合理事国の最高評議会監視員派遣《かんしいんはけん》とは……とても正気の沙汰《さた》とは思えん！」

たしかに要求書には長々と、一方的かつ不当な要求が書き連ねられていた。これに従うことはすなわち、一度は得た自治を放棄《ほうき》し、〝プラント〟が連合国の奴隷《どれい》に貶《おとし》められることを意味した。

〝プラント〟――テクノロジーに立脚した民族解放国家《Peoples Liberation Acting Nation of Technology》。独立とともに正式に定めたこの国家名を捨てて、ふたたび身勝手な大国の属領に戻《もど》る。自分たちより明らかに能力も――そしてこの要求書を見れば一目瞭然《りようぜん》なことに、判断力においても劣《おと》った旧人類に支配される、屈辱《くつじよく》の日々に。

そんなことを、ここにいるみな――いや、〝プラント〟国民すべてが納得《なつとく》できるはずがない。

そして、文頭にはこう記されていた。

――以下の要求が受け入れられない場合は〝プラント〟を地球人類に対するきわめて悪質な敵性国家とし、これを武力をもって排除するも辞さない。

それは事実上の、宣戦布告だ。

あまりにすみやかな、そして決定的な、最後の一押しだった。

議員の一人が敵に対する怒《いか》りと不信を表明する。

「ヤツらだってこちらが聞くとは思ってないでしょうよ。要は口実だ。例によって〝プラント〟を討ちたくてしかたのない連中が煽《あお》っているんでしょう。『宇宙にいるのは邪悪《じゃあく》な地球の敵だ』とね！」

　さきの戦争でも〝ブルーコスモス〟なる思想団体が、連合を牛耳《ぎゅうじ》ってひたすらに戦火を広げたとの経緯《けいい》がある。今回も、テログループの情報配信から、メディアを通じてのバッシング、世論操作などの流れを見るに、誰《だれ》がこの結論への道筋を周到《しゅうとう》に調《ととの》えたという印象が深い。そうでなくてはこんな時期に、開戦の運びになどなろうはずもない。地上の国家の多くは〝ユーウスセブン〟落下によって受けた甚大《じんだい》な被害から回復もしていないはずなのだ。

「しかし、いくら何でもこれは無謀《むぼう》です」

　その点に思いやった評議員が、不可解きわまりないといった表情でたずねる。

「連合は本気で、このまま戦端《せんたん》を開くつもりなのでしょうか？　いまそんなことをすれば、むしろ彼らの方が……」

　この宣戦布告は、なにからなにまで正気の沙汰ではないというのが、彼らの抱《いだ》いた感想だった。

「従わなければそうすると言ってきているではないか！　現に！」

「被害《ひがい》の大きかったのは赤道を中心とした地域だ。月の戦力は無事だし、大西洋連邦とユーラシアは元気なものさ」

「戦争ともなれば消費は拡大するし、憎《にく》むべき敵が明確であれば意欲もわく……。昔から変わらぬ人の体質ですよ」

一人が嘆《なげ》くように述懐《じゅつかい》する。その見解にさっき不可解を表明した一人が鼻白む。

「しかし、それにしてもこれは……」

「やると言っているのは向こうですよ!? 我らではない!」

誰もが怒《いか》りに駆《か》られ、声高《こわだか》に論争を戦わせている。デュランダルは彼らを見回して口をひらく。

「みなさん……」

だが一向に周囲が静まろうとしないため、業《ごう》を煮《に》やしたように立ち上がり、声を張った。

「どうか落ち着いていただきたい、みなさん! お気持ちはわかりますが、そうして我らまで乗ってしまっては、また繰り返しです!」

白皙《はくせき》の顔をやや紅潮させ、身を乗り出した議長の姿に、議員たちは思わず口を閉じた。そんな彼ら一人一人を見回しながら、デュランダルは諭《さと》す。

「連合が何を言ってこようが、我々はあくまで、対話による解決の道を求めて行かねばなりません」

彼は真摯《しんし》な口調で告げる。

「そうでなければ、さきの戦争で犠牲《ぎせい》となった人々も浮《う》かばれないでしょう……」

たしかに、この場の誰も戦いなど求めていなかった。誰も、第二のパトリック・ザラになどなりたくなかったのだ。

「だが、月の地球軍基地にはすでに動きがあるのだぞ！」

ここで国防委員長のタカオが危機感を募《つの》らせて指摘《してき》する。さきの大戦での轍《てつ》を踏《ふ》まぬよう、国防委員が議員を兼《か》ねることは禁止項目《こうもく》となった。穏健《おんけん》派が主流を握《にぎ》る現政権だけに、軍部の者たちが危惧《きぐ》を抱《いだ》くのも当然といえる。

「理念もいいが、現状は間違《まちが》いなくレベルレッドだ！　当然、迎撃《げいげき》態勢に入らねばならん！」

それを聞いたデュランダルが憂鬱《ゆううつ》そうに眉《まゆ》をひそめる。

「軍を展開させれば、市民は動揺《どうよう》するでしょうし、地球軍側を刺激《しげき》することにもなります……」

「議長！」

あまりに危機意識のないデュランダルの言葉に、タカオ国防委員長が抗議《こうぎ》の声を上げて席を立つ。するとデュランダルはあきらめたようにため息をつき、言葉を継《つ》いだ。

「でも、やむを得ませんか……。我らの中にはいまも、あの〝血のバレンタイン〟の恐怖《きょうふ》が残ってますしね……」

〝血のバレンタイン〟――その単語を耳にして議員たちの間に、さざ波のような戦慄《せんりつ》が広がる。タカオにいたっては立ち上がったまま、その顔をこわばらせた。

〝血のバレンタイン〟においては、核《かく》が用いられた。人道上、使用を回避《かいひ》されてきたその兵器を、農業プラント〝ユニウスセブン〟に平然と撃《う》ち込んだことからも、地球連合がコーディネイターをどう見ているかわかるというものだ。その後、Nジャマーによって強制的に核兵器は封《ふう》じられた。だが、いまは地球側にも、それを無効とするNジャマーキャンセラーの秘密が渡《わた》っているのだ。〝ユニウス条約〟でその軍事利用は禁止されたというものの、これほどの無茶な要求を突《つ》きつけてくる相手のことだ。もはや、条約を守ってくるとは限らない……。

デュランダルは彼らのうちに呼び起こした恐怖にも気づかず、悲痛な面持《おもも》ちで提言する。

「防衛策に関しては、国防委員会におまかせしたいが……それでも我らは今後も、対話での解決に向けて、なおいっそうの努力をして行かねばなりません……」

議長の言葉はあくまで理性的で、平和的だった。議員たちの中に彼の姿勢を歯痒《はがゆ》く感じる者も含《ふく》まれてはいたが、多くはその意見を是《ぜ》としていた。自分たちは理性を失ってはいけないのだ。その自負は、彼らの裡《うち》に強く存在している。

「こんな形で戦端が開かれるようなことになれば、まさに〝ユニウスセブン〟を落とした亡霊《ぼうれい》たちの思うつぼだ。どうかそのことを、くれぐれも忘れないでいただきたい」

議員たちはその言葉に、ひとまず同意を表明した。

二度と、あの大戦のようなことが起こってはならないのだ。

「アレックスさん!」

宇宙港に出迎《でむか》えに来ていたオーブの大使館員が、ごった返す人波の中からアスランの姿を見つけて手を振《ふ》った。カガリが〝プラント〟に送った特使というのが、現在のアスランの身分だ。彼は人込みから苦労して抜《ぬ》け出し、大使館員に向かって小走りに駆け寄る。アスランもすでに、シャトルの中で連合国が出した共同声明を目にしていたのだ。

「すみません。――状況《じょうきょう》はどうなっていますか？」

開口一番、たずねると、大使館員は望ましくないというふうに首を振った。

「よくはありませんよ。〝プラント〟市民はみんな怒《おこ》っています」

それは当然だろうとアスランも思った。〝プラント〟からすれば、〝ユニウスセブン〟の災禍《さいか》は一部の犯罪者が引き起こしたもので、自分たちの意志とは関《かか》わりない。しかもそれを防ぐために手を打ち、滅亡《めつぼう》の運命から地球を救ったのは彼らなのだ。地球に住む者たちが誰一人《だれひとり》として有効な手を打てなかった状況で。さらに破片《はへん》落下後も、友として救援《きゅうえん》の手をさし出しているというのに、言いがかりのような要求を一方的に突きつけられ、攻《せ》め込まれるとあれば、誰でも頭に来るだろう。

大使館員は彼を出口へ誘導《ゆうどう》しながら、さらにくわしい状況を説明する。

「議長はあくまでも、対話による解決をめざして交渉《こうしょう》を続けると言っていますが……それを弱腰《よわごし》と非難する声も上がりはじめています」

シャフトエレベータに乗り込みながら、アスランは顔を曇《くも》らせる。だが、少なくともまだ議長は穏《おだ》やかな解決法を望んでいるのだ。ここに来たのは間違いではなかったと、彼は思った。いや、思いたかった。

「アスハ代表の特使と言うことで、早急に、と面談は申し入れていますが……この状況では、ちょっとどうなるかわかりませんね……」

大使館員は期待を持たせないように、との配慮《はいりょ》から、言葉を濁《にご》した。アスランはうなだれて答える。

「わかりました……」

焦《あせ》りに突き動かされるように〝プラント〟をめざした。しかしここに来てもやはり、なにも変えられないかもしれない。長い待ち時間と、実のない言葉を交《か》わすばかりの会談——これまでカガリとやってきたことと同じ。いや、ことによると会談さえかなわないかもしれないのだ。

自分はなにをすればいいのだろう……？

アスランはエレベータの外、近づきつつある人工の地表に暗い目を落とした。

「さて……それで？」

ジブリールはシェルターの中でゆったりと座し、モニターを見やって、ごく気軽に質問した。

「具体的にはいつはじまりますか、攻撃《こうげき》は？」

まるで娯楽《ごらく》イベントの開始を問い合わせるかのような口ぶりだが、ここで話題にされているのは開戦の時期だ。膝《ひざ》に丸くなった猫《ねこ》を抱《だ》いたジブリールは、モニターの中で気分を害したようすの男を見つめる。

〈そう簡単にはいかんよ、ジブリール。せっかちだな、きみも〉

苛立《いらだ》たしげに言葉を返した壮年《そうねん》の男は、大西洋連邦《れんぽう》の現大統領だ。

〈〝プラント〟はいまだに協議を続けたいと、さまざまな手を打ってきておるし、声明や同盟に否定的な国もあるのだ。そんな中、そうそう強引《ごういん》なことは……〉

「おやおや、前にも言ったはずですが？」

一国の大統領の言葉をさえぎり、ジブリールはさもあきれたという声を出した。黒い猫があくびをし、その膝から飛び降りる。

「そんなもの、〝プラント〟さえ討ってしまえば、すべておさまると」

子供のように諭《さと》されて、大統領はむっとした表情になるが、黙《だま》ってため息をついた。地球最大の国家を代表する人物が、自分より十歳以上は年下のジブリールを相手に反駁《はんばく》できずにいる。

そのことが〝ブルーコスモス〟、またその背後に蠢《うごめ》く巨大《きょだい》な力の存在を暗に示していた。彼を嬲《なぶ》るようにジブリールは言葉を重ねる。

「ヤツらがいなくなった後の世界で、いったい誰が我々に逆らえるというんですか？　赤道連合？　スカンジナビア王国？——ああ、怖《こわ》いのはオーブですか？」

その国名を出されて、大統領は苦い顔になる。

〈あの国は……まあな〉

前回攻め入ったおりに、かの国の反撃によって自国がこうむった損害と、その後間もなく、これといって得るものもなく撤退《てったい》せざるをえなかった経緯《けいい》を思い起こしたのだろう。だがジブリールはお話にならないというように鼻を鳴らした。

「ふん、あんなちっぽけな国」

彼は立ち上がり、ぶらぶらと上階へ向かう。酒瓶《さかびん》をキャビネットから取り出しながら、彼はゆったりと口をひらく。

「世界はね、システムなんです。だから造り上げる者と、それを管理する者が必要だ」

長い指がグラスを取り、そこにロックアイスを入れる。

「人が管理しなければ、庭とて荒《あ》れる。誰だって自分の庭には、好きな木を植え、芝《しば》を張《は》り、きれいな花を咲《さ》かせたがるもんでしょう？　雑草は抜いて」

大統領は彼の長広舌《ちょうこうぜつ》に、仏頂面《ぶっちょうづら》で聞き入っている。そんな相手を見もせずに、ジブリールはグラスにやわらかな琥珀《こはく》色の液体を注ぎながら続ける。

「ところかまわず好き放題に草を生えさせて、それを美しいと言いますか？　これぞ自由だと？」

〈ジブリール……〉

困惑《こんわく》して口を挟《はさ》もうとする大統領の言葉をさえぎり、ジブリールは得々として言った。

「人は、誰だってそういうものが好きなんですよ。きちんと管理された場所、もの――安全なね。いままでだって世界をそうしようと、人はがんばってきたんじゃないですか。街を作り、道具を作り、ルールを作ってね」

人がめざしてきたものは、秩序《ちつじょ》ある世界だ。より自分たちが生きやすいように、人は環境《かんきょう》を作りかえ、さまざまなネットワークを作り、そのネットワークが遅滞《ちたい》なく機能するようにルールを作り、それに従って生きている。

「そしていま、それをかつてないほどの壮大《そうだい》な規模でやれるチャンスを得たんですよ、我々は」

ジブリールは楽しげに笑う。彼にとっては今回の厄災《やくさい》も、新たな秩序を造り出すために都合のいい下準備のようなものなのだ。そして、彼にとっては庭を汚《よご》している雑草でしかない、コーディネイターという存在を根こそぎ刈《か》れば、新しいシステムを組み上げる素地は完成する。さぞやりがいのある仕事だろう。世界を一から造り上げるという事業は。

彼の頭にはもはや、その事業のことしかなかった。

「だから、さっさとヤツらを討《う》って、早く次の楽しいステップに進みましょうよ。我ら〝ロゴス〟のための美しい庭――新たなる世界システムの構築という、ね」

〈これより私は全世界のみなさんに、非常に重大かつ残念な事態をお伝えせねばなりません

……〉

大西洋連邦の大統領が発表した緊急《きんきゅう》声明を、地球、〝プラント〟を問わず、すべての国の者たちが息をのんで受け止めた。シンたち〝ミネルバ〟クルーも寝入《ねい》っていたところを警報に叩《たた》き起こされ、この声明を知った。

〈――この事態を打開せんと、我らは幾度《いくど》となく協議を重ねてきました。が、いまだ納得《なっとく》できる回答すら得られず、この未曾有《みぞう》のテロ行為《こうい》を行なった犯人グループをかくまい続ける、現〝プラント〟政権は、我らにとって明らかな脅威《きょうい》であります〉

モニターの中で大統領は、いかにも裏切られたといった面持《おもも》ちで、これを見ているであろう国民たちに語りかけている。敵《むこう》が悪いのだ。やむを得ない仕儀《しぎ》なのだ――と。だが事情を知っているシンたちから見れば、これはとんだ茶番だ。テロリストたちは最後の一人まで死んだ。死んだ者を引き渡《わた》すことなどできない。そのことはおそらく、あそこにいた〝ボギーワン〟にも推測できたはずなのに、犯人が〝ジン〟に乗っていたという事実は公開され、一方の事実は無視されているとしたら、明らかな作為《さくい》が働いているとしか言いようがない。

〈――よって、さきの警告どおり、地球連合各国は本日午前零《れい》時をもって、武力によるこれの排除《はいじょ》を行使することを、〝プラント〟現政権に対し、通告いたしました〉

「開戦……？」

シンは怒《いか》りに燃えて画面の男を睨《にら》みつけていた。

「そんな……！」

——またも、道理の通らぬ言いがかりをつけて……！

二年前、オーブに攻《せ》め入ってきたときも、大西洋連邦は同じだった。大国の威光《いこう》をかさに、子供も納得させることのできないような理由を押し立てて、相手をむりやり力でねじ伏《ふ》せようとする。そんな敵に、シンはあらためて憎《にく》しみをかき立てられた。

宣戦布告より少し前、〝プラント〟前面に築かれたザフト軍事ステーションから、続々と戦《せん》艦《かん》、モビルスーツ隊が発進していた。短く切ったパイプのような、リング状の軍本部と対比すると、全長一七〇メートルのローラシア級艦も玩具《おもちゃ》の船のようだ。だが、その背後からゆっくりと姿を現したのは、巨大《きよだい》すぎて船のように見えない構造物だった。

大型空母〝ゴンドワナ〟——全長一二〇〇メートルにも及《およ》ぶ船体はまるで動く要塞《ようさい》だ。その巨体《きよたい》はモビルスーツ用のカタパルトだけで十六本を有し、内部に艦船までも収容することができる。その巨大空母の中に、イザーク・ジュールをはじめとするジュール隊はいた。月基地を発し、〝プラント〟へ向かいつつある地球連合軍に対応して出撃《しゆつげき》したものだ。評議会は事態の沈静《ちんせい》化をめざしてさまざまな外交手段に訴《うつた》えてはいたが、敵の部隊が着実に〝プラント〟へ近づいている以上、こちらも動かざるを得ない。出発した時点では開戦の可能性とともに、ことによると睨みあったまま何日も動けなくなる可能性もあった。

だが、実際には予想よりはるかに早く、〝ゴンドワナ〟内部に警報が響《ひび》き渡ったのだ。

イザークは士官室から飛び出し、モビルスーツデッキをめざした。途中《とちゅう》で合流したディアッカが、渋《しぶ》い顔で声をかけてくる。

「なあ、これ、冗談《じょうだん》だろ？」

イザークは鋭《するど》い目で旧友を見やり、答えずにパイロットロッカーへ向かう。彼もまた、この行軍が空振《からぶ》りに終わることを祈《いの》っていたのだ。さきの大戦からまだ二年しか経《た》っていない。あのとき、両軍ともにあれほどの犠牲《ぎせい》を払《はら》いながら、また開戦だなどと——悪い冗談であってくれたらどんなにいいか！

だが祈っていても宣戦布告は撤回《てっかい》されない。目の前から敵が消えることもない。ならば、軍人である自分たちの役目は、敵から祖国を守ることだ。イザークは純白のパイロットスーツに着替《きが》え、ディアッカとともに愛機へ飛び込む。

——結局はこうなるのかよ……やっぱり！

イザークは苦い思いを押し殺しつつ、管制に告げた。

「こちら、シエラ・アンタレス・ワン、ジュール隊、イザーク・ジュール、出るぞ！」

イザークの〝スラッシュザクファントム〟がカタパルトから射出される。バックパックに装備されているのはＭＭＩ—Ｍ８２６ハイドラ・ガトリングビーム砲《ほう》、そして近接戦用の装備として腰部《ようぶ》後方にＭＡ—ＭＲファルクスＧ７ビームアックス。すぐ後からディアッカの〝ガナーザクウォーリア〟も飛び出してくる。彼らだけでなく、空母のすべてのハッチからは次々とモビルスーツが射出され、旋回《せんかい》して、前方に迫《せま》ってくる地球連合軍艦隊に向かう。

〈第一戦闘群《せんとうぐん》、間もなく戦闘圏《けん》に突入《とつにゅう》します。全機オール・ウェポンズ・フリー〉

ノイズに混じって管制の声が届く。ほぼ時を同じくして、接近しつつあった両軍モビルスーツ隊が砲撃《ほうげき》を始めた。両軍の間に広がる漆黒《しっこく》の虚空《こくう》を、無数の光条が切り刻む。そしてほとんどそれと同時に、展開していたモビルスーツ隊の何機かが機体を貫《つらぬ》かれ、光輝《こうき》を放ちながら四散する。だがそれらはいっさい無音だ。絶対の虚空は悲鳴も爆音《ばくおん》も抱《かか》え込んで逃《に》がさない。

ビーム兵器は真空では拡散せず、距離《きょり》にかかわりなくその威力《いりょく》は絶大だ。緒戦《しょせん》の撃《う》ち合いで生死を決するのは、技量とかかわりなく、ただ運のみといっていい。だがイザークは怖《お》じけることもなく、ビームの驟雨《しゅうう》に逆らって敵への間隙《かんげき》を駆《か》け抜《ぬ》ける。瞬《また》く間に敵の戦線が迫る。彼は腰《こし》のビームアックスを抜き放《はな》ち、先頭の〝ダガーL〟とすれ違《ちが》いざまその胴《どう》をなぎ払った。爆発《ばくはつ》の光が後方から射《さ》すときには、次の獲物《えもの》が照準《スコープ》に入っている。連合の次世代モビルスーツGAT―04〝ウィンダム〟だ。照準の中の敵機はこちらのスピードに対応することができず、機体をガトリングビーム砲に刻まれて終わった。

オレンジ色にカラーリングされた〝ザク〟が、見る間に敵陣《てきじん》深く切りこんでいく。その突撃《とつげき》銃《じゅう》から立て続けに吐《は》き出されたビームが、敵戦艦の巨大な船体を舐《な》める。次の瞬間《しゅんかん》、機関部を貫かれた戦艦は高々と炎《ほのお》を噴《ふ》き出して四散した。

〈ハイネ・ヴェステンフルスに先を越《こ》されたぜ！〉

〃ダガーL〃二機を続けざまに射落としたディアッカが、友軍機の活躍《かつやく》を見て陽気な叫《さけ》び声を上げる。彼らほどのパイロットになると、OSの補助に頼《たよ》るナチュラルの操縦ではほとんど対応できるものではない。しかし、連合のモビルスーツや戦艦は、落とされても後から後からわき出すように襲《おそ》い来る。

〈くっそォ！　何だよ！　これじゃキリがないぜ！〉

ディアッカが毒づきながら、長大なビーム砲で一隻《せき》の戦艦を狙《ねら》い撃ちする。ビームはまっすぐに虚空を駆け、戦艦の横腹を貫くが、炎を噴き出して離脱《りだつ》する艦の後方からはさらに多くの艦が前進してくる。物量にまさる地球連合軍がこの戦いに投入した戦力は途方《とほう》もないもので、いかにザフトのパイロットが質において勝《まさ》っていても、数の上の不利はいかんともしがたかった。

「ええい、くそッ！　防衛線を崩《くず》すな！」

イザークは焦《あせ》りをおぼえながら、自らの部隊を叱咤《しった》した。

「宇宙《ソラ》は誰《だれ》のものか、思い知らせてやるんだッ！」

戦端《せんたん》が開かれたようすは、遠く離《はな》れた宇宙空間からもわずかに見てとれた。

〃プラント〃の極軌道《きどう》側、小惑星《わくせい》の陰《かげ》に身を潜《ひそ》めるようにして、数隻の戦艦《せんかん》が停泊《ていはく》していた。

地球連合軍アガメムノン級艦だ。そのうちの一隻、〝ネタニヤフ〟の艦橋《ブリッジ》で、オペレーターが艦長に報告する。

「プランは予定どおり進行中。作戦承認《しょうにん》。本隊、戦闘《せんとう》開始しました」

「ようし、こちらも行くぞ」

作戦は順調に進行していた。艦長は自らの果たす役割に満足げな笑《え》みを浮《う》かべ、言い放った。

「この青き清浄《せいじょう》なる世界に、コーディネイターの居場所はないということを、今度こそ思い知らせてやるのだ……！」

〝ネタニヤフ〟とその僚艦《りょうかん》から、次々とモビルスーツ隊が吐き出された。〝ウィンダム〟のみで編成された、数十機に及《およ》ぶ編隊だ。それらの機体の両肩《りょうかた》には、巨大《きょだい》なミサイルランチャーが装着されている。この部隊は〝クルセイダーズ〟と呼ばれた。ランチャーにおさまったミサイルの先端《せんたん》には、誰もが見まがうことのない、核《かく》を示すマークが刻みこまれている。

付近宙域を哨戒《しょうかい》中だった、一機の長距離偵察《ちょうきょりていさつ》型〝ジン〟が、ひそやかに進むその編隊に気づいた。そして、その部隊が運ぶ巨大なミサイルにも。

その情報はただちに母艦へと送られた。

「全市、港の封鎖《ふうさ》、完了《かんりょう》しました」

「警報の発令は？」

「パニックに備え、軍のMPにも待機命令を」

議員と秘書官らの間を、慌《あわ》ただしく命令と報告が行き交《か》う。〝アプリリウス〟市の評議会ビル内、デュランダルの執務室《しつむしつ》だ。

「防衛軍の司令官を——最終防衛《ファイナル・ディフェンサー》ラインの配置は？」

デュランダルも緊迫《きんぱく》した表情で、次々と秘書官に指示を与《あた》え、受話器の向こうの相手から報告を受け、対応に忙殺《ぼうさつ》されている。

「——いや、退避勧告《たいひかんこく》は最後の最後でいい。脱出《だっしゅつ》したところで、我らには行くところなどないのだ」

デュランダルの言葉を聞き、みな、表情に切迫《せっぱく》した悲愴《ひそう》感を漂《ただよ》わせる。そんな彼らを鼓舞《こぶ》するように、議長は決然と告げる。

「何としても〝プラント〟を守るんだ！」

そのとき一人の秘書官の声が、騒然《そうぜん》とした室内の空気を切り裂《さ》いた。

「議長ッ！」

室内の誰もがそちらに向きなおり、受話器を手にした秘書官の蒼白《そうはく》な顔を見る。彼らは知った。これまで口には出さずにいたものの、全員が心の底で恐《おそ》れていた事態が、たったいま起こったということを。

「核攻撃隊《かくこうげき》!?　極軌道からだと!?」

全軍、極軌道からの敵核攻撃隊を迎撃《げいげき》せよ——との通信文に、イザークは我が目を疑った。

それは核を持った別働隊が、まったくの死角から〝プラント〟に接近しているという報《しら》せだった。イザークは思わず、周囲を埋《う》めつくすモビルスーツと艦隊を見回す。

〈じゃあこいつらは……すべて囮《おとり》かよッ!?〉

一機の〝ダガーL〟を撃《う》ち落とし、ディアッカも呻《うめ》く。

「クッソォォォォッ！」

イザークはわめきながらバーニアを全開する。強烈《きょうれつ》なGが体にのしかかるのにもかまわず、さらにスピードを上げる。ディアッカ以下、ほかのザフト機も同じ方向をめざして戦線を離脱しようとしていた。そうはさせじと追いすがる〝ウィンダム〟を、ディアッカがすばやく反転して撃ち抜《ぬ》く。

〈イザーク！　行け！〉

ディアッカの声が後から追ってくる。

〈ヤツらに〝プラント〟を撃たせるな！〉

「言われなくてもッ！」

イザークは叫《さけ》び返し、敵を求めて必死に宇宙を駆《か》けた。

「もうじきだ、諸君」

〝ネタニヤフ〟艦橋《ブリッジ》で、艦長が〝プラント〟に迫《せま》るモビルスーツ隊を眺《なが》めながら告げた。

「今度こそ終わらせよう、すべてを。――青き清浄なる世界のために」

彼はもはや成功を確信していた。Nジャマーキャンセラーを内蔵した核ミサイルはすでに射程圏《けん》にプラントをとらえている。敵がいまさら気づいて急行しても、こちらがミサイルを撃つ方が早い。

こうして目障《めざわ》りなあの宇宙のバケモノどもは、自分たちの放った神の鉄槌《てっつい》に撃たれ、すべて息絶えるのだ。そう、あと数分ののちには――。

彼の確信に、オペレーターが脇《わき》から水をさした。

「レッド二二ベータにナスカ級三！　ですが、一隻《せき》は見慣れぬ装備をつけています！」

艦長はモニターに映し出された光学映像を見やった。おそらく核攻撃隊《クルセイダーズ》に気づいて迎撃に出た艦隊だろう。だがたった三隻の戦艦でモビルスーツを止めることなど、ましてや放たれたミサイルすべてを迎撃するなどできはしまい。

たしかに、守られるように中央を進んでくるナスカ級には、見たことのない形状の装備が見えた。艦首前方に細長い羽を連ねた長い突起物《とっきぶつ》が装着されている。まるでヘリのローターを幾《いく》重《え》にも重ねたような形状の装備は、なんらかの兵器なのだろうか？　しかし、〝ネタニヤフ〟の誰《だれ》にも、その用途《ようと》を推《お》し量ることさえできなかった。

未知の装備に整然と並んだ羽が、細かに振動《しんどう》しはじめた。

イザークがようやく〝プラント〟に接近しつつある機影《きえい》を視界にとらえたとき、先頭にいた〝ウィンダム〟から、ミサイルが放たれた。

「くそォォォッ！　間に合わん！」

イザークは呻きながら、それでも必死にミサイルを狙《ねら》う。だがあまりに遠すぎる。立て続けに放たれた射線をすり抜けて、ミサイルは突《つ》き進む。その先には回り続ける巨大《きょだい》な砂時計の群れがある。あそこには何十万もの同胞《どうほう》がいるのだ。宇宙線をはじき、絶対零度《れい》の真空から彼らを守る外壁《がいへき》も、核《かく》の爆発《ばくはつ》にはひとたまりもない。〝ユニウスセブン〟を襲《おそ》った悲劇のように。

「ああああッ！」

イザークは次に自分が見る光景を予測して、悲痛な叫びを漏《も》らす。

もはや打つ手はない。かつて彗星《すいせい》のように現れて、自分たちを救ってくれたあいつらはここにいない！

　そのとき、接近しつつあったナスカ級の艦首《かんしゅ》から、白い光が迸《ほとばし》った。

光の照射と同時に核ミサイルが、プラント外壁に届く寸前で閃光《せんこう》を放つ。いや、放たれたミサイルばかりではなかった。モビルスーツ隊が運んでいた発射前のミサイルランチャーがすべて白い光に包まれ、それのみか、後方にあった地球軍艦の腹からも同様の白い矢が放たれた。

膨《ふく》れ上がる光球があっという間に、モビルスーツを、艦船をのみ込んでいく。

イザークは自分の見たものを理解できず、呆然《ぼうぜん》と目を見ひらいていた。

「何だ……？　いったいなにが……」

目も眩《くら》む白い閃光が消え去ったのち、敵軍が展開していた宙域には、なにひとつ残っていなかった。


モニターから放たれた白い光に、執務室《しつむしつ》にいた者たちが目を覆《おお》った。

Nスタンピーダー――あのナスカ級が装備していた装置によって、あの場にあったすべての核ミサイルが起爆させられたのだ。

誰もが見たものに唖然《あぜん》としていて、一瞬《いっしゅん》デュランダルの顔にひらめいた表情に気づいた者はいなかった。それはこの場にふさわしくない、端然《たんぜん》たる微笑《ほほえ》みだった。

「核ミサイルはすべて撃破《げきは》、敵軍は完全に消滅《しょうめつ》しました！」

静まり返った室内に、前線からの報告を伝える秘書官の声が響《ひび》き、議員たちはほっと肩《かた》から力を抜いた。またも訪《おとず》れた核による危機は、今度も未然に回避《かいひ》されたのだ。

「スタンピーダーは量子フレネルを蒸発させ、ブレーカーが作動。現在、システムは機能を停止しています」

核物質の内部で、中性子が高速運動することにより、核分裂《かくぶんれつ》が起こる。Nスタンピーダーはこの核分裂を暴走させ、制御《せいぎょ》不能にすることで、外部から任意に核爆弾《かくばくだん》の暴発をうながすことができるのだ。もっとも射程距離《きより》は限られ、また基本的に無重力下でなければ作動しないなどの制約はある。いまも、一度の照射で機能停止しており、この間に第二波の核攻撃《かくこうげき》を受ける可能性を考えると、まだその運用には安定性が欠けるといえよう。

しかしこの装置の意味は大きい。今回の攻撃を防いだというだけでなく、地球連合軍はこれで核攻撃という手段を取ることをためらうだろう。うかつに核を持って近づけば、その火に灼《や》かれるのは自分たちの方なのだ。最大の脅威《きょうい》ともいえる核攻撃を、こうしてふたたび封《ふう》じ込《こ》めることができる。

「まったく……たまらんな！」

未然に回避された悲劇を思い、議員の一人が苛立《いらだ》たしげに吐《は》き捨てた。

「スタンピーダーが間に合ってくれてよかったですわ」

「だが、虎《とら》の子の一発だ。次はこうは……」

口々に安堵《あんど》の言葉を口にする彼らの顔を見回し、デュランダルが締《し》めくくるように言った。

「これで終わってくれるといいんですがね……とりあえずは」

アスランは、同じビル内の一室にいた。議長との面談を求めてから、数時間が経過していた。

港が閉鎖《へいさ》され、市内には戒厳令《かいげんれい》が布《し》かれている。どうやら地球連合軍との戦闘《せんとう》が行なわれているらしいが、情報はまったく入ってこない。同行してくれている大使館員は、さっきから動物園の熊《くま》のように部屋の中を歩き回っている。アスランはひとつ息をつき、立ち上がった。

「ちょっと……顔を洗ってきます」

頭を冷やそう。熱くなって駆《か》け込んだはいいが、こんな状況《じょうきょう》ではデュランダルの体が空くことは当分ないだろう。ことによると、明日また出直した方がいいのかもしれない……。

洗面所で顔を洗い、アスランは少しさっぱりした気分で廊下《ろうか》に出た。廊下の向こうから人の話し声が伝わってくる。そのとき、アスランの耳に涼《すず》やかな声が届いた。

「——ええ、大丈夫《だいじょうぶ》。ちゃんとわかってますわ。時間はあとどれくらい？」

アスランは思わず、待合室を通り過ぎ、声のした方へ向かった。誰《だれ》でも一度聞いたら聞き間《ま》違《ちが》えようのない声——これは……!?

「ならもう一回、確認《かくにん》できますわね……」

廊下を曲がったとたん、ピンク色の髪《かみ》が視界に飛び込み、アスランは愕然《がくぜん》と立ちつくした。

「ラクス……!?」

階段の上で、二人の男たちと話をしていたピンクの髪の少女は、その声でこちらに向きなおる。きめ細かな白い肌《はだ》、やわらかで繊細《せんさい》な面差《おもざ》し、かたわらには赤いハロまでいる。間違いなくラクスだ。ラクスはアスランをみとめて、パッと笑顔《えがお》になり、軽《かろ》やかな足取りで階段を駆け

下りてくる。

「アスラン！」

その呼び声も彼女そのもの。少女がアスランに飛びついてきて、彼は反射的に抱《だ》きとめた。

視界をピンクの髪が覆い隠《かく》す。

「ああうれしい！　やっと来てくださいましたのね！」

「あ、え……？　あ……？」

アスランは混乱する。いや、ラクスはキラとオーブにいるはずだ。ついこの間オノゴロで別れた彼女が、いつの間に？　なぜ？

アスランはやっとのことでたずねた。

「きみが……どうしてここに？」

ラクスはうれしそうに笑い、ぎゅっと抱きついてくる。

「ずっと待ってたのよ、あたし。あなたが来てくれるのを……」

アスランは得体の知れない違和感《いわ》をおぼえる。ラクスがこんなふうに自分に接することはない。婚約者《こんやくしゃ》だったころから……。

彼の困惑《こんわく》が覚めないうちに、付き添《そ》っていた男性が遠慮《えんりょ》がちに声をかける。

「ラクスさま」

「ああ、ハイ、わかりました」

うながされたラクスはアスランから身を離《はな》し、もう一度にっこりと笑った。

「ではまた……。でも、よかったわ。ホントにうれしい。アスラン」

それきり踵《きびす》を返し、付き添いらしい男性たちと彼女は立ち去った。赤いハロがそのあとをコロコロと転がっていく。アスランは呼び止めることもできず、ただ呆然《ぼうぜん》とその後ろ姿を見送った。

「やあ、アレックス君？」

突然《とつぜん》、背後から声をかけられ、アスランはびくっと飛び上がる。振《ふ》り返ると、デュランダル議長の端整《たんせい》な笑顔がそこにあった。

「ああ、きみとは面会の約束があったね。いや、だいぶお待たせしてしまっているようで、申し訳ない」

「あ……あ、いえ……あの……」

さっき見た少女のことをたずねてみようとしたアスランは、なぜか思いとどまる。デュランダルが不審《ふしん》そうな顔になった。

「どうしたね？」

「いえ……なんでもありません」

アスランは言葉を濁《にご》した。なんとなく、さっき見た少女が幻《まぼろし》のような気さえしてきたのだった。

「そんな……まさか！」

ようやくデュランダルと向きあったアスランは、思わず声をうわずらせた。デュランダルによって、地球連合軍が核《かく》を使用したことを知らされたのだ。デュランダルは疲《つか》れたようにため息をつく。

「――と、言いたいところだがね、私も。だが、事実は事実だ」

彼はリモコンを操作して、壁面《へきめん》のモニターを点《つ》けた。ニュース映像が映し出され、アナウンサーが緊迫《きんぱく》した声で原稿《げんこう》を読み上げる。

〈繰《く》り返しお伝えいたします。昨日午後、大西洋連邦《れんぽう》をはじめとする地球連合各国は、我らプラントに対し宣戦を布告し、戦闘開始から約一時間後、ミサイルによる核攻撃《かくこうげき》を行ないました……〉

アスランが見るうち、画面は戦闘のようすを記録した録画映像に切り替《か》わった。望遠でとらえたものらしいモビルスーツ戦のあと、核ミサイルを装備した地球軍のモビルスーツ隊が映った。アスランは息をのむ。〝ウィンダム〟が放ったミサイルがすべて、次の瞬間《しゅんかん》には白い光に包まれたのだ。

〈……しかし、防衛に当たったザフト軍は、デュランダル最高評議会議長指揮のもと、最終防衛ラインでこれを撃破《げきは》――〉

まさか本当に――という思いと、不可解な爆発《ばくはつ》の映像に、アスランは愕然として言葉もない。

アナウンスは続く。

〈――現在、地球軍は月基地へと撤退《てったい》し、攻撃《こうげき》は停止していますが、情勢はいまだ緊迫した空気をはらんでいます〉

――何ということをしてくれたのだ……。

アスランは全身の力が抜《ぬ》け落ちるような思いと闘《たたか》っていた。戦争とはこういうものだとわかっていたはずなのに、いざ目にしてみると戦慄《せんりつ》する。地球連合軍は手段を選ばず、この一戦で〝プラント〟を全滅《ぜんめつ》させるつもりだったのだ。

こんなことをされたら、今度は〝プラント〟市民が黙《だま》っていまい。もう後戻《あともど》りの道は閉ざされたも同然だ。自分は遅《おそ》すぎたのだ。

「きみもかけたまえ、アレックス君」

いたわるような声をかけられ、アスランは我に返る。デュランダルが椅子《いす》を勧《すす》めていた。

「ひとまずは終わったことだ。落ち着いて」

アスランはまだ衝撃《しょうげき》から立ちなおることができず、勧められるままに議長の向かいに腰《こし》を下ろした。

「しかし……想定していなかったわけではないが、やはりショックなものだよ……。こうまで強引《ごういん》に開戦され、いきなり核まで撃《う》たれるというのはね……」

デュランダルが苦い思いを口からこぼれさせる。その言葉をアスランは痺《しび》れたような意識の端《はし》で聞いた。

「この状況《じょうきょう》で開戦するということ自体、常軌《じょうき》を逸《いっ》しているというのに、そのうえこれでは……。これはもう、まともな戦争ですらない」

アスランはつり込まれるようにうなずく。これは一方的な暴虐《ぼうぎゃく》だ。だがそもそも戦争というものがそうなのではないか。まともで公明正大な戦争などない。あるとしたら、それはどちらか、あるいは双方《そうほう》が、巧妙《こうみょう》にそう装《よそお》っているというだけのことだ。

「——連合はいったん軍を引きはしたが、これで終わりにするとは思えんし……」

デュランダルはつらつらと思案するように言葉を紡《つむ》いでいた。

「逆に今度はこちらが大騒《おおさわ》ぎだ。防げたとはいえ、またいきなり核を撃たれたのだからね……」

その言葉がアスランの胸に突《つ》き刺《さ》さる。

なぜこんなひどいことを——〝ユニウスセブン〟落下による被害者《ひがいしゃ》たちの言葉だ。痛みを受けた人々は口々に叫《さけ》び、痛みを与《あた》えた者を憎《にく》む。

そして今度は〝プラント〟の市民が叫ぶのだ。——なぜこんなひどいことを!?

「問題はこれからだ……」

ため息まじりのデュランダルの言葉に、アスランははじかれたように顔を上げる。

「議長、あの……!」

相手は彼の存在を思い出したように目を向け、その視線を受けてアスランは必死に言葉を探した。

「それで〝プラント〟は……この攻撃……宣戦布告を受けて、今後……どうしていくおつもりなのでしょうか……？」

気ばかりせいて舌をもつれさせる、アスランのすがるような表情を見て、議長は深々と息をついた。

「我々がこれに報復で応じれば、世界はまた泥沼《どろぬま》の戦場となりかねない……。わかっているさ。むろん、私だってそんなことにはしたくもない……」

やはり、この人はそれをわかっている。泥沼へと転がり落ちていく世界を、自分たちと同じように憂《うれ》えているのだ。

一瞬、儚《はかな》い期待がアスランの胸に宿るが、続く言葉がそれを打ち砕《くだ》く。

「──だが、事態を隠《かく》しておけるはずもなく、知れば市民はみな、怒《いか》りに燃えて叫ぶだろう──許せない、と。それをどうしろと言う？」

デュランダルに見つめられ、アスランは返す言葉もなくうなだれる。

「今また、さきの大戦のように進もうとする針を、どうすれば止められるというんだね？　すでにふたたび、我々は撃たれてしまったのだよ、核《かく》を？」

彼の言うことはもっともだ。国民がそれで納得《なっとく》できないということも、理解できる。アスランは無理なことと承知で、必死に訴《うった》えた。

「しかし……それでも、どうか！　議長……！」

冷ややかに見える議長の顔を前に、アスランの心は二年前にさかのぼる。議長であった父の考えを変えようと、国防本部に単身乗り込んだときに。父のときと同じで、結局は自分の思いが相手に伝わることはないのだろうか？

くじけそうになる気持ちを励《はげ》まして、アスランは胸の奥からの思いを吐露《とろ》する。

「怒《いか》りと憎しみだけで、ただ撃ち合ってしまったらダメなんです！　これで撃ち合ってしまったら……世界はまたあんな、なにも得るもののない、戦うばかりのものになってしまう！　どうか、それだけは……！」

「アレックス君……」

「俺は……俺は、アスラン・ザラです！」

たしなめるように呼びかける声をはねのけ、アスランは吐《は》き捨てた。

「二年前、どうしようもないまでに戦争を拡大させ、愚《おろ》かとしか言いようのない憎悪《ぞうお》を世界中にまき散らした、あのパトリックの息子《むすこ》です！」

そう言ってしまったとたん、彼の中で堰《せき》を切ってあふれ出した思いがあった。アスランは心に凝《こご》った暗いものを吐き出すように言葉を継《つ》ぐ。

「父の言葉を正しいと信じ！　戦場を駆《か》け、敵の命を奪《うば》い、友と殺しあい……間違《まちが》いと気づいてもなにひとつ止められず、すべてを失って……！」

彼の脳裏《のうり》を、かつて自分が経験したすべてが駆け抜《ぬ》ける。仲間たちの死、それらをもたらした者に対する憎しみ、キラを殺したと――この手で殺したと思った瞬間《しゅんかん》……。あのときカガリは泣きながら叫んだ。それで最後は平和になるのかと。なりはしない。戦いの終わりに待っているのは平和ではなく、敵味方すべてが死に絶えた不毛の焦土《しょうど》だと知り、父の愚行《ぐこう》を止めようとした。だが、自分にはなにも変えられなかった。なにも。

「……なのに！　いまだそんな父の言葉に踊《おど》らされた人たちがっ……！　そして、その結果がこんな……！」

アスランは血を吐くように叫んだ。

こんな事態を招いたのは自分の父だ。すべての元凶《げんきょう》はあの男にあるのだ。

「もう、絶対に繰《く》り返してはいけないんだ！　あんな……！」

アスランはようやく言葉を切り、激しく息をついた。まるで全力疾走《しっそう》したあとのように疲《つか》れ切って、彼は椅子《いす》にもたれ、目をそむける。

黙《だま》ってアスランの話を聞いていたデュランダルが、静かに口をひらいた。

「〝ユニウスセブン〟の犯人たちのことは聞いている。シンの方からね……」

アスランは身を硬《かた》くして、その言葉を聞く。デュランダルの声にはいたわりがこもっていた。

「きみもまた、辛《つら》い目に遭《あ》ってしまったな……」

「いえ、違《ちが》います。俺はむしろ、知ってよかった」

アスランは同情をはねのけるように言葉を返す。

「でなければ俺はまた、なにも知らないまま……」

「いや、そうじゃない、アスラン。きみが彼らのことを気に病《や》む必要はないんだ」

デュランダルは身を乗り出し、深い声でなだめる。

「きみが父親であるザラ議長のことを、どうしても否定的に考えてしまうのは、しかたのないことなのかもしれないが……」

アスランは思わず相手を睨《にら》みつけた。それではデュランダルは父が間違っていないとでも言うのだろうか？　戦後、父の行動を否定して宥和《ゆうわ》の道を選んできたのは彼だろうに。

父は間違っていた。地球に住むすべての人たちを消し去ろうとした男のどこに理《り》があるだろう？

しかしデュランダルは、アスランの頑《かたく》なな心を揺《ゆ》り動かすように続ける。

「だが、ザラ議長とて、はじめからああいう方だったわけではないだろう？　彼はたしかに、少しやり方を間違えてしまったかもしれないが……だがそれもみな、元はといえば〝プラント〟を、我々を守り、よりよい世界を創ろうとしてのことだろう」

アスランは少したじろいだ。

それは……たしかにそうだろう。父も彼なりに正しい道を選ぼうと努力していたのだ。少なくとも〝プラント〟を愛し、守ろうとしていた。その気持ちだけはアスランも疑いはしない。

「――思いがあっても、結果として間違ってしまう人はたくさんいる。また、その発せられた言葉が、それを聞く人にそのまま届くとも限らない。受け取る側もまた自分なりに、勝手に受け取るからね」

「議長……」

相手が自分をなぐさめようとしているのだと取り、アスランはちょっと憮然《ぶぜん》としてそれを斥《しりぞ》けようとする。しかしデュランダルは穏《おだ》やかに、だがあくまで冷静に言葉を継ぐ。

「〝ユニウスセブン〟の犯人たちは、行き場のない自分たちの思いを正当化するために、ザラ議長の言葉を利用しただけだ。自分たちは間違っていない。なぜなら、ザラ議長もそう言っていただろう、とね」

それは、これまでアスランが思いつきもしなかった考え方だった。彼は思わず目を見ひらいて相手の言葉に聞き入る。

「だから、きみまでそんなものに振《ふ》り回されてしまってはいけない。彼らは彼ら、ザラ議長はザラ議長――そして、きみはきみだ。たとえ誰《だれ》の息子であったとしてもね」

不思議とその言葉は、アスランの心のすみずみにまで染《し》み渡《わた》った。そのとおり……父は父、自分は自分だ。アスランは父の取った道を否定し、それに逆らう道を選んだのだ。頭ではわかっていたはずのこと。だが自分はきっと、誰かにそう言ってもらいたかったのだ。

「そんなことを負い目に思ってはいけない。きみ自身にそんなものはなにもないんだ」

アスランは、いまは素直《すなお》に相手の言葉に耳を傾《かたむ》けていた。デュランダルはやさしい笑《え》みを浮《う》かべて言う。

「いまこうして、ふたたび起きかねない戦火を止めたいと、ここに来てくれたのがきみだ。——ならばそれだけでいい。一人で背負い込むのはやめなさい」

アスランはさっきの勢いを失い、子供のようにうなだれる。思い返すと、自分は一人でこの世の悪を背負い込んだような気持ちで、冷静さを失って空回りしていた。それではなにをしてもただの自己満足だ。いまは個人的な思い入れに動かされている場合ではない。

「だが、うれしいことだよ、アスラン。こうしてきみが来てくれたのがね」

沈《しず》みかけたアスランの気持ちを引き上げるように、デュランダルは心からの笑みを浮かべる。

「いいえ、あの……」

「一人一人のそういう気持ちが、必ずや世界を救う。——夢想家と思われるかもしれないが、私はそう信じているよ」

それを聞いたアスランの胸が熱くなる。ならば自分たちも夢想家だ。やはりこの人は、自分たちと同じ心を持つ人だった。デュランダルは静かな決意を、柔和《にゅうわ》な顔に漂《ただよ》わせて言う。

「だからそのためにも、我々はいまを踏《ふ》みこたえなければな……」

アスランはなにか報《むく》われたような気がした。父と決裂《けつれつ》した二年前のあの日が、新たな結末に書き換《か》えられたような。

こんな状況《じょうきょう》にはふさわしくない満ち足りた思いを胸に、アスランが座していると、点《つ》けたままになっていたニュース映像にいきなり、揺れるピンクの髪《かみ》が割り込んだ。

〈みなさん！〉

アスランは思わず椅子《いす》から腰《こし》を浮かしかける。執務室《しつむしつ》のモニターに大きく映し出されたのは、ラクスの可憐《かれん》な姿だった。

〈わたくしはラクス・クラインです。みなさん、どうかお気持ちを静めて、わたくしの話を聞いてください〉

アスランは言葉もなく、モニターの中で語る少女に見入った。そんなアスランを、デュランダルが小さく笑みを浮かべて見守る。

〈このたびの〝ユニウスセブン〟のこと、また、そこから派生した、昨日の地球連合からの宣戦布告、攻撃《こうげき》は、じつに悲しいできごとです。ふたたび突然《とつぜん》に核《かく》を撃《う》たれ、驚《おどろ》き憤《いきどお》る気持ちは、わたくしもみなさんと同じです〉

やはりさっきこの建物で出会ったのはラクスだったのか？——だがアスランは奇妙《きみょう》な違和《いわ》感をまたもおぼえて、さらに画面の中を注視する。

〈——ですが、どうかみなさん、いまはお気持ちを静めてください〉

ピンクの髪を揺《ゆ》らし、少女は凜《りん》とした声で市民に語りかける。さきの大戦中、パトリックから反逆者として追われながら、ゲリラ放送によって呼びかけたときと同じように。だが――。

〈怒《いか》りに駆《か》られ、思いを叫《さけ》べば、それはまた新たなる戦いを呼ぶものとなります〉

――違《ちが》う。これはラクスではない。

アスランは確信し、次に、その事実に驚愕《きょうがく》してデュランダルを見やった。相手は彼に苦笑《くしょう》を見せる。

〈最高評議会は最悪の事態を避《さ》けるべく、いまも懸命《けんめい》な努力を続けています。ですからどうかみなさん。つねに平和を愛し、今また、よりよき道を模索《もさく》しようとしているみなさんの代表、最高評議会とデュランダル議長を、どうか信じて……いまは落ち着いてください……〉

まるで選挙の応援《おうえん》演説のような少女の言葉にかぶせ、デュランダルが自嘲《じちょう》するように言った。

「笑ってくれてかまわんよ」

唖然《あぜん》と見つめるアスランの目を見返し、彼は微笑《ほほえ》む。

「きみにはむろん、わかるだろう?」

「あ……」

アスランはもう一度、画面に目をやる。

――それでは……やはり、この少女は?

「我ながらこざかしいことをと情けなくなるが……だが、しかたない。彼女の力は大きいのだ。私のなどより、はるかにね」

アスランは信じがたい思いで、画面の中で微笑むラクスを見つめた。

――これは……ニセモノ……？

少女は透《す》き通った声で歌いはじめる。その声もほとんど、ラクスそのままだ。

ラクス・クラインの人気は戦後になってなお根強い。パトリックが戦犯として評価を落とすと、当時彼に抗《こう》して平和を訴《うった》えた彼女のイメージは相対的に高まり、カリスマ的な人気を博していた。たしかに誰《だれ》が訴えるより、ラクスの言葉の方をみなが聞くだろう。だがそれに乗じて、偽《にせ》のラクスを立てて市民を騙《だま》そうというのか？

「……馬鹿なことをと思うがね。だがいま、私には彼女の力が必要なのだよ」

デュランダルは当惑《とうわく》するアスランに目を向ける。

「また、きみの力も必要としているのと同じにね」

アスランは意表を衝《つ》かれて、瞬間《しゅんかん》、彼に対する不信《ふしん》を忘れる。デュランダルは微笑み、デスクを回ってドアに向かった。

「私の……？」

「いっしょに来てくれるかね？」

アスランは気をのまれたように、彼に従った。

デュランダルがアスランをともなったのは、明らかに軍のものとわかる施設《しせつ》だった。現在、公的には他国人であるアスランが入れる場所ではないはずだ。だがデュランダルは気にするようすもなく、説明もなしに、さらに進んでいく。アスランはためらいをおぼえつつ、そのあとに続いた。

ひとつのゲートの前に、報《しら》せを受けたのか、ザフトの兵士たちが控《ひか》えていた。彼らはデュランダルがうなずきかけると、カードキイを操作してゲートを開け放つ。ゲートから一歩踏《ふ》み入れたアスランは、凝然《ぎょうぜん》と硬直《こうちょく》した。

格納庫《ハンガー》の中で、巨大《きょだい》な人型兵器がライトを浴びてたたずんでいた。ディアクティブモードの鉄灰色《てっかいしょく》をまとい、一対《いっつい》の角《アンテナ》と目《カメラ》を持った直線的な機体は、〝インパルス〟などと同系の新型機だろう。頭頂に角のような突起《とっき》、背面には巨大なブースターが見える。逆三角形に突《つ》き出した両肩《りょうかた》の先にビームサーベルらしきものを備え、同じく両肩後方に伸《の》びる長い砲身《ほうしん》はビーム砲だろうか。

「ZGMF－X23S〝セイバー〟――性能は異なるが、例の〝カオス〟、〝ガイア〟、〝アビス〟とほぼ同時期に開発された機体だよ」

デュランダルは誇《ほこ》らしげに巨大な機影《きえい》を見上げ、説明したあと、アスランを振《ふ》り向く。

「この機体をきみに託《たく》したい……と言ったら、きみはどうするね？」

アスランの中で警戒心《けいかいしん》が頭をもたげた。

「……どういうことですか？　また、私にザフトに戻《もど》れと？」

硬《かた》い口調で聞き返すと、デュランダルは拍子抜《ひょうしぬ》けするような気安い仕草で首をかしげた。

「う～ん……そういうことではないな。ただ言葉のとおりだよ。きみに託したい。——まあ、手続き上の立場では、そうなるのかもしれないが」

そんな簡単な問題ではなかろう。アスランは脱走罪《だっそう》に問われている身だし、議長があぁ言ったものの、パトリックの息子《むすこ》だ。そんな人間にこれほどの機体を預かる資格があるはずがない。

そしてそれ以上に、アスランにはいまだ、ふたたびモビルスーツに乗ることに対して強い忌《き》避《ひ》の念があった。それに、さっきの『ラクス・クライン』のこともある。

用心深く相手を見つめるアスランに、デュランダルは心情を吐露《とろ》するように言った。

「今度のことに対する私の思いは、さきほど私のラクス・クラインが言っていたとおりだ。だが相手——さまざまな人間、組織……そんなものの思惑《おもわく》が複雑に絡《から》みあう中では、願うとおりに事を運ぶのも容易ではない……」

それはアスランも身近に見て知る事実だった。オーブにおいても、さまざまな者たちの思惑が入り混じり、カガリの意見などほとんどかき消されてしまいがちだ。

「だから、思いを同じくする人には、ともに立ってもらいたいのだ」

デュランダルは真摯《しんし》な目でアスランの顔をのぞき込んでくる。

「できることなら戦争は避けたい。だが、だからといって、銃《じゅう》も取らずに一方的に滅《ほろ》ぼされるわけにもいかない。——そんなときのために、きみにも力のある存在でいてほしいのだよ、私は」

「議長……」

言いたいことはわかる。だが——アスランは二度と力を持ちたくない。戦場が怖《こわ》いのではない。人を殺すのは嫌《いや》だが、それだけが理由ではない。力を持つこと自体が恐《おそ》ろしいのだ。いまだに自分は、何のためにどう戦えばいいかを知らない。そんな自分が力を手にすれば、かつてキラを殺そうとしたときのように、ふたたび誤って誰かを傷つけるのではないかと、それが恐ろしい。

だが、デュランダルは静かな確信をこめて言葉を継《つ》ぐ。

「さきの戦争を体験し、父上のことで悩《なや》み、苦しんだきみなら、どんな状況《じょうきょう》になっても道を誤ることはないだろう」

アスランはハッとして彼の顔を見返す。デュランダルの目はすべてを見透《みす》かすように自分に注がれていた。

「我らが誤った道を行こうとしたら、きみもそれを正してくれ……。だが、そうするにも力が必要だろう？……残念ながら」

争いがなくならぬから、力が必要だ——かつて彼が言った言葉だ。

争いの中では、力がない者の言葉になど誰も耳を傾《かたむ》けない。もしこの世から争いがなくなったそのときならあるいは、人は正しい論理にこそ同意を示すかもしれない。だがいまは無理だ。

デュランダルが言っているのはそういう意味だろう。

そして、アスランの心も、彼の提案によって動いていた。力が欲しい——アスランはたしかにそう願った。〃ミネルバ〃の艦橋《ブリッジ》にただ座っていることしかできなかったとき。世界の行方《ゆくえ》を嘆《なげ》くカガリの背後に立ち、黙《だま》って見守るしかなかったとき——そう、彼はたしかに力を欲《ほっ》していた。

アスランにはまだデュランダルを信じきることができない。だが彼は、だからこそ、彼らが誤ったときには正せと言っているのだ。そのときにはこの力を使え、と。

アスランはさっきまでとは違《ちが》う目で〃セイバー〃と呼ばれた機体を見上げた。

「急な話だ。すぐに心を決めてくれとは言わんよ」

デュランダルはあくまで穏《おだ》やかな声で言った。

「だが、きみにできること、きみが望むこと——それはきみ自身が、いちばんよく知っているはずだ」

その声には、アスランに対する信頼《しんらい》がこもっている。アスランの中でなにかが大きく揺《ゆ》すぶられ、動きはじめていた。

宿泊《しゅくはく》先のホテルに送り届けられ、アスランは考え込みながらエントランスに足を踏み入れた。その頭の中ではさっきデュランダル議長に提案されたことがぐるぐると回っている。だから、人気のないロビーに少女の軽《かろ》やかな声が響《ひび》くまで、彼はその存在にまったく気づかなかった。

「あ！　アスラン！」

驚《おどろ》いて上げた目に、ピンクの髪《かみ》をなびかせた少女が飛び込んでくる。

「お帰りなさい！　ずっと待ってましたのよ！」

ラクス——いや、ラクスを演じていた少女は、いかにも当然のように、うれしそうにアスランの胸に飛びついた。

「えっ……あ、きみ……あのっ」

目を白黒させているアスランに、少女はにっこりと微笑《ほほえ》みかけ、二人にしか聞こえない声でささやいた。

「ミーアよ。ミーア・キャンベル。でも、ほかの誰《だれ》かがいるときはラクスって呼んでね」

困惑《こんわく》していたアスランは、その言葉の意味に気づき、憮然《ぶぜん》として目をそらす。そんな茶番劇に一役買うなんてごめんだ。だがそんなアスランの表情になど気づかぬようすで、ミーアと名乗った少女は彼の腕《うで》を引っ張る。

「ね、ごはんまだでしょ？　まだよね？　いっしょに食べましょ！」

「ええっ？　いや、あの……」

一方的な誘《さそ》いにまたアスランは戸惑《とまど》ったが、ミーアはかまわず、彼を引っ張ってエレベータに乗り込む。

「アスランはラクスの婚約者《こんやくしゃ》でしょぉ？」

「いや、それはもう……」

昔の話だ。かつて親同士の取り決めで、アスランとラクスの間にそういう話があったことはある。だが父同士が決定的に道を違《たが》え、パトリックがラクスの父シーゲル・クラインとラクス自身を反逆者としたのち――また、互《たが》いが真に自分の求める相手を見いだしたのち、二人の関係は盟友とも言うべきものに変化している。

だがある意味アスランは、ミーアの自分に対する態度がやっと腑《ふ》に落ちた。ラクスになりきっている彼女だから、アスランに対しては『婚約者』を演じているのだろう。

「えっとぉ、アスランが好きなのは、お肉？　それともお魚？」

上階のレストランに入ると、二人はＶＩＰルームに通された。ミーアはメニューを見ながらにこやかに話しかけてくる。アスランは内心うんざりしていたのだが、つい彼女の顔に目が行ってしまう。やわらかな面差《おもざ》し、可憐《かれん》な表情、透《す》き通った声――かつて婚約者として、ともに過ごした少女そのままの姿だ。そんな彼女を冷たく拒否《きょひ》することもできず、アスランは黙って向かいに座っていた。

「あ、そうだ。今日のあたしの演説、見てくれました？」

「えっ……」

ミーアはテーブルの向こうから身を乗り出し、真剣《しんけん》な表情でアスランの顔をのぞき込む。

「どうでしたか？　ちゃんと、似てましたか？」

無神経にしか思えない質問に、アスランは答えにつまる。ここにこうしているだけで、ラクスや騙《だま》されている人たちに対して裏切りを働いているような気さえする。

彼女はラクスに瓜二《うりふた》つと言ってよかった。顔は整形でもしているのかもしれないが、声や表情、ちょっとした仕草まで完全にコピーしている。こうしてミーア本人として振《ふ》る舞《ま》っているとやや印象は異なるが、画面の中のラクスしか知らない人たちが、演技している最中《さいちゅう》の彼女を見れば、容易に騙されてしまうだろう。だが、そんなことを認めたくないではないか。

するとミーアは、しゅんと肩《かた》を落とす。

「ダメ……でしたか？」

「あ、いや、そんなことはない……けど」

悲しげな顔をされるとつい罪悪感をおぼえ、アスランは言葉を濁《にご》す。

「え、ホントにっ!?」

とたんにミーアは期待の目で身を乗り出し、迫《せま》られるような形でアスランはうなずく。

「ああ、よく似てたよ。まあ……ほとんど本物と……変わらないくらいに」

話しているうちに自分が詐欺《さぎ》の片棒を担いでいるような気になってきて、アスランはふたたび憮《ぶ》然と黙り込む。だが彼の不満を吹き飛ばす勢いで、ミーアが弾《はず》んだ声を上げた。

「やぁん、うれしー！　よかったぁ……アスランにそう言ってもらえたら、あたしホントに

い！」

彼女の喜びを感知して赤いハロがくるくる回る。このボール型ペットロボットも、アスランがラクスにプレゼントしたものがもとになっているのだろう。手の込んだことだ。

議長のことは信じかかっていたアスランだが、この一件に関してはやはり納得《なっとく》いかなかった。この少女も、みんなを欺《あざむ》き、ラクスを騙《かた》ることに対して、何の罪悪感も持たないのだろうか？

「あたしね、ホントはずぅっと、ラクスさんのファンだったんですぅ」

ラクスを演じているときとは違《ちが》う、少し舌足らずな口調でミーアは語った。

「彼女の歌も好きでよく歌ってて、そのころから、声は似てるって言われてたんですけど……」

彼女は運ばれてきた料理を美味《おい》しそうに食べながら、にこにことアスランに笑いかける。一方、アスランの方は食べる気にもならず、しかたなく彼女の話につき合わされていた。

「そしたら、ある日、急に議長から呼ばれてぇ……」

「それで、こんなことを？」

感心できない、といったニュアンスをこめたつもりだったが、ミーアは屈託《くったく》なくうなずく。

「ハイ！　いま、きみの力が必要だ――って、〝プラント〟のために。だからぁ――」

それはアスランの言われたことと同じだ。なんとなく苦い気分になり、彼は目をそむけながら言う。

「……きみのじゃないだろ。ラクスだ。必要なのは」

「そうですけど、いまは……ううん、いまだけじゃないですよね。ラクスさんはいつだって必要なんです、みんなに」

その声には純粋《じゅんすい》な祈《いの》りのようなあたたかみがこもっていて、アスランは思わず相手の顔を見なおす。

「強くて、きれいで、やさしくて……」

ミーアは憧憬《しょうけい》のまなざしでガラスに映る自分の姿を見たあと、少し寂《さび》しそうに言った。

「……ミーアはべつに、誰《だれ》にも必要じゃないケド」

「あ……」

アスランはさっきの自分の言葉を悔やんで口をひらく。だが、その前にミーアは明るい表情を取り戻《もど》して、熱心に訴《うった》えかける。

「だから、いまだけでもいいんです、あたしは。いま、いらっしゃらないラクスさんの代わりに、議長やみんなのためのお手伝いができたら、それだけでうれしい」

「ミーア……さん」

アスランの中で彼女に対する見方が少し変わった。彼女も自分なりに力を尽《つ》くしているのだ。戦争へと進む針を止めようとして。その手段がどうであれ、その一生懸命《けんめい》さにアスランは心を打たれた。

「アスランにも、会えてホントにうれしい」

頬《ほお》を染めてミーアは言い、またテーブルごしに身を乗り出してくる。

「アスランはラクスさんのこと、いろいろ知ってるんでしょう？　なら、教えてください。いつもはどんなふうなのか、どんなことが好きなのか……ええと、あと、苦手なものとかぁ、得意なものとか……」

こんな少女でも、同じ目的のために、自分にできることをせいいっぱいつとめているのだ。アスランの心がまた揺《ゆ》れた。

ミーアのやっていることは、正直誉《ほ》められたことではない。だが目的のためには、手段を選んでいる場合ではないのかもしれない。同様に、自分も。

少なくとも、自分はここで必要とされている。

——そこで、なにをしてるんですか、あなたは？

シンに突《つ》きつけられた問いかけが耳によみがえる。オーブではカガリが待っている。だが、あそこにアスランのできることはないのだ。

——きみにできること、きみが望むこと……それはきみ自身がいちばんよく知っている。

アスランは迷い続けた。

PHASE 05

〈冗談《じょうだん》ではないよ、ジブリール〉

モニターの中で男たちは、さも軽蔑《けいべつ》したという表情でジブリールを見下ろす。

〈いったい何だね、この醜態《しゅうたい》は？〉

整然と優雅《ゆうが》だったシェルター内部は、嵐《あらし》の過ぎ去ったあとのようなありさまだった。割れたグラスが散らばり、倒《たお》れたボトルから流れ出した酒が絨毯《じゅうたん》に染《し》みを作っている。ジブリールは血色の悪い顔をさらに青ざめさせて、椅子《いす》に身を埋《うず》めていた。

〈しかしまあ、もののみごとにやられたもんじゃの〉

〈ザフトのあの兵器は、いったい何だったのだ？〉

男たちは彼の沈黙《ちんもく》になどかまわず、他人《ひと》ごとのように話しあっている。

〈意気揚々《いきようよう》と宣戦布告して出かけていって、鼻っ面《つら》に一発くらってスゴスゴと退却《たいきゃく》か！　きみの書いたシナリオはコメディなのかね？〉

強烈《きょうれつ》な痛罵《つうば》に、ジブリールはギリギリと椅子のアームを握《にぎ》りしめた。

こんなはずではなかった。開戦と同時に一気に片を付ける——それがジブリールのシナリオだった。だからと説き伏《ふ》せられて、大西洋連邦《れんぽう》もしぶしぶながら乗ったのだ。長引けば〝ユニウスセブン〟の被害《ひがい》で弱った連合には、さまざまな問題が噴《ふ》き出す可能性がある。短期決戦が今回の開戦の肝《きも》であったのだ。

〈これでは大西洋連邦の小僧も大弱りじゃろうて〉

男たちは平然と、世界最大国家の大統領を「小僧」呼ばわりする。

〈地球上のザフト軍の拠点攻撃《きょてんこうげき》へ向かった隊は、いまだに待機命令のままなのだろう?〉

〝プラント〟への進軍と同時に地上部隊も展開し、カーペンタリア、ジブラルタルを包囲していた。予定では〝プラント〟に核《かく》を撃《う》ち込んだあと、時を移さず地上に残った『残党』をも討《う》ち果たすことになっていたのだ。だが〝プラント〟攻略《こうりゃく》に失敗し、地上部隊は攻撃《こうげき》のきっかけを失ったまま、次の命令を無為《むい》に待ち続けている。

〈勢いよく振《ふ》り上げた拳《こぶし》、このまま下ろして逃《に》げたりしたら、世界中の笑いものですよ?〉

嘲弄《ちょうろう》するような男たちの会話は続く。一人がじろりとジブリールを視界におさめた。

〈……さて、どうしたものかの?〉

〈我らは誰に、どういう手を打つべきかな?——ジブリール、きみにかね?〉

その声音《こわね》に含《ふく》まれたものに、ジブリールの背筋がそそけ立つ。眼前のモニターにずらりと並んだ男たちにとって、〝ブルーコスモス〟盟主である彼をその座から引きずり下ろし、闇《やみ》へ葬《ほうむ》るくらい何でもないことなのだ。彼らこそがこの世界を影《かげ》から動かしている真の支配者——〝ロゴス〟と呼ばれる組織の代表者《トップ》だった。連合軍さえ動かせるジブリールにしても、彼らの力を背景に動かされている駒《こま》のひとつにすぎない。

しかし、すべてはコーディネイター《ヤツら》が悪いのだ。どんな魔法《まほう》を使ったのか知らないが、こちらが放った核をすべて無効にするなどと、またもこざかしい手を使って！　自分がこんな無様なハメに陥《おちい》っているのも、宇宙《ソラ》のバケモノどものせいなのだ！

一瞬《いっしゅん》きざした恐怖《きょうふ》はすぐに、煮《に》えたぎるような憤怒《ふんぬ》に置きかえられる。ジブリールは最前の怯懦《きょうだ》を忘れて、荒々《あらあら》しく叫《さけ》び返す。

「ふざけたことをおっしゃいますな！　この戦争、ますます何としても勝たねばならなくなったというのに！」

彼の意気に、男たちはいったん黙《だま》る。それに力を得てジブリールは言い放った。

「我らの核を一瞬にして消滅《しょうめつ》させたあの兵器……！　あんなモノを持つバケモノが宇宙《ソラ》にいて、いったいどうして安心していられるというのです⁉」

その兵器についてはまだなにも情報が入っていない。だが、発射されたミサイルのみか、戦《せん》艦《かん》の格納庫にあったそれまで、直接触《ふ》れることもなく、一瞬にして起爆《きばく》させたことだけは確認《かくにん》できた。つまりヤツらはもしかしたら、現在地上にある核物質さえ、自由に爆発《ばくはつ》させうる可能性があるのだ。それは地上に暮らす彼らからすると、まさに悪夢のような脅威《きょうい》ではないか。

「戦いは続けますよ！　以前のプランに戻《もど》し——いや！　それよりもっと強化してね！」

傷つけられたプライドと、敵に対する嫌悪《けんお》と憎悪《ぞうお》が入り混じり、彼の顔を彩《いろど》っていた。彼は居並ぶ男たちを鼓舞《こぶ》するように叫ぶ。

「今度こそヤッらを叩《たた》きのめし、その力を完全に奪《うば》い去るまで！」

この屈辱《くつじょく》を晴らさずにいられるか——！

すでにジブリールの中では冷静な計算より、自分のプランを邪魔《じゃま》した敵への憎《にく》しみの方が、はるかに凌駕《りょうが》していた。


「では、〝プラント〟最高評議会は、議員全員の賛同により、国防委員会より提出の案件を了承《りょうしょう》する」

同じころ、〝プラント〟最高評議会の議場でも、ひとつの決定が下されていた。提議の通ったタカオ国防委員長が安堵《あんど》の表情を浮《う》かべ、最後までそれに抵抗《ていこう》していたデュランダル議長は、心痛をその顔に漂《ただよ》わせている。

〝プラント〟においても、地球連合に対しての武力行使が選択《せんたく》されたのだ。

「しかし！」

ひとまず肩《かた》の荷を下ろしたように、表情をゆるめて語りあう議員たちを前に、デュランダルが言葉を継《つ》いだ。議員たちの注目がふたたび議長の上に集まる。

「これはあくまでも、積極的自衛権の行使だということを、けっして忘れないでいただきたい！」

デュランダルは彼らの顔を見回し、注意を喚起《かんき》した。

「感情を爆発させ、過度に戦火を拡大させてしまったら、さきの大戦の繰《く》り返しです！」

議員たちは彼の念押しにうんざりしたようだが、やや神妙《しんみよう》な面持《おもも》ちになる。デュランダルの言うとおり、武力を用いるにしても慎重《しんちよう》にそれをコントロールすることが肝要《かんよう》だ。そして彼らはこのとき、それは可能だと信じていた。

最後にデュランダル議長は祈《いの》るように言った。

「——いま、ふたたび手に取るその銃《じゆう》が、今度こそ、すべての戦いを終わらせるためのものとならんことを……切に願います……」

「ダメだ、ダメだ、ダメだッ！」

オーブではカガリが孤独《こどく》な戦いを続けていた。居並ぶ閣僚《かくりよう》を前に、彼女は憤《いきどお》りもあらわに叫ぶ。

「冗談《じようだん》ではない！　何と言われようが、いまこんな同盟を締結《ていけつ》することなどできるかっ！」

連合国の宣戦布告以来、カガリはあらゆる手を尽《つ》くして、開戦を回避《かいひ》する手段を模索《もさく》した。

だがその努力は無駄《むだ》に潰《つい》え、戦端《せんたん》は開かれてしまった。時代は急速に坂を転がりはじめていた。

そして、次に彼女が迫《せま》られたのは、自分たちの立ち位置を決定することだった。

彼女からすると信じがたいことに、ウナト・エマ・セイランをはじめとする閣僚たちは、なおも大西洋連邦《れんぽう》との同盟に固執《こしつ》しているのだ。断固としてそれを拒《こば》む彼女に、ウナトが苦りきった顔を向ける。

「しかし、代表……」

「大西洋連邦がなにをしたか、おまえたちだってその目で見ただろう⁉　一方的な宣戦布告、そして核攻撃《かくこうげき》だぞ！」

カガリは義憤《ぎふん》に震《ふる》えながら怒鳴《どな》り返した。

「そんな国との安全保障などっ！　そもそもいま世界の安全を脅《おびや》かしているのは、当の大西洋連邦ではないか！　なのに、なぜそれと手を取り合わねばならないっ⁉」

閣僚たちが口々に彼女の腹立ちをなだめようとし、その中でユウナがすっと立ち上がる。

「そのような、子供じみた主張はおやめいただきたい！」

そして彼はまるで手に負えないというようにカガリを見やり、彼女の発した疑問に答えをさし出す。

「なぜと言われるならお答えしましょう――そんな国だからですよ、代表」

閣僚たちの上げる賛同の声に包まれ、カガリはただ唖然《あぜん》としていた。ユウナは小馬鹿にしたような口調で言い放つ。

「大西洋連邦のやり方はたしかに強引《ごういん》でしょう。そのようなこと、失礼ながら、いまさら代表におっしゃっていただかなくとも、我らも充分《じゅうぶん》に承知しております」

カガリは反論さえ忘れて立ちつくす。自分にいつもべったりのユウナが、態度を豹変《ひょうへん》させたせいもあるが、彼の言っていることが理解できなかったためだ。それがわかっていながら、どうして……？

ユウナはかさにかかったように切りこんでくる。

「しかし、だから？　ではオーブは今後、どうしていくと代表はおっしゃるのです？　この同盟をはねのけ、地球の国々とは手を取り合わず、宇宙《ソラ》に遠く離《はな》れた〝プラント〟を友と呼び……この惑星《ほし》の上でまた一国、孤立《こりつ》しようとでもいうのですか？」

「違《ちが》う！」

「自国さえ平和で安全ならば、それでよいと、被災《ひさい》して苦しむほかの国々に、手すら差し伸《の》べないとおっしゃるのですか？」

「違うっ！」

なぜそういうことになる？　カガリの言いたいのはそういうことではない。だが閣僚はみな、まるで彼女が駄々《だだ》っ子であるかのように、うんざりした表情で見つめている。

なぜみんな、こんなに簡単なことが理解できないのだ？　なぜ、世界を敵と味方に分け、手段も選ばず、また愚《おろ》かな過《あやま》ちを繰り返そうとしている者を、そのままに放《ほう》っておく——いや、むしろそれに加担しようとするのだ？　彼女はもどかしさにわめき出したくなる。

「では、どうするとおっしゃるのです!?」

ユウナが厳しい声で質《ただ》す。カガリはそれに気圧《けお》されそうになりながら、懸命《けんめい》に言葉を紡《つむ》いだ。

「オーブは……オーブはずっとそうであったように、中立、独自の道を……！」

「そしてまた国を焼くのですか？……ウズミさまのように」

低くその言葉を発したのは、タツキ・マシマだった。カガリは衝撃《しょうげき》を受けて立ちすくむ。

「――そんなことは言っていないっ！」

カガリは両手で机を打ち、声を限りにわめいた。父のことをそんなふうに言う者など許せなかった。

「しかし、下手をすればこの状況《じょうきょう》、ふたたびそんなことにもなりかねませんぞ」

やりとりの間隙《かんげき》にするりと滑《すべ》り込むように、ウナトが口をひらく。

「代表、平和と国の安全を望む気持ちは、我らとてみな同じです。だからこそ、この同盟の締結をと申し上げている」

「ウナト……」

カガリは愕然《がくぜん》として悟《さと》る。ここには父の――死をもってまで示したウズミ・ナラ・アスハの心を受け継《つ》ぐ者など一人もいないことを。

「大西洋連邦はなにもいま、オーブをどうこうしようとは言っておりません。しかし、このまま進めばどうなります？　同盟ですめば、まだその方がいいと、なぜお考えになれませぬ」

ウナトは彼女を脅《おど》すように言いつのる。

「意地を張り、むやみと敵を作り、あの大国を敵に回す方がどれだけ危険か――おわかりにならぬはずはないでしょう？」

「だが……！」

それでは父の遺志はどうなるのだ？　オーブの誇《ほこ》りは？

なおも抵抗《ていこう》しようとするカガリの意志を、ウナトの言葉が打ち砕《くだ》く。

「我らが二度としてはならぬこと――それは、この国をふたたび焼くことです」

カガリはうつむいた。シンの赤い瞳《ひとみ》が目の前にちらつく。もしいま自分が否《いや》と言ったら、彼のような子供がまた生まれるかもしれない。それは限りない重圧として彼女の肩《かた》にのしかかった。自分の民《たみ》を、この国に住む子を、親を、奪《うば》うような決定を下すことができるか？　そしてその子に、自分の選んだ道は正しかったのだ、だから恨《うら》むなと言えるだろうか？

カガリには、できなかった。

「伝統や正義、正論よりもどうか、いまの国と国民の安全のことをお考えください、代表……」

ウナトの声が、重く彼女の上に落ちた。

「カガリ！」

後ろから朗《ほが》らかに声をかけられ、カガリは疲《つか》れた顔を向けた。

閣議は終わり、閣僚《かくりょう》たちがぞろぞろと閣議室から出てくる。ユウナがその中から抜《ぬ》け出し、カガリに向かって歩み寄る。

「大丈夫《だいじょうぶ》か？　だいぶ疲れてるみたいだ」

さっきのことなどまるきり忘れたような、いつもどおりの馴《な》れ馴れしさに、カガリは反射的に嫌悪《けんお》感を抱《いだ》く。すると彼は弁解するように言った。

「さっきは悪かったね。でも、あそこできちんときみに意見を言うのが、ぼくの役目だ」

「ああ、わかってる、そんなことは……。私がまだまだ至らないだけだ」

そう、彼は役目に従って、自分の意見を口にしただけだ。それを咎《とが》める気持ちは毛頭ない。

だが誰《だれ》にも理解してもらえないという孤独《こどく》感がカガリをさいなむ。

「こんなことでは、また首長たちに笑われてしまうな……」

父が生きていてくれたら――カガリは思っても詮無《せんな》いことを思う――いま、この場に必要なのは、自分ではなく父なのだ。父ならば閣僚たちの反論を抑《おさ》えて、大西洋連邦《れんぽう》を牽制《けんせい》し、この難局を乗り切ってくれるだろうに……。

「大丈夫だよ、みなもわかっている。ただ、今度のこの問題が大きすぎるだけだ……きみには」

ユウナが横を歩きながら、なぐさめの言葉を口にする。

「マシマも、なにもウズミさまを悪く言いたいわけじゃない。ただその娘《むすめ》であるきみが、また同じことをするのかと心配してるんだ」

「わかってるよ……」

ユウナは執務室《しつむしつ》のドアを開け、いたわるように彼女を中へ導き入れた。

「さ、ともかく少し休んで。なにか飲むかい？　それとも軽くなにか食べる？」

「いや……大丈夫だ。ありがとう」

カガリは沈《しず》み込むようにソファに腰《こし》を下ろし、背をもたせかけて目を閉じる。ユウナの気遣《きづか》いがうっとうしく思える。疲れているのだ。こんなとき、アスランにそばにいてほしかった。なにもしてくれなくてもいい。彼ならばなにも言わなくても、カガリの気持ちをわかってくれるのに。

「かわいそうに……きみはまだ、ほんの十八の女の子だっていうのにね」

いつの間にか隣《となり》にユウナが座り、その手がやさしく髪《かみ》をかき上げていた。カガリは少し驚《おどろ》いて目を開ける。すぐ目の先に、ユウナの顔があった。

「でも大丈夫だよ。ぼくがついてるからね……」

ユウナはなだめるようにささやき、カガリの額にキスする。カガリはなにが起こったのか理解できず、目を瞬《またた》かせた。

……これは……どういう意味だろう？

無意識に手を挙げて彼の唇《くちびる》が触《ふ》れたところに触れながら、カガリは困惑《こんわく》する。

いや、たいした意味もないのだろう。ユウナはこんなふうだから、きっとしおたれた自分をなぐさめるために、気軽にしたことだ。というか、そうであってほしい。

だが、カガリの上げた左手に光る指輪を見たユウナの目が、一瞬《いっしゅん》冷たい光をたたえたように見えた。


「いや、しかしですね、艦長《かんちょう》！　もう開戦してるんですよ!?　宣戦布告されたんですから！」

アーサーの大声が、通路からここまで届いた。士官食堂で食事中だったシンたちは、思わず食事を中断して顔を上げる。

「わかってるわよ、そんなこと」

副長に答える艦長の声も聞こえ、両者はだんだん近づいてくる。

「けど、しょうがないでしょう？　こっちは物資の積み込みもまだ終わってないんだし」

「いやっ、ですからもう、そんなことを言っていられる場合では……」

食堂のドアから二人が姿を現し、その場にいたみなが立ち上がって敬礼した。タリアがそれに軽く礼を返しながら、空いているテーブルへ向かう。

「焦《あせ》る気持ちはわかるけど、だからといって、いま私たちがあわてて飛び出して、なにがどうなるっていうの？」

タリアはいつもながらの容赦《ようしゃ》なさで、アーサーの言葉をぴしゃりとさえぎる。副長の頼《たよ》りなさもどうかと思うが、シンはいつも、自分は彼の立場になりたくないと思ってしまう。

「かえってバランスが微妙《びみょう》な時期でもあるのよ、アーサー」

食堂にいるみんなが、食事を続けるふりをしてタリアの言葉に聞き耳を立てていた。そんなことにもかまわず、タリアは声も落とさず話し続ける。

「あのとんでもない、第一波の核攻撃《かくこうげき》をかわされて、地球軍も呆然《ぼうぜん》としてるんでしょ。カーペンタリアへの攻撃隊も、包囲したまま動けないみたいじゃない」

「いや、だからこそですねっ……」

「いま本艦が下手に動いたら、変な刺激《しげき》になりかねないわ。火種になりたいの、あなた?」

問い返され、アーサーはあわててかぶりを振《ふ》る。

「いえっ、そんな!」

語られている内容の深刻さにもかかわらず、シンは彼の大きすぎるリアクションに噴《ふ》き出しそうになって、懸命《けんめい》にそれをこらえた。メイリンが彼のことを「かわいい」などと評したことがあるが、シンはこんな人が副長で〝ミネルバ〟は大丈夫なのか、少し不安になってしまう。

「情勢が不安定なら、なおのこと、艦の状態には万全《ばんぜん》を期すべきだわ」

アーサーと対照的に、タリアはお気楽に見えるほど泰然《たいぜん》としている。

「さいわいオーブは、まだ地球軍陣営《じんえい》じゃないんだし、もう少し事態の推移を見てからでも遅《おそ》くはないでしょ、出航は。軍本部もなにも言ってきてないんだし」

またも自分の意見を蹴《け》られ、アーサーはがっくりしてため息をつく。

「…………まだ、ですかねえ？」

彼がしみじみとつぶやくと、タリアは少し声を落とした。

「でしょうね……いつまでかは知らないけれど」

シンの胸にさざ波が立った。つまり、オーブが地球軍陣営に加わるのも、そう先の話ではないと、艦長たちは見ているのだ。

シンは自分の皿の上に目を落とす。果たして、かつての彼の祖国は、今度の戦争で、どんな道を選択《せんたく》するのだろう。強い金の目をしたあの女――自分よりほんの二歳年長でしかない、この国の元首は……。


部屋のドアを開けると、そこにはかつて嫌《いや》というほど見慣れたイザーク・ジュールの仏頂面《ぶっちょうづら》があった。

「イザーク!?」

思わずアスランは驚愕《きょうがく》の声を上げる。ここは彼の宿泊《しゅくはく》しているホテルの一室だ。ドアチャイムに応《こた》えてドアを開けると、外にはイザークと、斜《しゃ》に構えた笑顔《えがお》のディアッカが立っていたのだった。

「きっさまァ……！」

挨拶《あいさつ》もなく、イザークは彼の顔を見るなり、いきなりその襟元《えりもと》をつかんで詰《つ》め寄ってきた。

「いったいこれはどういうことだッ!?」

「ち、ちょっと待て！　おい！」

それはアスランの方が聞きたかった。

詰め寄るイザークの背後で、ディアッカが、「どうしてこいつらはいつもこうなんだ？」と言わんばかりの表情で頭を抱《かか》えている。イザークがやっと手を離《はな》すと、アスランはさすがに憤《ふん》慨《がい》して声を荒《あら》らげた。

「何だっていうんだ、いきなり!?」

「それはこっちのセリフだ、アスラン！」

イザークはなおも憤然《ふんぜん》たる表情で指を突《つ》きつける。

「俺たちはいま、むちゃくちゃ忙《いそが》しいってのに、評議会に呼び出されて、なにかと思って来てみれば――貴様の護衛監視《かんし》だと!?」

「えっ？」

思いもかけないことに、アスランは再度びっくりする。

「何でこの俺が！　そんな仕事のために前線から呼び戻《もど》されなきゃならん!?」

「護衛、監視……？」

唖然《あぜん》として聞き返すと、怒《いか》りさめやらぬイザークの後ろから、ディアッカが顔を突き出して口を挟《はさ》む。

「外出を希望してんだろ、おまえ？」

「ディアッカ……」

アスランが今度はまじまじと彼を見ると、ディアッカは軽く額に指を当てて片目をつぶる。

「おひさし。——けどまあ、こんな時期だから？　いっくら友好国の人間でも、勝手に〝プラント〟内をうろうろはできないんだろ？」

「あ、ああ……それは聞いている」

昨日、当局に外出希望のむねを申し出たときのことを思い返しながら、アスランは呆然と言葉を継《つ》ぐ。

「誰《だれ》か同行者がつく、とは。でも、それが…………おまえ？」

あらためてイザークを凝視《ぎょうし》すると、彼は心外そうに吐《は》き捨てた。

「そうだッ！」

拗《す》ねたようにそっぽを向くイザークを見ながら、アスランはやっと笑いがこみあげるのを感じ、あわてて口を引き結んだ。

本当に、こいつときたらぜんぜん変わっていない。

「ま、事情を知ってる誰かがしくんだってことだよなァ」

連れ立ってホテルの通路を歩きながら、ディアッカが言った。そう言われてアスランはデュランダルの端整《たんせい》な顔を思い浮《う》かべ、やれやれと息をついた。

イザークは無愛想な顔で、さっきから口をきかない。二年前の戦闘《せんとう》で負った顔の傷痕《きずあと》は消され、いまは萌葱《もえぎ》色のスーツ姿だ。風貌《ふうぼう》はさすがに少し大人びたが、性格《なかみ》は昔のままに思える。これでちゃんと隊長が務まっているのだろうかと、アスランはやや不安をおぼえた。たぶん、見かけによらず世話好きのディアッカが、ちゃんとフォローしてやっているのだろう。

そのディアッカだが、ザフトに復帰したということは、戦時中の脱走《だっそう》罪を問われることはなかったらしい。それだけが理由ではないだろうが、イザークがかばってやったことは間違《まち》いないだろう。ぶっきらぼうで不器用だが、誰より仲間思いの彼なのだから。

ようやく再会の感慨《かんがい》がわいてきて、アスランはあたたかい思いを胸に、仲間たちと肩《かた》を並べて歩いた。その彼に、ディアッカがたずねる。

「それで？　どこ行きたいんだよ？」

横からイザークが睨《ね》めつけた。

「これで買い物とか言ったら、俺は許さんからな！」

「そんなんじゃないよ」

少なくともこれ以上、彼の怒《いか》りを買うことはあるまい。さいわい、とは言いがたいが。アスランは苦笑《くしょう》しながら答えた。

「ただちょっと……ニコルたちの墓に……」

その名を聞き、イザークたちの顔にも痛みがよぎった。

「あまり来られないからな、〝プラント〟には……。だから、行っておきたいと思っただけなんだ……」


ニコル・アマルフィ――イザークたち同様、かつて仲間だった少年だ。

その名は滑《なめ》らかな石の表面に刻まれていた。下に添《そ》えられた数字は、その命がたった十五年で断《た》たれたことを教える。

広々とした墓地にたたずみ、三人は仲間たちの墓石に花を手向《たむ》けた。ミゲル・アイマン、ラスティ・マッケンジー……たくさんの少年たちが、あまりに短すぎる生を終え、この場所に眠《ねむ》っている。いや、墓石の下には彼らの体はないのだ。その肉体は戦場に散り、遺族は髪《かみ》の毛一筋、手にすることはできなかった。

それが戦争だ。限りない可能性を秘《ひ》めた若い命を、その途中《とちゅう》で意味もなく断ち切る。

ニコルはピアノが好きだった。もしあの戦争がなければ、きっと素晴《すば》らしいピアニストになっていただろう。音楽を愛したやさしい少年が、国を護らなければと武器を取り、殺された。

――キラに。アスランの親友にだ。

そのために、アスランはキラを憎《にく》んだ。それでニコルが返ることはないというのに、代償《だいしょう》として相手の命を望んだ。

それが、戦争だ。

同じことがまた、繰《く》り返されようとしている。

「積極的自衛権の行使……やはり、ザフトも動くのか……」

アスランは苦く、つぶやいた。イザークが、痛いところに触《ふ》れられたように、憮然《ぶぜん》として答える。

「しかたなかろう。核《かく》ミサイルまで撃《う》たれて、それでなにもしないというわけにはいかん……」

ディアッカも言いにくそうに言葉を添える。

「第一波攻撃《こうげき》のときも迎撃《げいげき》に出たけどな、俺たちは。ヤッら……間違いなくあれで、〝プラント〟を壊滅《かいめつ》させる気だったと思うぜ？」

アスランは天を仰《あお》ぎ、深く息をついた。

なぜこんなことがいつまでも繰り返されるのだろう。やれば必ずニコルのような犠牲《ぎせい》が新たに生まれる。それがわかっていながら、なぜ。

――結局、自分にはなにひとつできなかった……。

「……で？　貴様は？」

不機嫌《ふきげん》そうに発せられたイザークの声に、アスランは目を戻《もど》した。

「え？」

見ると、イザークは苛立《いらだ》ちのこもった口調で問いただす。

「なにをやっているんだ？　こんなところで！」

それは疑問というより、無為《むい》に過ごしているアスランには糾弾《きゅうだん》のように感じられ、彼はぎくしゃくと目をそらした。

なにをやっているのだろう、自分は。〝プラント〟にまで来て。このままオーブに帰るとしたら、デュランダル議長の本音は聞けたものの、結果は収穫《しゅうかく》なしということだ。自分はこの事態を未然に防ぐことができなかった。

「オーブは？　どう動く？」

イザークがなおも切りつけるように訊《き》いてくる。

「……まだわからない」

答えながらアスランは苦い面持《おもも》ちになった。ウナト・エマ・セイランは大西洋連邦《れんぽう》寄りだ。ことによるとオーブもこれまで貫《つらぬ》いてきた中立の立場を捨てることになるかもしれない。あとは自分たちのがんばりしだいだろう。いや、カガリの——だ。アスランは閣議に出ることさえかなわないのだから。

なにひとつ、うまく進まない——そんな焦《あせ》りと虚脱《きょだつ》が、またもアスランを襲《おそ》ってくる。

「戻ってこい、アスラン！」

そのときイザークが、だしぬけに言った。清冽《せいれつ》な声音《こわね》に、アスランは目の覚めるような思い

で彼を見やる。イザークはあいかわらず怒《おこ》ったような顔つきで、だが真剣《しんけん》なまなざしを返してくる。

「——事情はいろいろあるだろうが、俺が何とかしてやる。だから、〝プラント〟へ戻ってこい、おまえは」

「イザーク……」

その厚情が胸にしみた。会えばいつも態度はつっけんどんなイザークだが、深い信頼《しんらい》が互《たが》いの間には流れている。

「いや……しかし……」

それでも、アスランはためらった。カガリの顔が目の前にちらつく。するとイザークが言葉を継《つ》いだ。

「俺だってこいつだって、本当ならとっくに死んだはずの身だ」

イザークは痛みを含《ふく》んだまなざしをやや伏《ふ》せ、ディアッカは同意するように黙《だま》っている。ディアッカは銃殺《じゅうさつ》をまぬかれない罪状を得ていた。ザフトから飛び出し、アスランたちとともに独自の行動をとったからだ。

イザークにその罪状はない。法文のうえでは。だが、彼ら三人ともが、けっして許されることのない罪を負っている。上官の命じるままに、誤った戦いに身を投じ、多くの命を奪《うば》った。軍にある者にとってしかたのないことだが、潔《いさぎよ》いイザークはそれをよしとはすまい。

彼ら三人は、同じ罪を負った者たちだった。

「だが、デュランダル議長はこう言った」

イザークはアスランを見つめ、デュランダルの言葉を伝える。

――大人たちの都合で始めた戦争に、若者を送って死なせ、そこで誤ったのを罪と言って、今また彼らを処分してしまっては、いったい誰《だれ》が〝プラント〟の明日を担《にな》うというのです？　辛《つら》い経験をした彼らにこそ、私は、平和な未来を築いてもらいたい……。

「――だから俺は、いまも軍服を着ている」

彼には似つかわしくない殊勝《しゅしょう》な面持ちで、イザークは語った。その声音には議長に対する篤《あつ》い信頼がこもっていた。こんなところにもデュランダルの播《ま》いた種が育っている。

――一人一人のそういう気持ちが、必ずや世界を救う。

アスランは議長の言葉を思い返していた。未来を憂《うれ》える同じ心を持つ者たちの声は、ともすれば大勢の声にかき消されてしまう。だがそれにくじけて黙ってしまっては、世界はまた同じ道をたどる。破滅《はめつ》へと向かう急な坂道を。

――思いを同じくする人には、ともに立ってもらいたいのだ。

そしてイザークたちは力を手に立ったのだ。彼は真剣に、アスランに向かって語りかける。

「それしかできることもないが、それでもなにかできるだろう。〝プラント〟や、死んでいった仲間たちのために……」

「イザーク……」

アスランも気づく。自分も同じだ。それしかできることがない。いかに銃《じゅう》の腕前《うでまえ》がよかろうと、うまくモビルスーツを乗りこなせようと、現在いる場所でそれらは活《い》かされることのない能力なのだ。

イザークはアスランをキッと睨《にら》みすえる。

「だからおまえも、なにかをしろ！　それほどの力、ただ無駄《むだ》にする気か？」

アイスブルーのまっすぐなまなざしには、痛いほどの力がこもっていた。それは迷っていたアスランの心を、大きく動かす力だった。

報告書を見ていたユウナ・ロマ・セイランは、小さく息をつき、父を見やった。

「もはや、待ったなしですね」

それはザフト軍の動きを報《しら》せるものだった。世界は急速に動きはじめている。誰もが選択《せんたく》を迫《せま》られる時だ。

ウナト・エマ・セイランはうなずいたあと、短くたずねる。

「大丈夫《だいじょうぶ》か？」

それが何に対しての問いかけか、ユウナは言われるまでもなくわかっていた。彼は絶対の自信をこめて微笑《ほほえ》む。

「カガリはああ見えても、それほど馬鹿な娘《むすめ》ではありませんよ、父上。まだ子供なだけで」

とりなすようにみえて、その語調の底にはカガリを軽《かろ》んじる響《ひび》きが流れていた。

もちろん、ユウナはカガリが気に入っている。女のくせに色気はないし、生意気に騒《さわ》ぎ立てすぎるところはあるが、素材は悪くないのだから磨《みが》けば光るだろう。なにより気に入っているのは、英雄《えいゆう》としての人気と最大首長アスハ家の後継者《こうけいしゃ》である点だ。それ以外の欠点など取るに足りない。女など、男によっていくらでも変わる。そしてユウナには、彼女を変えられるという自信があった。

「大丈夫です。私がちゃんと説得しますよ。結婚のこともあるしね……」

悠揚《ゆうよう》たる息子《むすこ》の言葉に、父は疑問を差し挟《はさ》むそぶりもない。この親子の間では、それはすでに決定事項《じこう》なのだ。息子は代表首長の夫におさまり、父は宰相《さいしょう》としてそれを補佐《ほさ》する。つまり、今後のオーブを実質的に動かしていくのはセイラン親子なのだ。獅子《しし》と呼ばれたウズミの亡《な》き後、それを阻《はば》む力のある者など存在しない。

いや――ユウナの頭に、不愉快《ふゆかい》なものが引っかかる――カガリの左の薬指を飾《かざ》っていた安っぽい指輪だ。あれだけは厄介《やっかい》な存在だった。

「……いいかげん自分の立場ってものも、自覚してもらわないと」

ユウナはかすかな苛立《いらだ》ちをこめて締《し》めくくった。

「艦長《かんちょう》……」

バートの呼びかけに、タリアはさっと緊張《きんちょう》した顔を向けた。だがこちらを見るバートの顔に緊迫《きんぱく》はなく、ただ戸惑《とまど》いのような表情が浮《う》かんでいる。タリアはけげんに思いながら、その席に歩み寄った。バートがスピーカーに切り替《か》え、ボリュームを上げる。

〈……〝ミネルバ〟、聞こえるか？　もう猶予《ゆうよ》はない……〉

ノイズに混じって低い男の声が聞こえ、今度はタリアが戸惑いの表情を浮かべる。

「秘匿《ひとく》回線なんですが、さっきからずっと……」

バートの説明を聞き、タリアは表情を硬《かた》くした。外部の者が知るはずのない周波数だ。だが付近にザフトの部隊は存在せず、また軍部の者なら所属を明らかにするはずだ。

〈……ザフトは間もなく、ジブラルタルとカーペンタリアへの降下揚陸《ようりく》作戦を開始するだろう……〉

とたんに飛び込んできた情報に、タリアは思わず身を乗り出す。男の渋《しぶ》い声が、飄々《ひょうひょう》とした口調で続ける。

〈そうなればもう、オーブもこのままではいまい。黒に挟まれた白い駒《こま》は、ひっくり返って黒になる。脱出《だっしゅつ》しろ。そうなる前に。――〝ミネルバ〟、聞こえるか？……〉

タリアの表情がそれを聞くうち徐々《じょじょ》に険しくなる。男はオセロゲームにたとえてオーブのつく旗幟《きし》を暗示していた。しかし、タリアたちもまだ知らないザフトの内部情報を手にしているこの男は何者だ？　しかも、何のメリットがあって自分たちにそれを報せるのだ？

タリアはすばやくスイッチを切り替え、正体不明の通信者に応答した。

「〝ミネルバ〟艦長、タリア・グラディスよ」

バートが驚《おどろ》いて見つめるのを無視し、彼女は強い語調で問いただした。

「あなたは？　どういうことなの、この通信は？」

突然《とつぜん》、スピーカーから凛《りん》とした女の声が返ってきて、男はそろそろ飽《あ》きてきていた繰《く》り返しを喜んでやめた。彼女から聞かされていたとおり、タリア・グラディスはなかなか話せる女性のようだ。まともな艦長なら、こんな通信に取りあうまい。

「おお、これはこれは。声が聞けてうれしいねェ、はじめまして」

男は上機嫌《じょうきげん》で答え、通信機の横に置かれたコーヒーカップを右手で取った。左は——これでいい、いい、いい、なかなか役に立つシロモノだが、そういう繊細《せんさい》な動作には向かないのだ。戸口には栗色《くりいろ》の髪《かみ》の女性——マリア・ベルネスが立ち、ちょっとあきれ顔で彼を見守っている。その視線にかまうことなく、男はコーヒーの香《かお》りを充分《じゅうぶん》楽しんでから一口飲んだ。日焼けした精悍《せいかん》な顔には大きく傷痕《きずあと》が走っていたが、恐《おそ》ろしいとか無惨《むざん》といった印象は感じさせない。飄然《ひょうぜん》たる表情が、傷痕さえその男の魅力《みりょく》に変えている。彼はカップを置きながら、悠然《ゆうぜん》と言葉を継《つ》いだ。

「どうもこうも、言ったとおりだ。のんびりしてると面倒《めんどう》なことになるぞ」

だが彼の親切は、スピーカーからの冷たい声に報《むく》いられた。

〈匿名《とくめい》の情報など、正規軍が信じるはずないでしょう。あなた誰《だれ》？　その目的は？〉

ううむ、そう来たか——男はしばし首をひねったあと、マイクに向かって告げた。

「アンドリュー・バルトフェルドってヤツを知ってるか？　これは、そいつからの伝言だ」

それを聞いたマリア・ベルネスが、彼の背後でこらえきれずに噴《ふ》き出した。無理もない。その「伝言」を伝えたのが当の本人では。

現在、通信機の前に座る男は、かつて『砂漠《さばく》の虎《とら》』と呼ばれたザフトの指揮官、アンドリュー・バルトフェルドその人だった。

無線の向こうで、相手は驚愕《きょうがく》したように沈黙《ちんもく》した。あるいは、なにかを察したものだろうか。

「ともかく、警告はした。降下作戦が始まれば、大西洋連邦《れんぽう》との同盟の締結《ていけつ》は押し切られるだろう。——アスハ代表もがんばってはいるがな」

それ以上のおふざけはやめ、バルトフェルドは簡潔に事情を伝える。

「とどまることを選ぶならそれもいい。あとはキミの判断だ、艦長。——幸運を祈《いの》る」

バルトフェルドは通信を切った。振《ふ》り返ると、女の憂慮《ゆうりょ》をたたえた褐色《かっしょく》の目が見つめていた。

「……彼女、信じるかしら？」

マリア——いや、本来の名をマリュー・ラミアスという。さきの大戦では地球軍艦〝アークエンジェル〟の艦長を務め、いきさつあってラクスやキラ、アスラン、カガリらと〝第二次ヤキン・ドゥーエ攻防戦《こうぼうせん》〟に参戦した。戦後はやはりアスランと同様、脱走罪《だっそうざい》に問われることを避《さ》けて、ゆかりあるオーブで名を変え、生活している。かつての同志たちの多くも同様だ。

マリューは心から〝ミネルバ〟の運命を心配しているようだった。かつて同じように孤立《こりつ》無援《むえん》でオーブに身を寄せた経験のある彼女には、タリア・グラディスが他人のようには思えないのだろう。

「さァねェ……」

バルトフェルドは肩《かた》をすくめ、ふたたびカップを手に取る。

「ま、大丈夫《だいじょうぶ》だろう。彼女、かなり運の強そうな声をしていたしね。キミと同じく」

それを聞いてマリューは疑わしそうに、軽く彼を睨《にら》んだ。

〝ミネルバ〟艦橋《ブリッジ》ではタリアが、沈黙した通信機を前に考え込んでいた。

アンドリュー・バルトフェルドからの伝言だと、謎《なぞ》の情報提供者は告げた。『砂漠の虎』の名は彼女も知っている。いや、ザフトに身を置く者で、彼を知らぬ者などいない。かつてサーベルタイガー型の〝バクゥ〟を操《あやつ》り、エル・アラメインでの戦いを勝利に導いた英雄《えいゆう》。その後タルパティアで連合の〝ストライク〟と戦って敗れたが、奇跡《きせき》の生還《せいかん》を果たしてまたも英雄《えいゆう》扱《あつか》いされた。その彼がラクス・クラインとともに最新鋭戦艦《さいしんえいせんかん》を奪《うば》って脱走したときは、軍部は騒然《そうぜん》となったものだ。

「艦長《かんちょう》……」

アーサーとバートが困惑《こんわく》ぎみの表情で彼女を見つめる。

「カーペンタリアと連絡《れんらく》は取れない？」

タリアは迷いながらバートに命じた。

――バルトフェルドは戦後、いずこかに姿をくらましたまま消息を絶っている。だが、同じ〝ヤキン・ドゥーエ〟の英雄であるカガリやアスランがこの国にいるのだ。彼もオーブに身を隠《かく》している可能性は高い。

つまり、さっきの通信をバルトフェルドを知る者――あるいは本人――がしてきたということは充分ありうる。

さまざまな通信手段を試《ため》していたバートが、ややあって首を振った。

「ダメです。地球軍側の警戒《けいかい》レベルが上がっているのか、通信妨害《ぼうがい》激しく、レーザーでもカーペンタリアにコンタクトできません」

ある程度予測していた答えだったが、アーサーが暗澹《あんたん》たる表情を浮《う》かべる。だが、そのときにはタリアの心は決まっていた。

「いいわ。命令なきままだけど、〝ミネルバ〟明朝出航します」

「艦長……！」

とたんにアーサーたちの顔が引き締《し》まった。タリアはてきぱきと命じた。

「全艦に通達。出れば遠からず戦闘《せんとう》になるわ。気を引き締めるようにね」

「そ……んな……」

カガリは文書を見たとたん、絶句した。彼女も、〝プラント〟が武力行使に向かって動いている事実を知らされたのだ。

デュランダル議長ならば、そんな愚《おろ》かな選択《せんたく》はすまい——という一縷《いちる》の望みを絶たれ、カガリは目の前が暗くなるような気分になった。

「『積極的自衛権の行使』などと言ってはいますが、戦争は生き物です。放たれた火がどこまで広がってしまうかなど、誰《だれ》にもわかりません」

ユウナが強い口調で言い、カガリは書面から目を離《はな》せないままそれを聞く。

ついにこの日が来てしまった。自分たちの奮闘《ふんとう》も虚《むな》しく、またも世界は同じ歴史を繰《く》り返そうとしている。

自分たちは正しいことをしていると思って、これまで懸命《けんめい》に闘《たたか》ってきた。だがいま、彼女にはその信念さえ残されていない。

——自分は、間違《まちが》っていたのだろうか？

ユウナたちの方が正しいのか？　信念に基づいて行動し、国を焼いた父は間違っていたのか？　これまで正しいと信じていたことはすべて、なにもわかっていない自分のきれいごとにすぎなかったのか？

彼女は迷いながら、資料の上に置いた左手に光る指輪を見つめた。

アスランは〝プラント〟でなにを思うだろう。やはり彼女のように、自分の無力さを噛《か》みしめているのだろうか……？

「オーブは我《われ》らは大西洋連邦との同盟条約を締結《ていけつ》します」

ユウナの言葉に、カガリは我に返って顔を上げた。とたんに、閣僚《かくりょう》たちの視線が彼女を刺《さ》し貫《つらぬ》く。

「——ふたたび国を焼くという悲劇を、繰り返さぬためにもね」

それはすでに、動議ではなく、確認《かくにん》だった。

カガリは返す言葉もなく、うなだれた。彼女は孤独《こどく》だった。

閣議が終わると、カガリはまっすぐにオノゴロに向かい、〝ミネルバ〟のドックに駆《か》けつけた。同盟締結となれば、〝ミネルバ〟は敵艦ということになる。すでに彼らも知ることかもしれないが、何としても直接伝え、わびたかった。それがせめてもの、カガリの誠意だった。

兵士に先導されて通路を進むと、横道から来たシンたちとばったり行きあう。カガリは思わず身を硬《かた》くした。

「……なにしに来た!?」

シンは射貫《いぬ》くような鋭《するど》い目で彼女を睨み、吐《は》き捨てる。

「あのときオーブを攻《せ》めた地球軍と、今度は同盟か!?　どこまでいいかげんで身勝手なんだ、あんたたちはっ!?」

カガリは答えることができず、うつむく。またも彼を裏切る結果になってしまった。そして、信じる道を違《たが》えざるを得なかった彼女には、反論の言葉さえない。

「敵に回るって言うんなら、今度は俺が滅《ほろ》ぼしてやる！　こんな国！」

シンは捨て台詞《ぜりふ》のように叫《さけ》び、彼女の脇《わき》をすり抜けていく。

「シン……！」

カガリは思わずその背に声を投げた。自分が間違っているのはわかっている。ただ……もう二度と、シンのような子供を作りたくないから……！

だがそれさえも、身勝手な自分の言い訳なのかもしれない。カガリは結局なにも言えず、遠ざかっていくシンの背中を見送るしかなかった。ルナマリアも確実に温度を下げた目でカガリを見やり、レイだけが几帳面《きちょうめん》に礼を取って通り過ぎていく。カガリはひしひしと感じとる。

自分はこの人たちにとって、『敵』になってしまったのだ。

〈オペレーション・スピア・オブ・トワイライト、発動マイナス三六〇秒――〉

〈半径六〇〇に敵影《てきえい》なし。カウントダウン続行〉

壁面《へきめん》の巨大《きょだい》なモニターは、宇宙空間に集結しつつある降下揚陸艦《ようりくかん》を映し出していた。緊迫《きんぱく》した空気のなかで、カウントダウンが刻まれていく。

評議会の決定を受けて、降下作戦が進行しつつあった。〝プラント〟前面の軍事ステーションでそのもようを見ながら、一人の将校が苦笑《くしょう》気味に言う。

「しかし、何とも振《ふ》るった言い回しですな。『積極的自衛権の行使』とは」

デュランダルのとった表現を嗤《わら》う司令官に、かたわらのタカオ国防委員長は肩《かた》をすくめてみせる。

「そう言ってくれるな。政治上の言葉だ。しかたない」

穏健《おんけん》派のデュランダルとしては、『攻撃《こうげき》』という表現をとれるものではない。タカオはそれを理解していた。だが不思議なことに『自衛』という言葉を用いると、ふたたび武力を用いることへの忌避《きひ》の念がやわらぐものだ。

自分たちは悪くない。向こうが撃《う》ってくるからやっているだけだ。向こうがやめさえすれば、こちらはすぐにも手を引けるのだと。

だが実際に軍を動かす司令官の表情は冴《さ》えない。

「第一波で、現在包囲されているジブラルタルとカーペンタリアから地球軍を追い払《はら》うのはいいとしましても……そのあとは？」

タカオは長々と息を吐いた。

「さあて……どうなるかな……」

あまりに漠然《ばくぜん》とした返事に、司令官が咎《とが》めるような目を向け、彼は弁解するように言葉を継《つ》ぐ。

「むろん、我々とて、さきの大戦のような戦争をふたたびやりたいわけではない」

デュランダルを焚《た》きつけて攻撃命令をもぎ取った彼にしても、好きで戦いたいわけではない。だが黙《だま》って手をつかねていたら、今度こそ〝プラント〟は陥《お》とされるかもしれないのだ。

「国民感情を納得《なっとく》させられるだけの、うまい落としどころを見つけ、戦闘《せんとう》を終結させて、あとは政治上の駆け引き……ということになるのだろうが……」

国防委員長は渋《しぶ》い顔でため息をつく。

「またも核《かく》を撃ってきたナチュラルに対する憎《にく》しみは、もはや消えんだろうな……」

「でしょうな」

司令官は淡白《たんぱく》に首肯《しゅこう》する。

「議長のお手並み拝見――ということになるかな、その後は……」

タカオはつぶやいた。政治上の駆け引き――つまり、双方《そうほう》痛み分けでなし崩《くず》し、という形だ。それで丸く収まるものだろうか、という不安がその頭をよぎる。

〈――マイナス五、四、三、二……〉

タカオの眼前で、降下揚陸艦から次々と、モビルスーツを収容した降下カプセルが分離《パージ》されていく。オペレーターが粛々《しゅくしゅく》と作戦の実行を告げた。

〈降下開始――！〉

いや、なし崩しでけっこう――タカオはその光景を見ながら思いなおす――いまは頭に来ている国民も、結局は納得してくれるだろう。そうでなければまた、二年前の泥沼《どろぬま》の繰《く》り返しだ。今回のこれは違《ちが》う。まさかあの大戦のようなことになるはずがない。

タカオ国防委員長は漠然とした不安を、懸命《けんめい》に振り払おうとしていた。

――当然ではないか。誰《だれ》もが戦争など、二度と繰り返したくないにきまっているのだから……。


「FCSコンタクト、パワーバスオンライン。ゲート開放――」

やわらかな朝の陽射《ひざ》しを浴びる〝ミネルバ〟のエンジンに火が入り、ドックにさざ波が立ちはじめた。前方のゲートがゆっくりと開いていく。

「前進微速《びそく》。〝ミネルバ〟、発進する」

タリアの号令に従い、淡《あわ》いグレイの巨艦《きょかん》はゆっくりと外海に漕《こ》ぎ出した。タリアは感慨《かんがい》深げに、モニターの中で遠ざかっていく島影《しまかげ》を見やる。

――本当に、すまないと思う……。

わずか十八歳の国家元首は、タリアの前で深々と頭を下げた。その幼い顔には憔悴《しょうすい》が濃《こ》く影《かげ》を落としていた。おそらく今回の同盟は彼女の意志によるものではないだろう。だが彼女はひとことも言い訳せず、クルーたちの刺《さ》すような視線にも耐《た》えていた。

カガリの理想は正しく、浄《きよ》い。だが政治は理想だけでは動かない。正義を貫《つらぬ》くには力が必要で、まだ若い彼女にはそれがない。今回の決定は無理からぬ結果といえよう。

だが、タリアはカガリが好きだった。施政者《しせいしゃ》がみんな彼女のような者なら、この世に戦争など起こらないだろうに。

「間もなくオーブ領海を抜《ぬ》けます」

アーサーがなんとなく明るい声で告げる。油断のならない状況下《じょうきょうか》ではあるが、異国に長く留め置かれたあとで、ふたたび航海に出るのは無条件に心が弾《はず》むものだ。まして、ここは美しい南海洋上だ。

「降下作戦はどうなってるのかしらね？　カーペンタリアとの連絡《れんらく》は、まだ取れない？」

タリアが確認《かくにん》すると、メイリンが首を振《ふ》る。

「はい。呼び出しはずっと続けているんですが……」

そのとき、右方でバートが息をのみ、タリアは反射的にそちらに目をやった。

「本艦前方二〇に、多数の熱紋《ねつもん》反応っ！——これは……艦隊です！　地球軍艦隊！」

バートが緊迫《きんぱく》した声で叫《さけ》び、タリアは耳を疑う。

「スペングラー級四、ダニロフ級八……ほかにも十隻《せき》ほどの中、小艦艇《かんてい》を確認！　本艦前方、左右に展開しています！」

「えええっ!?」

アーサーが血相を変え、タリアも愕然《がくぜん》としながらその情報の意味を整理しようとする。地球軍の艦隊が、空母四隻を含《ふく》む二十隻以上――しかも、隊形はこちらを待ち受けている形だ。

「どういうことですか!?　オーブの領海を出たとたんに、こんな……！」

マリクが舵《かじ》を握《にぎ》りながら呻《うめ》き、チェンが毒づく。

「本艦を待ち受けてたということか？　地球軍はみんなカーペンタリアじゃなかったのかよ!?」

だが続くバートの報告に、今度こそクルーは驚愕《きょうがく》のるつぼに叩《たた》き込まれる。

「後方っ……オーブ領海線にオーブ艦隊！……展開中です！」

バート自身、信じがたいと言った口調だ。そして重ねて告げる。

「砲塔旋回《ほうとうせんかい》！　本艦に向けられていますっ！」

「そんな！　なぜ……!?」

アーサーの人の好い頭では、この事態はとっさに理解できまい。だが、タリアは完全に諒《りょう》解《かい》した。

「領海内に戻《もど》ることは許さないと――つまりはそういうことよ。どうやら土産《みやげ》かなにかにされたようね……！」

タリアは怒《いか》りをおぼえながら吐《は》き捨てる。恭順《きょうじゅん》のしるしに敵艦《てきかん》をひとつさし上げます――そんなやりとりがオーブと大西洋連邦《れんぽう》との間で交《か》わされたのだろう。想像するだに虫酸《むしず》が走る。

「正式な条約締結《ていけつ》はまだでしょうに。やってくれるわね、オーブも！」

一瞬《いっしゅん》、カガリの顔が頭をよぎる。あの殊勝《しゅしょう》げな顔に、自分はまんまと騙《だま》されたのか⁉

「艦長……」

アーサーは完全に途方《とほう》に暮れた顔でタリアを見つめている。

「ああもう！　あーだこーだ言ってもしょうがない！」

彼女は憶測《おくそく》を中止してわめいた。

「コンディション・レッド発令！　艦橋遮蔽《ブリッジしゃへい》。対艦、対モビルスーツ戦闘《せんとう》用意！　大気圏《けん》内戦よ、アーサー！　わかってるわね⁉」

「は、はいっ！」

彼女の剣幕《けんまく》にはじかれるように、アーサーは席に着き、戦闘準備をはじめる。クルーたちも同様だ。急に慌《あわ》ただしくなる艦橋《ブリッジ》に座し、タリアは爪《つめ》を噛《か》んだ。彼らはまだ気づいていない。これほどの艦隊を前にして、なにかの奇跡《きせき》でも起こらない限り、結末は二つしか存在しないということに。

降伏《こうふく》か、撃沈《げきちん》か。そのどちらかだ。

だがタリアには、降伏する気などなかった。

シンは黙《だま》って格納庫《ハンガー》を見下ろしていた。パイロットアラートにはいま、彼以外にレイとルナマリアも詰《つ》めている。レイは手元のコンピュータでデータチェックに余念がない。ルナマリアは何度か会話を切り出したが、誰《だれ》の返事も得られず、いまは黙ってドリンクを飲んでいる。シンは誰かと話ができる気分ではなかったし、レイは――まあ、いつもどおりだ。

シンは裏切られた気分だった。やはり、オーブになど来るのではなかった。

この国はいつも、彼を裏切り続けていた。一度は大義名分のために家族を奪《うば》い、今度は自分の敵に回る。それどころか、家族を犠牲《ぎせい》にして押しとおしたその大義名分さえ、今度は捨て去ったのだ。これでは彼らは、何のために命を落としたかわからないではないか……！

だが――シンはふと気づく――裏切られたと思うのは、信じていたからだ。信じていないものにどんな仕打ちをされても、腹が立つことはあっても裏切られたとは感じない。カガリの凛《りん》とした表情が、その真摯《しんし》な言葉が、ちらりと脳裏《のうり》をよぎる。

――自分はまさか、あの女を信じていたのか……？

そのとき、彼の物思いを打ち破って警報が鳴り響《ひび》いた。

〈コンディション・レッド発令！　パイロットは搭乗機《とうじょうき》にて待機せよ！〉

シンは驚《おどろ》いてルナマリアと目を合わせた。レイはすでにドアへ向かっている。シンたちもそれに続きながら、思わず声をうわずらせる。

「レッドって、なんで!?」

当然、ルナマリアもこう答えた。

「知らないわよ！　なんで私に聞くの!?」

オーブ領海を出てカーペンタリアに向かうとなれば、必ず途中《とちゅう》でそこを包囲している地球連合軍とは戦闘になる。それはわかっていた。だがまさか、こんなに早く？

〈艦長、タリア・グラディスより〝ミネルバ〟全クルーへ〉

格納庫《ハンガー》に飛び込むと、高い天井《てんじょう》にタリアの声が響き渡《わた》った。

〈現在本艦の前面には、空母四隻を含む地球軍艦隊が、そして後方には自国の領海警護と思われるオーブ軍艦隊が展開中である〉

その情報に、忙《いそが》しく機体をチェックしていたスタッフが驚きの声を上げる。

「空母四隻!?」

「後ろにオーブが……？」

シンとルナマリアは状況《じょうきょう》が理解できずに繰《く》り返す。

〈地球軍は本艦の出航を知り、網《あみ》を張っていたと思われ、またオーブは後方のドアを閉めている〉

タリアの冷徹《れいてつ》な言葉が彼らの理解をうながす。

〈我らには、前方の地球軍艦隊突破《とっぱ》のほかに活路はない。これより開始される戦闘は、かつてないほどに厳しいものになると思われるが、本艦は何としても、これを突破しなくてはならな

い!〉

シンにも、ゆっくりと状況がのみ込めてくる。それと同時に怒《いか》りが体の奥底からわき上がってきた。

──オーブは、自分たちを地球軍に売り渡したのだ……!

タリアの声が激しく彼らの耳を打つ。

〈この〝ミネルバ〟クルーとしての誇《ほこ》りを持ち、最後まであきらめない各員の奮闘《ふんとう》を期待する!〉

クルーの顔に悲愴《ひそう》な表情が浮《う》かんだ。空母四隻《せき》を前にして、たった一隻の艦が敵《かな》うはずがない。あきらめるなと言いつつ、タリアは言外にそれを匂《にお》わせていた。

自分たちは、ここで死ぬのだ。

──オーブに裏切られて。

シンの中で、恐怖《きょうふ》を圧《あっ》して怒《いか》りが沸騰《ふっとう》する。

かつて自らの理念を掲《かか》げ、最後まで折れずに戦ったオーブが、なんというざまだ!

「くっそォォォ……!」

彼は赫怒《かくど》の叫《さけ》びを上げながら、〝コアスプレンダー〟に飛び乗った。

こんなところで死んでたまるか! ここで死んだらあいつらの思惑《おもわく》どおりだ!

慌《あわ》ただしく機体を立ち上げ、ランプがグリーンに変わるのを見る。

「シン・アスカ、〝コアスプレンダー〟行きます！」

シンは気迫《きはく》をみなぎらせて叫び、発進した。憤《いきどお》りが、現在の彼の原動力だった。

「ランチャーツー、ランチャーセブン、全門〝パルジファル〟装塡《そうてん》！ CIWS、〝トリスタン〟、〝イゾルデ〟起動！」

ミサイル発射管には地上用ミサイルが装塡された。徐々《じょじょ》に眼前に迫《せま》り来る艦隊《かんたい》を前に、タリアは矢継《やつ》ぎ早に命令を下す。

「シンには発進後、あまり艦《ふね》から離《はな》れるなと言って！ レイとルナは甲板《かんぱん》から上空のモビルスーツを狙撃《そげき》！――〝イゾルデ〟と〝トリスタン〟は左舷《さげん》の巡洋艦《じゅんようかん》に火力を集中！ 左を突破する！」

「はいっ！」

クルーが緊張《きんちょう》にそそけ立った顔つきで答えた。〝インパルス〟が発進し、レイとルナマリアの〝ザク〟がハッチから左右の甲板に跳《と》び上がる。レイの〝ザクファントム〟はブレイズウィザード、ルナマリアの〝ザクウォーリア〟はガナーウィザードを装備していた。大気圏《けん》内飛行が不可能な〝ザク〟は今回、迎撃《げいげき》用としてしか使えない。可動域の広い砲台《ほうだい》ともいうべきか。少なくとも敵モビルスーツが船体に取りつくことは阻止《そし》してくれるだろう。しかし使える機動兵器が〝インパルス〟だけという事実はいかんともしがたい。不測の事態によって地球に降下した〝ミネルバ〟だ。大気圏内戦闘に対応する装備が不全なのは、ある意味当然ともいえる。敵の大艦隊が近づいてくるのを見ながら、タリアはめったにしないことをした。つまり、アーサーの進言を容《い》れて、とっととこんな国など出て行くのだった――と、後悔《こうかい》したのだ。だがそんなことをいまさら悔《く》やんでも何にもならない。もはや負けはわかっている。しかし、あきらめて特攻《とっこう》し、華々《はなばな》しく散る気はない。最初からあきらめていたら、万が一の奇跡《きせき》など起こらないからだ。そもそも、彼女は昔から往生際《おうじょうぎわ》が悪かった。

アーサーが号令した。

「〝イゾルデ〟、ランチャーワン一番から四番、〝パルジファル〟てーっ！」

前方の艦隊からも、いっせいにミサイルが撃《う》ち上げられた。同時に、各艦から発進したモビルスーツが迫ってくる。フライトパックを装備した〝ウィンダム〟は大気圏内飛行も可能としている。同様の〝フォースインパルス〟が寄せ来る敵モビルスーツ隊に、猛禽《もうきん》のように飛びかかる。

こうして、絶望的な戦いの火蓋《ひぶた》が切って落とされた。

「行けェエーッ！」

敵の〝ウィンダム〟が、まさに雲霞《うんか》のように空を覆《おお》っている。〝インパルス〟はその中にまっすぐ突《つ》っ込みながら、立て続けにビームライフルを連射した。機体を貫《つらぬ》かれた二機の〝ウィンダム〃が黒煙を後に引きながら海に落下していく。敵のモビルスーツ隊は〃インパルス〃の突入《とつにゅう》によって隊列に乱れを生じる。これだけ僚機《りょうき》が密集しているなかで下手に応射すれば、同士討《う》ちの危険があるからだ。だがすぐに彼らも態勢を立てなおし、左右に散開して〃インパルス〃を狙《ねら》う。シンは機体を急旋回《せんかい》させ、自分に集中する火線をかわした。

「こんなことで、やられてたまるかァァッ！」

憤怒《ふんぬ》の叫びがその口から迸《ほとばし》る。〃インパルス〃の右手がビームサーベルを抜《ぬ》き放ち、一機の〃ウィンダム〃を袈裟懸《けさが》けに斬《き》り下ろした。空中で左右に斬り離された機体が一瞬《いっしゅん》漂《ただよ》い、激しい爆発《ばくはつ》の炎《ほのお》に包まれる。そのときにはシンはすばやく機体を返し、敵から放たれたビームは虚《むな》しく互《たが》いに交錯《こうさく》した。

敵艦《てきかん》からの砲撃《ほうげき》が、〃ミネルバ〃の周囲に絶え間なく巨大《きょだい》な水の柱を築いていた。迎撃システム《CIWS》がミサイルを叩《たた》き落とし、周囲に群がるモビルスーツを牽制《けんせい》する。甲板に立ったルナマリアの〃ザク〃が長砲身の〃オルトロス〃を腰《こし》だめに構え、砲口から迸る熱線が接近した〃ウィンダム〃を串刺《くしざ》しにする。レイの〃ザク〃は背面ポッドを開き、そこから放たれたミサイルが、ロックした数機の敵モビルスーツをとらえる。しかしいくら叩き落としても、取り囲む機影《きえい》の数にまるで変化はないように見えた。

「なるほど。たしかになかなかやる艦《ふね》だな」

旗艦《きかん》に悠然《ゆうぜん》と座した艦隊司令が、モニターを眺《なが》めながらつぶやいた。そこには次々と寄せ来るモビルスーツと降りそそぐミサイルのさなかにある、淡灰色の艦が映し出されていた。

「ロアノークの報告どおりというわけか」

〝ファントムペイン〟隊長の名を面白《おもしろ》くもなさそうに口にしたあと、司令は副官に向きなおる。

「〝ザムザザー〟はどうした？　あまり獲物《えもの》が弱ってからでは、効果的なデモはとれんぞ」

副官がかしこまって応じる。

「は、準備できしだい発進させます」

格納庫《ハンガー》に命令が伝えられ、発進シークエンスがはじめられる。司令はふたたび戦闘《せんとう》に目を戻《もど》した。その顔には孤軍奮闘《こぐんふんとう》する敵艦に対してはもちろんだが、次々と墜《お》とされていく自軍モビルスーツに対する憐《あわ》れみの念さえない。

「……身びいきかもしれんがね。私はこれからの主力は、ああいった新型のモビルアーマーだと思っている。ザフトのマネをして造った、蚊《か》トンボのようなモビルスーツよりもな」

〈ズールーゼロワン、リフトアップ、B―八〇《ハチマル》要員は誘導確認《ゆうどうかくにん》後、バンカーに退避《たいひ》……〉

やがて旗艦の後部へリポートが左右に開き、異様な機体がせり上がった。YMAF―X6BD〝ザムザザー〟、ほぼ半球形を描《えが》くボディの四方から、太く短い肢《あし》のような突起《とっき》が突き出した、ヤシガニを思わせる特異な形状。全長四十七メートルに及《およ》ぶ地球連合軍の新型モビルアーマーだ。脚部《きゃくぶ》に複列位相エネルギー砲M534〝ガムザートフ〟、胴部《どうぶ》にはMk79低圧砲を四門、そのほかにも特殊《とくしゅ》な武装を備えた恐《おそ》るべき兵器だった。

艦隊《かんたい》司令は巨大な暗緑色の機体をほれぼれと見つめた。やがて凄《すさ》まじい振動《しんどう》と轟音《ごうおん》をまき散らしながら〝ザムザザー〟の巨体《きょたい》は艦を離《はな》れる。

オーブにとっては恭順《きょうじゅん》の証明、大西洋連邦《れんぽう》にとってはほとんど無意味、そして司令にとってこの戦闘は、新たに開発された兵器のデモンストレーションに格好の場でしかなかった。

「不明機《ふめいき》接近！　これは……!?」

絶望的な戦いを続ける〝ミネルバ〟艦橋《ブリッジ》に、バートの不吉《ふきつ》な声が響《ひび》いた。

「光学映像、出ます！」

メイリンがモニターを切り替《か》えると、波を蹴立《けた》てて低空で進んでくる、ずんぐりした機体が映し出された。アーサーがすっとんきょうな声を上げる。

「なんだ!?　あれは！」

「モビルアーマー!?」

「あんなにデカイぃ？」

タリアは舌打ちした。

「あんなのに取りつかれたら終わりだわ！　アーサー、〝タンホイザー〟起動！　あれとともに左前方の艦隊をなぎ払《はら》う！」

「ええっ⁉　しかし大気圏《けん》内で……」

アーサーが反論しかけるが、タリアは睨《にら》みつける。

「——沈《しず》みたいの⁉」

するとアーサーはかくかくと首を振《ふ》る。

「い……い、いえ！　はいっ‼　〝タンホイザー〟起動！　射線軸《じく》コントロール移行」

ポリシーのない男だ。たしかに陽電子砲の使用は地上では望ましくないとされる。陽電子が電子と対消滅《しょうめつ》を起こすさい、γ線が生じ、放射能汚染《おせん》の恐れがあるためだ。だがいまは、そんなことを言っている場合ではあるまい。

「照準、敵モビルアーマー」

艦首から砲身《ほうしん》がせり出し、艦は射線に向かってロールする。アーサーの号令が響く。

「てーっ！」

白い閃光《せんこう》が視界にはじける。陽電子砲が光の渦《うず》を吐《は》き出し、かすめた水面が水蒸気爆発を起こす。接近するモビルアーマーは制動をかけるかのように、極端《きょくたん》な前傾《ぜんけい》姿勢をとる。光の渦がその巨体をのみ込む。すぐ後方にあった小艦艇《かんてい》が一瞬《いっしゅん》にして爆発し、洋上をあかあかと照らし出す。その光輝《こうき》が消えたとき、タリアはわが目を疑った。

モビルアーマーは何事もなかったかのように、なおも洋上を飛行し続けていた。ずんぐりした暗緑色のボディには疵《きず》ひとつない。

一瞬、艦橋《ブリッジ》が驚愕《きょうがく》に静まり返る。

「〝タンホイザー〟を……はね返した……？」

アーサーの唖然《あぜん》とした声が弱々しく響く。その間にもモビルアーマーは〝ミネルバ〟に迫《せま》る。

タリアは自失から覚め、声を励《はげ》まして命令を下す。

「取り舵《かじ》二〇！　機関最大！　〝トリスタン〟照準、左舷《さげん》敵戦艦！」

するとアーサーが抗議《こうぎ》する。

「でも艦長！　どうするんです、あれ!?」

「あなたも考えなさい！」

タリアはぴしゃりと命じ、マリクに顔を向ける。

「マリク、回避《かいひ》まかせる！」

「はい！」

「メイリン、シンは!?　戻れる!?」

「は、はいっ！」

クルーの顔にはさらに悲壮《ひそう》感が滲《にじ》みはじめていた。

「ユウナ・ロマは？　どこにいる？」

カガリはインターフォンで秘書官にたずね、返ってきた答えに意外の念を抱《いだ》いた。ユウナはいま、軍本部にいるというのだ。そんな予定をまったく聞かされていなかったカガリは、なぜか胸騒《むなさわ》ぎをおぼえる。その足で軍本部へ車を走らせ、発令所に足を踏《ふ》み入れた彼女は目を疑った。

「いや、でもすごいですね、あの兵器」

「陽電子砲をはね返しちゃうとはなあ」

兵士たちが野次馬めいた気楽な声を上げている。その後ろに座すユウナも、まるでスポーツ観戦のようにくつろいだ姿勢だ。彼らの見ているモニターには、海上を埋めつくした戦艦を前に、たった一隻《せき》で戦う〝ミネルバ〟の姿が映し出されていた。カガリはあまりの衝撃《しょうげき》に、すぐには声も出ない。

「なにをしている……!?」

ようやく口をひらき、かすれた声を押し出すと、兵士たちは驚《おどろ》いて振り返り、立ち上がった。

「カガリ!?」

ユウナも驚いて椅子《いす》から腰《こし》を浮《う》かす。カガリは怒《いか》りを押し殺した動作で歩み寄る。

「ユウナ、これはどういうことだ!? 〝ミネルバ〟が——戦っているのか? 地球軍と!」

「そうだよ。オーブの領海の外でね」

ユウナの顔からばつの悪い表情は一瞬でぬぐい去られ、彼はまるで見せつけるように手を広げる。カガリはその軽薄《けいはく》な顔を睨んだが、すぐモニター映像に注意を奪《うば》われた。

〝ミネルバ〟は上空を地球連合軍のモビルスーツに取り巻かれ、必死の様相で回避《かいひ》運動を続けている。飛来するミサイルが周囲に着弾《ちゃくだん》するたびに高く水しぶきが上がる。見るうちに〝ウィンダム〟の一機が放ったミサイルが、右舷《うげん》ハッチに命中して爆発《ばくはつ》した。

「あんな大軍相手に……〝ミネルバ〟……！」

カガリはたまらずに、泣きそうな声を上げる。

「心配はいらないよ、カガリ。すでに領海線に護衛艦《ごえいかん》は出してある」

彼女の心痛を嗤《わら》うように、ユウナがお気楽な声で言う。

「領海の外と言ってもだいぶ近いからね、困ったもんだよ」

大仰《おおぎょう》に肩《かた》をすくめる相手を見つめ、カガリはその意味に気づいて声を荒《あら》げる。

「領海に入れさせない気か、〝ミネルバ〟を⁉　あれでは逃《に》げ場もなにもっ……！」

カガリの抗議を、ユウナはあっさりと受け流す。

「だが、それがオーブのルールだろう？」

カガリは唖然とする。

他国を侵略《しんりゃく》せず、他国の侵略を許さず、他国の争いに介入《かいにゅう》しない――それが中立国たるオーブの理念だ。だが、この男はその理念まで汚《けが》そうというのか？

「それに、正式調印はまだとはいえ、我々はすでに、大西洋連邦《れんぽう》との同盟条約締結《ていけつ》を決めたんだ。ならばいまここで、我々がどんな姿勢を取るべきか――それくらいのことは、きみにだってわかるだろう?」

「しかしっ……あの艦《ふね》は!」

地球を救ってくれた艦──もとはオーブの国民たるシンが乗っている艦だ! それを……!

しかしユウナは薄《うす》い笑《え》みを浮かべたまま、平然とカガリの言葉を引き取って言う。

「あれはザフトの艦《ふね》だ。間もなく盟友となる大西洋連邦が敵対している──ね」

そのとき、戦況《せんきょう》をモニターしていた兵士が報告した。

「〝ミネルバ〟領海線へさらに接近。このまま行けば、数分で侵犯《しんぱん》します」

するとユウナは平然と、信じがたい指示を飛ばす。

「警告後、威嚇射撃《いかくしゃげき》を。領海に入れてはならん。それでも止まらないようなら、攻撃《こうげき》も許可する」

「ユウナっ!!」

あわててその命令を撤回《てっかい》しようとするカガリを、ユウナは豹変《ひょうへん》した表情で怒鳴《どな》りつける。

「国はあなたのオモチャではない! いいかげん、感傷でものを言うのはやめなさい!」

カガリは息をのんで黙《だま》った。

──こういうことだったのか。理念を曲げるということは。

カガリはすでに選択《せんたく》していた。周囲に責め立てられて決定したということは問題にならない。

彼女はこれまでオーブが守り抜《ぬ》いてきた理念を捨て、国民を生かす道を選んだ。その結果がこれだ。自分たちを救ってくれた恩人に報《むく》いるどころか、彼らがいままさに死に瀕《ひん》しているというのに、助けの手も出せず、逆に撃《う》たねばならないなど。

もはや、後戻《あともど》りはできない。カガリはそれを悟《さと》ったのだった。

「以前国を焼いた軍に味方し、懸命《けんめい》に地球を救おうとしてくれた艦《ふね》を撃て、か……」

軍本部からの指示が伝えられたとき、オーブ護衛艦隊の指揮を執《と》るトダカ一佐《いっさ》が漏《も》らしたのはそういう言葉だった。昔気質《むかしかたぎ》の軍人で、少々癖《くせ》のある人物だが、部下の人望は厚い。

それを聞いて副官も、同情の視線を窓外の戦艦に投げた。〝ミネルバ〟は寡兵《かへい》にもかかわらず健闘《けんとう》していた。が、すでにあちこちに被弾《ひだん》し、滑《なめ》らかな装甲《そうこう》は穿《うが》たれて黒煙を上げている。あれを修理したのはモルゲンレーテだと聞いた。自分たちが直したものを、自分たちが破壊《はかい》するとは、あまりに皮肉だ。

「こういうの、恩知らずって言うんじゃないかと思うんだがねぇ、俺は」

トダカは気難しげな顔に、静かな憤慨《ふんがい》の表情を浮かべ、嘆《なげ》かわしいというように首を振《ふ》る。

「――政治の世界にはない言葉かもしれんが」

彼はまさに皮肉を口にしたあと、兵士に命じた。

「警告開始、砲は〝ミネルバ〟の艦首前方に向けろ。――絶対に当てるなよ」

「は？――はい」

命令を受けた武器管制が戸惑《とまど》いの声を上げ、副官は驚いて反論する。

「司令！　それでは命令に……」

命令では警告が受け入れられなければ攻撃、と、はっきり言われている。が、トダカは偏屈《へんくつ》そうに鼻を鳴らした。

「知るか。俺は政治家じゃないんだ」


シンは〝ミネルバ〟を狙《ねら》って前方脚部《きゃくぶ》の砲塔《ほうとう》を展開させたモビルアーマーに、声を上げて斬《き》りかかった。が、モビルアーマーは鈍重《どんじゅう》そうな巨体《きょたい》からは予想もできなかった機動力を見せ、ビームサーベルの一閃《いっせん》を回避《かいひ》する。

「くそッ！　何なんだよ、こいつはっ⁉」

毒づきながらシンは機体を返し、やはり旋回《せんかい》してこちらに向かってくるモビルアーマーに相対する。速い！——急速に眼前に迫《せま》る巨体に、シンは圧倒《あっとう》されかける。そのときモビルアーマーの脚部に折りたたまれていた巨大《きょだい》な鉤爪《クロー》が展開し、〝インパルス〟をその顎《あぎと》にくわえ込もうとした。シンは危《あや》ういところでその鉤爪をすり抜ける。

「くぅっ……！」

高速ですれ違《ちが》ったモビルアーマーは、そのまま後方脚部の砲口から強烈《きょうれつ》なビームを放った。シンは機体を急上昇《じょうしょう》させてそれをかわす。そのまま宙でくるりと回転しながら、腰《こし》の後ろからビームライフルを抜き放《はな》って応射する。が、そのビームは敵機の直前で見えない壁《かべ》に当たったかのようにはじき返された。

「これはっ……！」

機体上部に並ぶ四つの目のような出力装置から、なんらかの力場を出力してビームを反射させているのだろう。さっき〝タンホイザー〟をはね返したのもこの反射装置《リフレクター》か。これではいくら撃っても相手に何のダメージも与《あた》えることはできない。唖然《あぜん》としたシンを、敵機両脚《りょうあし》のビーム砲が襲《おそ》う。

「なんて火力とパワーだよっ!?　こいつはっ！」

シンは呻《うめ》く。コックピットにアラートが響《ひび》きはじめる。エネルギー切れ間近なのだ。

――こんなときに……！

シンは焦《あせ》りをおぼえながら、敵モビルアーマーの砲撃をかわした。海面をとらえたビームが大量の水を蒸発させ、高々と白い爆煙《ばくえん》を上げる。

〝ミネルバ〟は押されていた。それでもその砲撃は確実に敵艦《てきかん》をとらえ、一隻《せき》の地球軍艦が横腹に穴を空けて撃沈《げきちん》する。が、焼け石に水程度の効果しかない。隊列に空いた穴はすぐに別の艦が前進して埋《う》める。絶え間なく降りそそぐミサイルの雨の中、〝ミネルバ〟はじりじりと後退を続けていた。そのとき、オーブ領海に並んでいた艦隊から、警告が発せられた。

〈ザフト軍艦〝ミネルバ〟に告ぐ。貴艦はオーブ連合首長国の領域に接近中である。わが国は

貴艦の領域への侵犯をいっさい認めない。すみやかに転針されたし……〉

退去勧告《かんこく》だ。

「なに……っ！」

この状況《じょうきょう》を見ながら、あまりに無情な警告に、シンは憤《いきどお》りの声を上げる。つい先日までは友と呼び、厚遇《こうぐう》を約束しながらこれか!?　誰《だれ》のために自分たちが地球になど降りたと思うのだ？

──彼はカガリの顔を思い浮《う》かべながら歯ぎしりした。

だが警告されても転針などできる状況ではない。いま進んだら確実に沈《しず》む。〝ミネルバ〟は戦闘《せんとう》を続けながら、なおも領海へ追い込まれていた。

「〝ミネルバ〟っ！」

掩護《えんご》したいが、シンの方もモビルアーマーの攻撃《こうげき》をかわすので手《て》一杯《いっぱい》だ。そのコックピットにはなおもアラートが鳴りつづけていた。バッテリー値はレッドに近づきつつある。補給しなければ武器も、そしてVPS装甲も無効になる。

焦り続けるシンの目の前で、オーブ艦隊の砲口が火を噴《ふ》いた。シンは衝撃《しょうげき》を受け、凍《こお》りつく。

砲撃は〝ミネルバ〟の周囲に高く水柱を上げて突《つ》き刺《さ》さった。

「オーブが……本気で……!?」

シンは弱々しくつぶやく。このときになってはじめて彼は気づいた。自分がオーブを信じていたことに。信じない、許さないと言いつつ、それでもなお彼は、かの国を母国として慕《した》い続けていた。カガリの語る理想論をきれいごとと決めつけながらも、心の底ではそんな彼女に期待していた。これまで彼女に向けた糾弾《きゅうだん》の言葉は、ただ自分の痛みをぶつけ、それをわかれと強要する、子供の反抗《はんこう》のようなものでしかなかった。

　こうして祖国に砲口を向けられて、はじめてシンは、自分の甘えを自覚する。

　これが、現実。これこそが裏切りだった。

　オーブは――カガリは、シンを捨てたのだ。

　失意に打ちのめされ、シンは一瞬《いっしゅん》、状況を忘れた。気づいたときには敵モビルアーマーが眼前に迫っていた。回避する間もなく、巨大な鉤爪《クロー》に足をつかまれ、振《ふ》り回される。

「――しまったっ！」

　その瞬間《しゅんかん》、バッテリーがゼロをさし、VPSが落ちる。最悪のタイミングだった。脆《もろ》くなった機体は衝撃に耐《た》えられず、つかまれた脚部は、やすやすともぎ取られる。振り飛ばされた機体にかかる強烈なGに、視界がグレイアウトする。落ちていきながら、シンの脳裏《のうり》に、死――という文字がちらついた。

　俺は死ぬのか？　こんなところで、こんなふうに――

　祖国に裏切られ、両親も妹も殺され、そして自分もいま、殺されるのか？

　ずらりと並んだオーブ艦――目の前に同胞《どうほう》たちを見ながら、その誰からも手を差し伸《の》べられずに、たった一人で――？

いきなりシンの中に、怒《いか》りがあふれた。

——いやだ！

それは、生への強い欲求。すべてを失った者のがむしゃらな渇望《かつぼう》だった。

「こんなことで……こんなことで、俺はァァァッ！」

——死んでたまるものか！　裏切られ、見捨てられた、哀《あわ》れな孤児《こじ》として死ぬなんてごめんだ！　生きてやる！　祖国が自分の死を望むのなら、意地でも生きる！　そうでなければ惨《みじ》めすぎる！

頭の奥で、なにかがはじける音が聞こえたような気がした。同時に全方向に視界が広がり、周囲のすべての動きが指先で触《ふ》れられそうなまでに精密に感じとれる。まるでどこかでスイッチが切り替《か》わり、時間が止まったかのようだ。シンはすばやく機体を操作し、海面ぎりぎりで姿勢を立てなおしながら通信機に向かって怒鳴《どな》る。

「〝ミネルバ〟——メイリン！　デュートリオンビームを！　それから〝レッグフライヤー〟、〝ソードシルエット〟を射出準備！」

指示を送りながらも、彼はとどめを刺そうとモビルアーマーが放ったビームの斉射《せいしゃ》をやすやすとかわし、〝ミネルバ〟に向かう。パワーが落ち、片足を失ったというのに、これほど機体を自由に操《あやつ》れると感じたことはない。

〈シン!?〉

メイリンの戸惑《とまど》う声が返ってくる。いま、この状況でパーツと武装の交換《こうかん》など不可能だから
だ。だが、いまのシンには相手のためらいさえ、いらいらするほどのろく感じられる。
「早く！　やれるな!?」
〈は、はい！〉
はじかれたようにメイリンは答えた。
〝インパルス〟は攻撃を避《さ》けて海面を舐《な》めるように飛び、母艦《ぼかん》をめざす。その間にもシンの指
は躍《おど》るように動き回り、受光に向けての操作をこなす。
〈デュートリオンチェンバー、スタンバイ。測的追尾《ついび》システム、〝インパルス〟を捕捉《ほそく》しまし
た！〉
メイリンの声が、母艦側の準備も調《ととの》ったことを告げる。
〈デュートリオンビーム、発射！〉
その声と同時に、〝インパルス〟はのけぞるように急上昇《じょうしょう》する。〝ミネルバ〟艦橋《ブリッジ》左方の射
出口から、一条のビームが放たれ、〝インパルス〟の頭頂部に位置する受光部がそれを受けた。
照射とともに、シンの手元でパワーゲージがみるみる上がっていく。
〝ミネルバ〟の動力炉《どうりょくろ》から得たパワーはデュートリオン加速器《アクセルレイター》を通じて指向性の高いビームに
変えられ、照射される。そのビームは〝インパルス〟に内蔵したパワーレシーバーで受信され、
機体内部のM2型コンバータで電力に変換《へんかん》されて、パワーアキュムレイターに蓄《たくわ》えられる。こ

のデュートリオンビーム送電技術により、モビルスーツは着艦することなくエネルギー補給を行なうことが可能なのだ。もっとも現状ではコンバータを内蔵する〝インパルス〟などのセカンドステージシリーズと、デュートリオン加速器を持つ〝ミネルバ〟の間にのみ限られる補給システムだ。

パワーが戻《もど》り、〝インパルス〟の機体が瞬《また》いて色づく。シンは敵モビルアーマーに向かって、サーベルを抜《ぬ》き放ちながら突《つ》っ込んだ。その機体に向けて、敵機が両脚部《りようきやくぶ》の砲門《ほうもん》を開く。強烈《きようれつ》なビームを正面からシールドで受けた〝インパルス〟は、次の瞬間、シールドを手放して上空へ躍り出る。その光刃《こうじん》がまっすぐに、敵機の上に突き立てられた。リフレクターを出力する間もない、ほんの刹那《せつな》のことだ。ビームの刃《やいば》が敵モビルアーマー頭頂を切り裂《さ》き、前方へ抜ける。ぱっくり開いた傷口から血が噴《ふ》き出すように火花が散り、シンが飛び離《はな》れた直後、その巨《きよ》体《たい》は炎《ほのお》にのまれた。

いまだ！――すかさずシンは叫《さけ》ぶ。

「〝ミネルバ〟！　シルエット射出！」

その声に応《こた》えて〝ミネルバ〟のカタパルトから〝レッグフライヤー〟と〝ソードシルエット〟が打ち出された。シンはすばやくシンクロし、破損したパーツを切り離《パージ》して新たな〝レッグフライヤー〟とドッキングする。その背に長刀を帯びたモジュールが装着する。機体の胸部が赤に変わる。

瞬くほどの間に新たなシルエットへと換装した〝インパルス〟は、休む間もなく〝エクスカリバー〟を抜き放って、左方に展開する地球軍艦に突っ込んだ。

「うわあぁぁぁぁっ！」

雄叫《おたけ》びを上げながら、シンは巡洋艦《じゅんようかん》の艦橋《ブリッジ》をレーザー刃でなぎ払《はら》った。血が沸騰《ふっとう》するような高揚《こうよう》が彼を支配している。〝インパルス〟はすぐ目の前にあった次の巡洋艦に飛び移り、長刀を振るう。踏《ふ》みにじり、切り裂き、吹《ふ》き飛ばす——それは怒《いか》れる巨神《きょしん》が繰《く》り広げる蛮行《ばんこう》のようであった。

何隻《せき》の艦をそうして屠《ほふ》ったかわからない。シンは帰艦を呼びかけるメイリンの声で我に返った。

〈〝インパルス〟！　シン！　帰艦してください！〉

驚《おどろ》いて周囲を見回すシンの目に、蜘蛛《くも》の子を散らすように潰走《かいそう》を始めていた敵艦隊《てきかんたい》が映る。

〈地球軍艦隊、撤退《てったい》します！〉

そう告げられてはじめて、彼は、自分が勝ったことに気づいた。

——勝った……？

タリアはなおも信じがたい思いで、窓外を遠ざかっていく艦隊を見送った。

万に一つの奇跡《きせき》が起こったのだ。

「レイ機、ルナマリア機、収容完了《かんりょう》。〝インパルス〟帰投しました」

甲板《かんぱん》で戦いつづけていた〝ザク〟二機は被弾《ひだん》し、ひどいありさまだ。それを言うなら艦もボロボロ、自分たちもボロボロという感じだが。クルーは、自分たちがまだ生きているのを不思議がっているような表情で、ぐったりとシートにもたれかかっていた。だがいつまでも虚脱《きょだつ》してはいられない。タリアは艦長席にしゃんと身を起こし、口をひらいた。

「もうこれ以上の追撃《ついげき》はないと考えたいところだけど、わからないわね。パイロットはとにかく休ませて。アーサー、艦の被害状況《ひがいじょうきょう》の把握《はあく》、急いでね」

「はい」

アーサーはほっとした顔で、各部と連絡《れんらく》を取りはじめる。その他のクルーたちも気を取りなおし、各員の作業に戻った。タリアは満足して彼らを見やった。頼《たよ》りないかと思ったが、なかなかどうして、みんなよくやった。今回の戦闘《せんとう》でクルーたちは大きく能力を伸《の》ばしただろう。

そして、その最たる者が誰《だれ》かは明らかだ。

「でも、こうして切り抜けられたのは、間違《まちが》いなくシンのおかげね……」

彼女がしみじみと感想を漏《も》らすと、アーサーが振《ふ》り返って大きくうなずく。

「ええもう！　信じられませんよ！　空母二隻を含《ふく》む、敵艦六隻ですからね！」

彼は興奮した口調で繰り返す。

「――六隻！　そんな数、ぼくは聞いたこともありません！　もう、間違いなく勲章《くんしょう》ものですよ！」

シンを褒《ほ》めちぎる副長を微笑《ほほえ》みながら見やったあと、タリアはふと感慨《かんがい》深げに言った。

「でも、あれが〝インパルス〟——というか、あの子の力なのね……。なぜレイではなくて、シンにあの機体が預けられたのか、ずっと不思議だったけど……」

パイロットとしての技量は、正直シンよりレイの方が上だ。判断力、落ち着きなどをとってみても。タリアから見るとシンはまだまだ子供で、操縦にも気分次第《しだい》でムラが出る。それなのに、デュランダルはロールアウトした〝インパルス〟のパイロットにシンを指名した。

「——まさか、ここまでわかってたってことなのかしら、デュランダル議長には……？」

「かもしれませんねえ。議長はDNA解析《かいせき》の専門家でもいらっしゃいますから」

アーサーが感心したように同意し、なおも繰り返した。

「いやあ、それにしてもすごかったです。あの状況を突破《とっぱ》できるとは、正直自分も……。噂《うわさ》に聞く〝ヤキン・ドゥーエ〟の〝フリーダム〟だって、ここまでじゃあないでしょう、うん」

それこそ伝説化しているモビルスーツの名を出し、アーサーはもっともらしくうなずいた。

タリアは噴き出しそうになりながら、からかうように言った。

「カーペンタリアに入ったら、報告とともに叙勲《じょくん》の申請《しんせい》をしなくちゃならないわね。軍本部もさぞ驚くことでしょうけど」

コックピットから降りたシンは、ルナマリアやヴィーノたちのみならず、その場にいるスタッフ全員が駆《か》け寄ってくるのを見て、思わずあとずさった。

「シンっ！　聞いたぜ、このォッ！」

ヴィーノが飛びついてきて、バシバシと背中を叩《たた》く。

「いやあ、ホントよくやってくれた！」

「助かったぜ！」

周囲からもみくちゃにされ、シンは目を白黒させた。だいぶたってから、みんなが自分の戦功を褒めたたえているのだということに気づく。自分を迎《むか》える者たちの顔にあたたかい笑《え》みと興奮を見いだし、その気分が乗り移ったように、徐々《じょじょ》にシンの中にも喜びが満ちてくる。だがその視線が、取り巻く人垣《ひとがき》の後ろに立ったレイの姿に止まると、シンの心にかすかな不安がきざす。

レイたちだってがんばったのに、いい気になって自分だけ賛辞を受けていていいんだろうか？　艦で一番のパイロットと見なされているレイが、出し抜《ぬ》かれて気分を悪くはしないだろうか？——一瞬《いっしゅん》よぎった不安は、レイがめったに見せない笑みを硬質《こうしつ》な顔に浮《う》かべた瞬間、吹き飛ばされる。

レイはやっぱりいいヤツだ。

「さーあ！　ほらもう、おまえら、いいかげん仕事に戻《もど》れ！　カーペンタリアまではまだあるんだぞ！」

　エイブス主任の喝《かつ》をきっかけに、スタッフたちはようやくシンの周囲を離《はな》れて仕事に戻っていく。まだ興奮に頬《ほお》を赤くしているシンに、ルナマリアとレイが合流してパイロットロッカーに向かった。

「けどホント、どうしちゃったわけ？」

　ルナマリアも弾《はず》んだ声でたずねた。

「なんか急にスーパーエース級じゃない。火事場の馬鹿力ってヤツ？」

　そう言われてシンは、さっき戦闘中に自分を襲《おそ》った、不思議な感覚を思い起こした。

「さあ……よくわからないよ、自分でも。オーブ艦《かん》が発砲《はっぽう》したの見て、アッタマ来て、こんなんでやられてたまるか、って思ったら、急に頭ん中クリアになって……」

　考えながら言葉を紡《つむ》ぐと、ルナマリアが首をかしげる。

「ぶち切れた！――ってこと？」

「いや、そういうことじゃ……ないと思うけど……」

　シンもうまく表現できずに、顔をしかめる。すると横から、レイがさりげなく口を挟《はさ》む。

「何にせよ、おまえが艦《ふね》を守った」

　シンは驚《おどろ》いて彼を見つめた。レイはいつもよりやや穏《おだ》やかな顔でその目を見返すと、淡々《たんたん》とした口調で言った。

「生きているということは、それだけで価値がある。明日があるということだからな」

呆然《ぼうぜん》としているシンの肩《かた》をやさしく叩き、彼は先に行く。

レイがこんなことを言うなんて！　いつも、必要最低限のことしか言わないレイが！「ああ」とか「いや」以外の個人的な会話を！

シンは思わずあたふたとルナマリアを見やり、彼女も同じように愕然《がくぜん》とした顔をしているのに気づいた。二人は目を合わせると、小さく噴《ふ》き出す。

「びっくりしたァ」

シンが笑いをこらえてささやくと、ルナマリアもささやき返す。

「……っていうかレイ、なんかセリフがじじむさいかも」

その言葉で二人はまた、ひそかに笑い転げた。あたたかいものがシンの体を満たし、胸に凝《こご》っていたなにかを洗い流していく。生きているのだ——自分も、仲間たちも。

自分は一人ではない。ここに、ともに笑いあえる仲間がいる。

着替《きが》えたシンは、一人で甲板《かんぱん》に上がった。上部甲板はあちこち色が変わり、傷だらけで、激戦のあとを窺《うかが》わせる。彼は後方に目を転じる。重く垂れ込めた空の下は、どこまでも海原が広がっていた。もう、彼があとにしてきた島々は見えない。彼は広がる海の向こうを見通すように、じっと睨《にら》みすえる。

今度こそ、自分はあの国を捨てた。

捨てられたのではない。捨てたのだ。あそこにはもうなにもない。家族も、そしてその代償《だいしょう》となった理念も。

もはや荒《あ》れ狂《くる》う怒《いか》りはなかった。それはあの破壊《はかい》の中に置き去りにしてきてしまったのだろう。彼は淡々と踵《きびす》を返し、ドアをめざして歩き出した。仲間に——あたたかく自分を迎え入れてくれる人たちに向かって。

この場所こそが、いまのシンにとっては故郷だった。

EPILOGUE

アスランはさし出された赤い上着を、しばし感慨《かんがい》深げに見つめた。そして、あらためて意を決したように、それを羽織り、襟《えり》を止める。

ふたたびこの制服の袖《そで》に手を通す日が来るとは、終戦の日は夢にも思わなかった。人は変わっていく。取り巻く状況《じょうきょう》と時間の作用によって。

「わあぁ……」

見ていたミーア・キャンベルが、ほれぼれとして声を上げた。アスランは少しばつの悪い思いを抱《いだ》いたが、すぐにそれを振《ふ》り捨て、もう一人、自分を見守っていた人物に向きなおる。デュランダル議長が、静かな称賛《しょうさん》をこめて自分を見つめていた。アスランはもう迷わず、その前に進み出る。

人は結局、自分のできることをするしかないのだ。ミーアはラクスを演じ、自分は銃《じゅう》を取る。こうしている間にも、世界はもっとも危険な方向へ動いている。もはや手段を選んでいるときではないのだ。それを止めるためなら、自分の手を汚《よご》すこともためらいはしない。

デュランダルはアスランの顔を、やはり感慨深げに見つめたあと、手にしていた箱をさし出した。

「これを」

アスランは箱の中に目をやり、そこに銀色に光る徽章《きしょう》を見つけて驚きの声を漏《も》らす。

「これは――〝フェイス〟の……？」

〝フェイス〟とは、議長直属の特務隊――通常の命令系統には属さず、軍功、人格ともにすぐれていると認められた人物にしか与《あた》えられない資格だ。アスランは当惑《とうわく》して議長の顔を見やる。そもそも一度は軍を捨てた自分に、この徽章を受け取る資格があるとは思えない。しかしデュランダルは、彼を安心させようとするかのように微笑《ほほえ》む。

「きみを通常の指揮系統のなかに組み込みたくはないし、きみとて困るだろう？　そのための便宜上《べんぎじょう》の措置《そち》だよ。忠誠を誓《ちか》う――という意味の部隊〝フェイス〟だがね……きみはおのれの信念や信義に、忠誠を誓ってくれればいい」

「議長……」

その表情にはアスランに対する深い信頼《しんらい》がこもっていた。

「きみは自分の信ずるところに従い、いまに堕《だ》することなく、また、必要なときには戦っていくことのできる人間だろう？」

おのれの信念、信義に従う――それ以外のなににも従わなくてもいい。それは自由であると同時に、とてつもない重圧をともなう責任だ。だが議長は、アスランにはそれが負えると言っている。それを負え、と。

アスランはキッとした目で、彼を見返した。

「そうでありたいと、思っています」

自分を信じなければ。この人の信頼に応《こた》えるためには、まずアスラン自身が自分を信じなければならないのだ。

「きみにならできるさ。だからその力を、どうか必要なときには使ってくれたまえ。大仰《おおぎょう》な言い方だが、ザフト、〝プラント〟のためだけではなく、みなが平和に暮らせる世界のために」

世界のために。またも同じ過《あやま》ちを繰《く》り返そうとしている世界を止めるために。

アスランは深い決意をこめてうなずいた。

「はい……！」

ミーアがうれしそうにデュランダルに笑いかける。デュランダルの顔にも静かな満足感が漂《ただよ》っていた。

「オーブの情勢も気になるところだろうから、きみはこのまま〝ミネルバ〟に合流してくれたまえ」

議長はさっそくの命令を口にした。

「あの艦《ふね》にも私は期待している。以前の〝アークエンジェル〟のような役割を果たしてくれるのではないかとね。きみも、それに力を貸してやってくれたまえ」

〃アークエンジェル〃――その名はアスランの胸に郷愁《きようしゆう》のようなものをおぼえさせた。

議長の執務《しつむ》室《しつ》を辞し、一人、あの格納庫《ハンガー》に向かいながら、彼は思い起こす。その名の艦と自分を結びつけた数奇《すうき》な運命を。

はじめは敵として戦っていた者同士が、やがて理解しあい、軍や国を超《こ》えてひとつの目的のもと集《つど》い、ともに戦う。あの奇跡《きせき》がふたたび訪《おとず》れることを、彼は切に願った。

格納庫《ハンガー》にはすでに、彼の来訪が知らされていたらしい。深紅のパイロットスーツに着替《きが》えたアスランは、数日前には遠く眺《なが》めやった機体をめざす。

ZGMF―X23S〃セイバー〃――これが新たな自分の剣《けん》だ。彼はコックピットに入り、すぐに機体を立ち上げはじめながら、なんともいえない感慨が全身を満たすのをおぼえる。やはり彼は、モビルスーツ乗りなのだ。良機とめぐり逢《あ》う喜びは理屈《りくつ》を超えて、否定しようもなく彼の裡《うち》に存在した。

モニターに『G.U.N.D.A.M.』の文字列が浮《う》かび、エンジン音がシートを震《ふる》わせはじめる。メンテナンス用のケーブルが次々と外されていく。まるで戒《いまし》めから解かれた巨神《きよしん》のように、目覚めた〃セイバー〃の目に光が灯《とも》る。

前方のゲートが開いていく。アスランはいつかそうしたように、切り取られた星の海をまっすぐに見据《みす》える。その口が、強い意志に彩《いろど》られた言葉を吐《は》き出した。

「アスラン・ザラ、〝セイバー〟、発進する！」

第二巻へ続く

甦る自由の翼――

次巻予告

機動戦士
ガンダムSEED DESTINY②

原作／矢立肇・富野由悠季
著／後藤リウ

悲しみの墓標ユニウスセブン――
その落下によって、世界は再び混沌に呑み込まれ、
少年たちもまた、それぞれの運命に翻弄されていく。
単身、プラントに戻ったアスラン・ザラは、
デュランダル議長の信頼を受け、
特務隊フェイスの一員としてザフトに復隊した。
一度は脱いだはずの軍服を纏い、
アスランは新たな剣を手に再び戦場へと帰還する！
一方、オーブ近海での死闘をくぐり抜けたシン・アスカは、
故郷と決別し、
連合軍に虐げられる人々を解放せんと各地を転戦していく。
そして、もう一人――
揺れ動く世界を横目に、いまだ隠棲を続けるキラ・ヤマト。
だが、彼にも決断を迫られる時が近づいていた――
少年たちが、その手に運命を掴み取るため甦れ、フリーダム‼

スニーカー文庫

あとがき

『機動戦士ガンダムSEED《シード》 DESTINY《デスティニー》』小説版、第一巻をお届けします。光栄にも、前作に引き続き、ノベライズを担当させていただくことになりました。後藤《ごとう》リウです。

今回は小説版『SEED』ができるまでを語ってみたりしようかと思います。

まず、サンライズさんからいただいたシナリオを読んで、プロットというものを作ります。プロットというのは、話のだいたいの流れをまとめた、小説を書くうえでの設計図のようなものです。それをサンライズの担当者さんたちに見ていただいて、OKをもらって書きはじめます。このときにシナリオを読むだけではわからない疑問点などもはっきりさせておきます。「シンはどんな子ですか?」とか「ロゴスって何ですか?」とか。下村さんはじめ、サンライズのみなさんは、後藤がけっこうきわどい質問やとってもアホな質問をしても、けっして怒《おこ》ったり馬鹿にしたりせずに、いつもにこやかに対応してくださいます。ありがたいことです。

で、書きます。シナリオを横に、ときどき映像を確認《かくにん》しつつひたすら書きます。そうすると苦しくても悲しくてもなんだかいつの間にか書き終わり、担当編集の㊮氏が原稿《げんこう》を厳しくチェックして送り返してきます。鋭《するど》いツッコミにヘコむ暇《ひま》もなくチェック箇所《かしょ》を直し、今度はサンライズさんにチェックしていただきます。問題点を指摘《してき》していただき、さらにこちらから質問などもします。「あのー、フレアモーターの原理がわかりません！」など……。やはり下村さんたちは怒らず馬鹿にせず対応してくださいます。

その後、問題点を修正し、空白だった箇所を書き足しなどして、最終稿《さいしゅうこう》を印刷所に入れます。並行して原稿は、今回本文イラストを担当してくださるAs'MARIAさんに送られ、イラスト制作にかかっていただきます（カラーイラストはそれよりずっと前に発注されています。カラーページはレイアウトや印刷の関係で、本文より時間がかかるのです）。でもこれで著者の仕事が終わりにはなりません。校正と……そして、あとがきが残っているのです。

というわけで、私はこの文を書いています。これからほぼ一年間、また『SEED』の世界にどっぷり漬《つ》かる予定です。ファンのみなさんが、小説版を通してさらにこの世界を楽しんでいただけるよう、がんばっていきますので、ぜひ！　最終巻までおつき合いくださいませ。

さて、私がこの文を書いているうちにも、たくさんの方々がこの本を世に送り出すべく作業を続けてくださっています。この場を借りて、この本にかかわるみなさんに感謝を。そして、一年間よろしくお願いします。

後藤リウ

機動戦士《きどうせんし》ガンダムSEED《シード》 DESTINY《デスティニー》①
怒《いか》れる瞳《ひとみ》

原作　矢立《やたて》 肇《はじめ》・富野由悠季《とみのよしゆき》
著　後藤《ごとう》リウ

角川スニーカー文庫　13700

2005年３月１日　初版発行
2024年９月20日　19版発行

発行者　山下直久

発　行　株式会社KADOKAWA
〒102-8177 東京都千代田区富士見2-13-3
電話　0570-002-301（ナビダイヤル）

印刷所　株式会社暁印刷
製本所　本間製本株式会社

Printed in Japan　ISBN 978-4-04-429108-2　C0193

★ご意見、ご感想をお送りください★
〒102-8177 東京都千代田区富士見 2-13-3
株式会社KADOKAWA　角川スニーカー文庫編集部気付
「後藤リウ」先生
「小笠原智史」先生

角川文庫発刊に際して

角川源義

第二次世界大戦の敗北は、軍事力の敗北であった以上に、私たちの若い文化力の敗退であった。私たちの文化が戦争に対して如何に無力であり、単なるあだ花に過ぎなかったかを、私たちは身を以て体験し痛感した。西洋近代文化の摂取にとって、明治以後八十年の歳月は決して短かすぎたとは言えない。にもかかわらず、近代文化の伝統を確立し、自由な批判と柔軟な良識に富む文化層として自らを形成することに私たちは失敗して来た。そしてこれは、各層への文化の普及滲透を任務とする出版人の責任でもあった。

一九四五年以来、私たちは再び振出しに戻り、第一歩から踏み出すことを余儀なくされた。これは大きな不幸ではあるが、反面、これまでの混沌・未熟・歪曲の中にあった我が国の文化に秩序と確たる基礎を齎らすためには絶好の機会でもある。角川書店は、このような祖国の文化的危機にあたり、微力をも顧みず再建の礎石たるべき抱負と決意とをもって出発したが、ここに創立以来の念願を果すべく角川文庫を発刊する。これまで刊行されたあらゆる全集叢書文庫類の長所と短所とを検討し、古今東西の不朽の典籍を、良心的編集のもとに、廉価に、そして書架にふさわしい美本として、多くのひとびとに提供しようとする。しかし私たちは徒らに百科全書的な知識のジレッタントを作ることを目的とせず、あくまで祖国の文化に秩序と再建への道を示し、この文庫を角川書店の栄ある事業として、今後永久に継続発展せしめ、学芸と教養との殿堂として大成せんことを期したい。多くの読書子の愛情ある忠言と支持とによって、この希望と抱負とを完遂せしめられんことを願う。

一九四九年五月三日